A questão da Palestina

FUNDAÇÃO EDITORA DA UNESP

Presidente do Conselho Curador
Mário Sérgio Vasconcelos

Diretor-Presidente
Jézio Hernani Bomfim Gutierre

Superintendente Administrativo e Financeiro
William de Souza Agostinho

Conselho Editorial Acadêmico
Danilo Rothberg
Luis Fernando Ayerbe
Marcelo Takeshi Yamashita
Maria Cristina Pereira Lima
Milton Terumitsu Sogabe
Newton La Scala Júnior
Pedro Angelo Pagni
Renata Junqueira de Souza
Sandra Aparecida Ferreira
Valéria dos Santos Guimarães

Editores-Adjuntos
Anderson Nobara
Leandro Rodrigues

Edward W. Said

A questão da Palestina

Tradução
Sonia Midori

© 1992 by Edward W. Said
All rights reserved
© 2011 da tradução brasileira
Título original: *The Question of Palestine*

Fundação Editora da Unesp (FEU)
Praça da Sé, 108
01001-900 – São Paulo – SP
Tel.: (0xx11) 3242-7171
Fax: (0xx11) 3242-7172
www.editoraunesp.com.br
www.livrariaunesp.com.br
atendimento.editora@unesp.br

CIP – Brasil. Catalogação na fonte
Sindicato Nacional dos Editores de Livros, RJ

S139q

Said, Edward W., 1935-2003

A questão da palestina / Edward W. Said; tradução Sonia Midori. – São Paulo: Ed. Unesp, 2012.

Tradução de: The Question of Palestine
ISBN 978-85-393-0234-5

1. Relações árabe-israelenses. 2. Palestinos. I. Título.

12-1747. CDD: 956.94
CDU: 94(569.4)

Editora afiliada:

Asociación de Editoriales Universitarias
de América Latina y el Caribe

Associação Brasileira de
Editoras Universitárias

Sumário

Prefácio à edição brasileira   VII
Prefácio à edição de 1992   XVII
Introdução   XLVII

1 – A QUESTÃO DA PALESTINA   3
    I – A Palestina e os palestinos   3
    II – A Palestina e o Ocidente liberal   17
    III – A questão da representação   43
    IV – Direitos palestinos   53

2 – O SIONISMO DO PONTO DE VISTA DAS VÍTIMAS   63
    I – O sionismo e as atitudes do colonialismo europeu   63
    II – Povoamento sionista, despovoamento palestino   94

3 – RUMO À AUTODETERMINAÇÃO PALESTINA   133
    I – Os remanescentes, os exilados,
        os reféns da ocupação   133
    II – O surgimento de uma consciência palestina   162

III – A OLP ganha importância   180
IV – Os palestinos ainda em questão   193

4 – A QUESTÃO PALESTINA APÓS CAMP DAVID   207
   I – Termos de referência: retórica e poder   207
   II – Egito, Israel e Estados Unidos:
      o que mais o tratado envolvia?   225
   III – Realidades palestinas e regionais   244
   IV – Futuro incerto   268

Epílogo   273
Notas bibliográficas   281
Índice remissivo   299

Prefácio à edição brasileira

Salem H. Nasser[1]

O povo palestino existe. É esta verdade que a obra de Edward Said vem reafirmar e lembrar. Uma verdade histórica que deveria ser evidente, mas que vários esforços combinados, voluntária ou involuntariamente, diluem e enterram sob as camadas de despossessão, de desterro, de ocupação, de esquecimento e de negação.

Dessa verdade decorre um imperativo: aos palestinos, individual e coletivamente, como seres humanos e como povo, correspondem direitos de que o esforço de negação insiste em despi-los, mas que aos palestinos cabe perseguir e aos demais reconhecer, observar e assegurar.

A realidade da existência do povo palestino se construiu histórica e concretamente sobre um território identificável e, ainda hoje, quando em grande parte essa existência foi empurrada para fora da terra, a identidade dos palestinos se afirma

---

1 Doutor em Direito Internacional pela Universidade de São Paulo (USP) e professor da Escola de Direito de São Paulo da Fundação Getulio Vargas.

e se reconstitui continuamente em referência à ligação com o território da Palestina.

A tragédia palestina é territorial na medida em que uma outra pretensão – mais forte, mais estruturada e mais relevante no que se poderia chamar de jogo das nações – reclama o domínio não partilhável da terra.

Mas é também uma tragédia de negação e, em certo grau, de invisibilidade: a narrativa palestina é gradualmente apagada, escondida e suplantada por outra que lhe faz concorrência e, ao mesmo tempo, a substitui por representações reducionistas e caricaturais. Muitas vezes, no Ocidente e nos Estados Unidos como em nenhum outro lugar, os palestinos pareciam falar contra o vento, quer por suas próprias falhas, quer por falta de ouvidos que os quisessem escutar.

Edward Said, que conquistara um lugar no coração do universo acadêmico e intelectual norte-americano, percebeu a centralidade do papel dos Estados Unidos na determinação dos destinos do Oriente Médio e, por conseguinte, no desenrolar e no desfecho do drama palestino. Ele viu na incapacidade palestina de fazer avançar a sua narrativa e a legitimidade das suas demandas, de influenciar a orientação da política norte-americana para a região e de sensibilizar a opinião pública desse país uma limitação potencialmente fatal para suas reivindicações.

Escrito entre 1977 e 1978, *A questão da Palestina*, de modo imediato e em parte, foi uma tentativa de escapar dos pontos cegos da diplomacia dos Estados Unidos e do viés ideológico das Ciências Sociais que lhe davam suporte. Talvez seja possível discernir um pequeno otimismo no tom adotado por Said ou uma vaga esperança de que a contínua resistência palestina contra o desaparecimento – a única vitória relativa desse povo – estava prestes a aumentar o alcance de seus argumentos de legitimidade e de sua narrativa. Os palestinos apareciam, então, finalmente representados por uma Organização para a Libertação da Palestina (OLP), que se mostrava apta a melhor advogar a causa. O otimismo e a esperança persistiram até a nova edição da obra, publicada em 1992 com nova apresentação de Said, mas desapareceram depois dos acordos de Oslo que vieram a seguir.

Nesses acordos, Said testemunhou aquilo que considerou ser a renúncia de Arafat e de seu grupo às demandas históricas e legítimas do povo palestino, uma renúncia confirmada mais tarde pela Autoridade Palestina, com o Fatah à frente. A produção posterior de Said revela a dimensão de seu descontentamento com o aprofundar da tragédia que ainda acomete os palestinos. Apenas resistirá o otimismo decorrente da crença na igual humanidade de judeus e palestinos, da qual poderia ser forjada uma convivência comum.

A última grande causa do século XX

Além do tom adotado por Said nesta obra, marcado pelo contexto em que se escrevia o livro, várias peças do mosaico apresentado em *A questão da Palestina* precisam ser percebidas como fotografias dos fatos tal como estes se apresentavam naquele instante histórico. Todos os números de anos de ocupação, de refugiados, de imigrantes judeus, de desapropriação e destruição de casas etc. só fizeram aumentar e precisam ser mentalmente atualizados. Feito esse exercício, a estatura do livro se revela por inteiro e ganha magnitude quando vista através da lente dos mais de trinta anos durante os quais aquela mesma questão da Palestina não apenas ficou sem solução, mas pareceu afastar-se consistentemente de qualquer desfecho justo.

Não é, no entanto, apenas da permanência da tragédia que o livro tira sua extraordinária e duradoura força. Esta decorre da combinação precisa de ao menos três esforços: Said apresenta o drama palestino como um problema de profundas implicações, essencialmente conectado com a afirmação dos direitos humanos dos indivíduos e do povo palestinos; caracteriza-o como uma oposição entre uma presença e uma ausência desse povo; elenca e discute as condicionantes fundamentais e duradouras desse drama.

A durabilidade, a permanência mesmo, dos traços com que desenhava então Said a questão da Palestina é impressionante e oferece testemunho da acuidade e da capacidade de penetração de seu olhar observador. Centrais entre esses traços, e especialmente atuais, são a tendência do Ocidente de fazer uma associação de cunho orientalista entre palestinos e as representações negativas do árabe, do Oriente e do Islã – a que se conecta sempre, é claro, o terrorismo –, e a substituição da voz própria dos palestinos pelo discurso ocidental, especialmente sionista e pretensamente especialista, sobre os palestinos. No desenho de Said, a luta pela autodeterminação também subsiste, mantém-se constante, e tira sua força vital do aprofundamento da consciência e da identidade.

Naquilo que as circunstâncias mudaram e naquilo que eventos subsequentes vieram superar e transformar, este livro desvela momentos cruciais e fornece chaves de leitura fundamentais de uma história que precisava reconhecer a voz e as perspectivas palestinas.

A questão da Palestina mostra-se, assim, uma peça indispensável para a compreensão desta que era vista por Said como a "última grande causa do século XX", e que sobrevive inteira neste início de novo século, por oferecer uma leitura penetrante de lances fundamentais da história, mas sobretudo por enquadrar a questão numa moldura sempre atual, constituída, num extremo, pelos profundos efeitos do sionismo sobre o povo palestino e, no outro, pela morte lenta, gradual, hoje consumada do chamado processo de paz, morte essa presidida por Estados Unidos e Israel.

A publicação do livro pela primeira vez no Brasil deve ser festejada. A obra de Edward Said não é desconhecida entre nós, mas nestes tempos em que o Brasil vai adquirindo a estatura que deve ser a sua, e quando não quer, nem deve querer, escapar dessa questão central das relações internacionais, dos esforços de manutenção da paz, da promoção dos direitos humanos e da distribuição de poder no mundo, difundir esta obra em português é uma necessidade inadiável.

Depois de Oslo

No prefácio à edição de 1992, Said arrolava alguns dos eventos relevantes que se interpuseram entre a redação do livro e o momento em que se preparava aquela edição. O mundo que resultava daqueles eventos e fatos era um mundo novo, mas a questão palestina persistia, marcada, em suas palavras, pela "expropriação, o exílio, a dispersão, a privação dos direitos civis".

Não foram poucos os eventos, também transformadores e relevantes para a questão palestina, ocorridos no curso dos vinte anos que nos separam de 1992. Celebraram-se os acordos de Oslo em 1993, que "cediam" alguma autonomia aos palestinos em trechos limitados do território, como contrapartida ao fornecimento de garantias de segurança a Israel, mas postergavam a discussão dos temas mais espinhosos, tais como os direitos dos refugiados e o *status* de Jerusalém. Seguiram-se a instalação da Autoridade Nacional Palestina (ANP), em 1994, e a eleição de Yasser Arafat como presidente, em 1996. Três anos depois, a ANP foi persuadida a adiar o nascimento de um Estado Palestino, que, conforme estabeleciam os acordos de Oslo, deveria ser criado em 1999.

Uma segunda intifada, a de Al Aqsa, foi desencadeada depois de uma provocação de Ariel Sharon (então parlamentar e líder do Likud), que sob uma escolta militar visitou a Esplanada das Mesquitas, local sagrado palestino. A eleição de George W. Bush praticamente fez *tabula rasa* do que até ali havia sido acordado e, em substituição, concebeu-se o chamado "mapa do caminho". Ao mesmo tempo, Israel iniciou a construção de uma barreira, um muro que, efetivamente, anexava mais terras palestinas. Essa questão foi levada à Corte Internacional de Justiça, que julgou ilegal a edificação. A crônica da violência, contínua, teve então os seus momentos mais intensos; um dos mais recentes foi a campanha israelense contra Gaza em dezembro de 2008 e janeiro de 2009. Ao longo de todo esse tempo a expansão dos assentamentos judaicos em território palestino não parou.

Embora seja claramente impossível fazer o relato de todos os eventos que marcaram a política palestina, a política israelense e as suas interações, de negociação ou de conflito desde a publicação da edição de 1992, uma evolução específica precisa ser ressaltada. Trata-se da emergência em força do Hamas no cenário político palestino e regional e do enorme papel que passou a desempenhar na resistência à ocupação. Aquela frente unida anunciada e, em certa medida, celebrada por Said, e que tinha a OLP como a representante universalmente reconhecida do povo palestino, desapareceu.

A política palestina passou a opor os remanescentes da estrutura anterior, à frente o Fatah, envoltos em um crescente déficit de legitimidade – decorrente de sua impotência no processo negociador com os israelenses e de um pobre balanço de seu governo –, à militância do Hamas, que tira seu prestígio da luta continuada contra a ocupação e de sua atuação social, atendendo às necessidades da população.

Em 2006, o Hamas ganhou as eleições palestinas. A essa vitória seguiram-se uma queda de braço entre os dois campos e uma forte campanha ocidental para alijá-lo do poder. Confrontos armados ocorreram entre Fatah e Hamas, e houve uma efetiva divisão dos territórios palestinos em dois espaços distintos de poder político: a Faixa de Gaza e a Cisjordânia.

A disputa, travada em mais de um terreno, envolve aqueles que são demonizados pelo Ocidente e aqueles que são apoiados, mas ao mesmo tempo tornados impotentes. Na tentativa de remediar em parte essa impotência e de recuperar em parte o *status* de legítimos representantes do povo palestino, o Fatah e o atual presidente da Autoridade Palestina, Mahmoud Abbas, pediram a aceitação da Palestina como membro das Nações Unidas e de outras organizações internacionais. A campanha liderada pelos Estados Unidos para barrar essa reivindicação serve como pequeno lembrete do acerto de algumas das teses centrais esposadas por Edward Said.

Uma nova configuração política

Dos eventos e fatos que fazem parte do entorno da questão da Palestina sem diretamente integrá-la, destaco apenas um par de coisas, ciente do caráter arbitrário dessa escolha. A primeira é a evolução da balança de poder no Oriente Médio. Em 1977, quando Said escrevia, a impotência militar árabe já era patente; esse fato era reafirmado em 1992, quando Israel continuava a ocupar vários territórios árabes, havia invadido duas vezes o Líbano e nele mantinha uma força de ocupação permanente. Desde então, a maior parte dos Estados árabes, alinhados com a política norte-americana para a região, deixaram de representar, e de querer representar, uma ameaça militar para Israel.

No entanto, a crescente relevância do Irã e a gradual construção de uma aliança estratégica desse país com a Síria – que se materializava em apoio militar, financeiro e logístico ao Hezbollah (no Líbano) e, ainda que em menor medida, ao Hamas (na Palestina) – trouxeram importantes transformações no equilíbrio de forças. Não restam dúvidas de que Israel é e continuará a ser por muito tempo a maior potência militar na região. Mas deve-se constatar que, depois de sua retirada forçada do sul do Líbano em 2000, de sua relativa derrota diante do Hezbollah na guerra de 2006 (também contra o Líbano) e das dificuldades que enfrentou na campanha contra Gaza em 2008 e 2009, a capacidade do exército israelense de conquistar vitórias decisivas e inquestionáveis diante de aparatos inferiores, em guerras assimétricas, está hoje sensivelmente diminuída.

O segundo fenômeno que escolho mencionar é a recente onda de revoltas no mundo árabe e a decorrente instabilidade dos seus regimes governantes. O caráter autoritário e policialesco da maior parte – senão de todos – esses regimes não escapava à observação nem à crítica de Said, que também lembrava como quase todos eram clientes dos Estados Unidos.

Desde que começaram as revoltas, e enquanto elas durarem, assim como quando outras se produzirem, uma questão inescapável é aquela relacionada à posição que países árabes potencialmente, espera-se, mais democráticos e mais livres assumirão no grande jogo da estratégia regional e mundial. Essa decisão implica outras, que, obviamente, estão conectadas à relação com Israel e às atitudes diante da questão da Palestina.

As respostas estão ainda por ser descobertas. De todo modo, as revoltas colocaram todos os atores da região em alerta, e isso inclui as lideranças e os campos palestinos, para não falar dos israelenses, que fazem agora novos cálculos.

Um problema moral

A questão da Palestina não é um livro que deva ou mereça ser lido apenas pela importância de seu tema ou pela verdade de seus argumentos (que, como todo argumento, estão sujeitos a refutação). Edward Said tinha muitos talentos e fazia escolhas que transformaram sua obra em peça incontornável na compreensão da questão da Palestina e de seu entorno, e que também faziam dele talvez o mais formidável dos defensores de uma causa que ele soube revelar como sendo essencial e profundamente um problema moral, uma questão de justiça.

Entre seus talentos estavam a prosa cristalina e a capacidade de articular e organizar argumentos que sua clareza de visão – outro talento – fazia enxergar em meio à confusão e ao perverso jogo de representações que ele, como ninguém, denunciou. Entre as escolhas estava a de se manter sempre no registro da racionalidade e fundar os argumentos em um profundo conhecimento da realidade e da pluralidade de discursos sobre a realidade.

Tudo isso era coroado por um profundo humanismo – quem saberá dizer se um talento ou uma escolha? – que lhe permitia reconhecer, no sentido de enxergar e no sentido de admitir como verdade, a enormidade da tragédia do povo judeu, mas que ao mesmo tempo o levava a insurgir-se contra a substituição de uma tragédia nacional por outra.

Hoje, as perguntas que fazia há três décadas continuam inteiras e estão dispostas diante de nós, à espera de uma resposta convincente:

> Por que padrão moral ou político espera-se que abandonemos nossa reivindicação à nossa existência nacional, à nossa terra e aos nossos direitos humanos? Em que mundo não haveria uma discussão quando todo um povo é considerado juridicamente inexistente, embora exércitos sejam mobilizados para combatê-lo, campanhas sejam orquestradas até contra o seu nome, a história seja modificada para "provar" sua inexistência?

2 de abril de 2012

Prefácio à edição de 1992

Este livro foi escrito entre 1977 e 1978 e publicado em 1979. Inúmeros acontecimentos seguiram-se desde então, entre eles a invasão do Líbano por Israel em 1982, o início da longa *intifada* em dezembro de 1987, a crise e a Guerra do Golfo de 1990 a 1991 e a realização de uma conferência de paz para o Oriente Médio no fim de outubro e início de novembro de 1991. Somando-se a essa extraordinária combinação de eventos outros fatos, como as expressivas mudanças no Leste Europeu e a dissolução da União Soviética, a libertação de Nelson Mandela, a independência da Namíbia, o fim da guerra do Afeganistão e, regionalmente, é claro, a revolução iraniana e suas consequências, vivemos em um mundo novo, mas não menos temerário e complexo. No entanto, causando estranheza e infortúnio, a questão palestina persiste – sem solução, aparentemente irreconciliável, indomável.

Duas décadas após o Setembro Negro (1970), os principais aspectos da vida palestina continuam sendo a expropriação, o exílio, a dispersão, a privação dos direitos civis (sob a ocupação militar israelense) e, não menos relevante, uma resistência extraordinariamente disseminada e obstinada a essas aflições. Milhares de vidas perdidas e outras tantas irreparavelmente prejudicadas parecem não ter enfraquecido o espírito de resistência característico de um movimento nacional que, apesar de suas diversas conquistas na obtenção de legitimidade, visibilidade e imenso apoio a seu povo contra as forças que lhe oprimem, não descobriu como cessar ou refrear a tentativa implacável dos israelenses de tomar mais e mais o território palestino (assim como outros territórios árabes). Mas a discrepância entre importantes ganhos políticos, morais e culturais, de um lado, e o monótono bordão da alienação de terras, de outro, está no cerne do atual dilema palestino. Falar dessa discrepância em termos estéticos, como uma ironia, não significa absolutamente minimizar ou banalizar sua força. Pelo contrário, aquilo que para muitos palestinos é uma incompreensível crueldade do destino ou uma medida de quão desalentadoras são as perspectivas de ver suas reivindicações atendidas pode ser esclarecido tomando-se a ironia como um fator essencial de suas vidas.

Paradoxo e ironia: a Organização para a Libertação da Palestina (OLP) e sua conjuntura

Após a Guerra do Golfo, James Baker, secretário de Estado norte-americano, fez uma série de oito viagens à região e conseguiu estabelecer as diretrizes de uma conferência de paz, visando o fim do conflito árabe-israelense em âmbito geral e, em particular, do componente palestino-israelense. Nos países árabes que visitou, ele diz que ouviu de todas as autoridades que não se poderia esperar melhoria alguma nas relações essencialmente inexistentes entre os Estados árabes e Israel antes que a questão da Palestina fosse tratada a sério. Ao mesmo tempo, porém, a OLP era menosprezada por todas as nações árabes da coalizão, os palestinos dos territórios ocupados sofriam cada vez mais com a interrupção do repasse de fundos provenientes do Golfo e a situação dos palestinos que viviam nos Estados do Golfo era precária. De modo ainda mais dramático, toda a comunidade palestina no Kuwait passava por sérias adversidades: tortura, deportação, prisões arbitrárias e execuções sumárias eram comuns. Além das incomensuráveis perdas materiais dessa comunidade e de seus dependentes nos territórios ocupados, há o fato de que as autoridades kuwaitianas restabelecidas anunciaram que os palestinos que deixassem o país durante a ocupação do Iraque não seriam readmitidos, o que manteve centenas de milhares de refugiados em uma Jordânia já seriamente sobrecarregada. Os que permaneceram enfrentaram medidas austeras – entre elas, mais deportações e prisões.

Desse modo, a declarada centralidade moral e política da questão palestina no discurso árabe oficial é confrontada com a verdadeira relação entre os palestinos como povo real, comunidade política e nação, de um lado, e os Estados árabes, de outro. Essa contradição em particular nos remete a 1967, quando, após a Guerra de Junho, o movimento palestino foi estimulado pelo desejo de compensar o fragoroso desempenho dos exércitos árabes contra Israel. De certo modo, portanto, a relação crítica, quase corrosiva, entre a atividade palestina e o sistema das nações árabes é estrutural, não circunstancial. O surgimento da OLP no fim da década de 1960 trouxe consigo elementos como uma franqueza ousada, um cosmopolitismo inusitado, no qual figuras como Fanon, Mao e Guevara passaram a fazer parte do jargão político árabe, e uma audácia (talvez até imprudência) associada a um movimento político que se apresentava como capaz de fazer melhor do que muitos de seus colaboradores e defensores.

Contudo, não devemos interpretar erroneamente essa relação estrutural crítica como estritamente antiética. É verdade que, ao pensarmos no conflito entre o Exército jordaniano e os grupos guerrilheiros palestinos em 1970 e 1971, ou nos vários duelos entre a OLP e o Exército libanês no início da década de 1970, nos terríveis massacres de Sabra e Chatila em 1982 e no atual antagonismo entre OLP, Egito, Arábia Saudita, Kuwait e, evidentemente, Síria, as tensões implícitas parecem assumir, de fato, dimensões absolutamente desagradáveis. No entanto, há uma dimensão diferente que precisa ser evocada. Todos os palestinos sabem que sua circunscrição é árabe e que sua luta ocorre em um cenário predominantemente árabe e islâmico. Portanto, não são menos importantes nesse difícil relacionamento a simbiose e a simpatia entre as causas árabe e palestina ou o fato, por exemplo, de que a Palestina passou a representar o que há de melhor e mais vital na tradição pan-árabe de cooperação, energia drástica e alma.

Mas também aqui o paradoxo e a ironia são evidentes. Sem dúvida, a OLP pós-Shukairy – dominada durante duas décadas por Yasser Arafat – via-se de início como pan-árabe no sentido nasserista. Mas a organização logo se envolveu em pelo menos três, e talvez até quatro ou cinco, outros círculos de influência, ou domínios, regionais e internacionais, nem todos coerentes entre si ou similares. Em primeiro lugar, o Golfo Pérsico, que desde 1948 foi fundamental para a economia e a demografia do avanço palestino. Isso não só levou muitos dos países do Golfo com perspectivas políticas amplamente conservadoras a estabelecer relações amistosas com a OLP durante anos, mas também acarretou dois outros fatores, ambos com um viés ideológico significativo: dinheiro e islamismo sunita. Em segundo lugar, a Revolução Iraniana de 1979 e o vínculo imediato entre o regime de Khomeini e a OLP. Isso proporcionou à Palestina um apoio de Estado importante de um ramo não árabe do islamismo xiita, associado a um milenarismo extremamente volátil que teve repercussões surpreendentes nos vários setores da organização. E, como se a convergência iraniana não bastasse, havia um terceiro elemento: a ligação orgânica entre a luta palestina e a maioria dos movimentos oposicionistas progressistas do mundo árabe, desde grupos marxistas egípcios, nasseristas e muçulmanos até uma ampla variedade de pequenos e grandes partidos, personalidades e correntes na região do Golfo, no Crescente Fértil e no Norte da África.

Em quarto lugar, e particularmente flagrante, o universo dos movimentos de independência e libertação. Um dia, a história do intercâmbio e do apoio entre a OLP e grupos como o Congresso Nacional Africano (CNA), a Organização do Povo da África do Sudoeste (Swapo) e os sandinistas, bem como os grupos revolucionários de oposição ao xá no Irã, terá um capítulo extraordinário sobre a luta contra as várias formas de tirania e injustiça no século XX. Não surpreende que Nelson Mandela, por exemplo, tenha declarado publicamente que a oposição ao *apartheid* e a adesão à causa palestina eram essencialmente um esforço comum; também não surpreende que no fim da década de 1970 não houvesse uma causa política progressista que não se identificasse com o movimento palestino. Além disso, na época da invasão libanesa e da *intifada*, Israel perdeu a alta posição política que ocupava; a Palestina e seu povo ganharam a supremacia moral.

A questão principal a respeito dessas confluências com frequência desconcertantes não é se elas funcionaram bem ou mal, mas o que, de fato, funcionou, dada a enorme incidência de forças latentes extremamente desestabilizadoras nas relações entre os palestinos e os diversos Estados árabes. No entanto, como sustento neste livro, desde 1970 longos períodos da história podem ser interpretados como derivações de conjunturas que são adotadas, depois rejeitadas com animosidade e recriminações e, em alguns casos, retomadas. No início da década de 1970, a relação entre a Palestina e a Jordânia era profundamente antagônica e provocou grandes perdas de vidas e bens; cerca de uma década depois, tornou-se cordial, embora assumidamente reservada, mas a aliança jordaniano-palestina era suficientemente sólida para permitir um encontro do Conselho Nacional

Palestino (CNP) em Amã, em 1984, a ideia de uma delegação conjunta palestino-jordaniana na ONU e até uma confederação para as conversações de paz em 1991-1992. A presença da Síria no movimento foi igualmente oscilante, embora nem sempre indulgente – várias reuniões do CNP foram realizadas em Damasco e, no início da Guerra Civil Libanesa, houve uma aliança militar, mas depois que a situação degenerou no início da década de 1980 ela não foi retomada. Entre o Egito e o Iraque nunca houve um conflito armado, mas ocorreram vários altos e baixos – o mais recente semeou a discórdia entre a OLP e o Cairo, em parte por causa da aliança da OLP com o Iraque, estabelecida muito antes de 2 de agosto de 1991 e motivada pelo fim do apoio das principais nações árabes à Palestina, em meados da década de 1980. Quanto ao Líbano, a história é, de fato, confusa: os representantes dos Estados árabes, Irã ou Israel, além das milícias e dos partidos locais, aliaram-se ora a favor, ora contra os palestinos – que foram formalmente expulsos em 1982 e agora (no momento em que escrevo) estão de volta, apesar de pouco à vontade para se conciliar com um Líbano pós-Taif, administrado verdadeiramente pelo Exército sírio.

Dois temas emergem da história inconstante dessa conjuntura extremamente instável, embora inevitavelmente envolvente. O primeiro é a ausência de um aliado estratégico do nacionalismo palestino. O segundo é uma espécie de anverso do primeiro, isto é, a existência inquestionável de uma vontade política palestina relativamente independente durante décadas. Na verdade, o caminho convoluto percorrido pelo movimento nacional palestino sugere que essa vontade foi arrancada à força da conjuntura. Na Conferência de Rabat, em 1974, logo após a Guerra de Outubro, a OLP foi citada como "representante legítima do povo palestino". Na reunião de 1984 do CNP, realizada na Jordânia, o motivo de comemoração era que, após o repulsivo engajamento dos palestinos no Exército sírio no norte do Líbano, os palestinos *podiam* promover uma reunião do Conselho Nacional, apesar da proximidade da Síria e das pretensões de seu líder à hegemonia sobre a estratégia regional. Entretanto, o exemplo mais patente do esforço palestino pela liberdade foi a reunião do CNP em 1988, em Argel, em que os palestinos – cuja luta pela autodeterminação ocorria em uma Palestina dividida – assumiram um compromisso histórico. Ao mesmo tempo, declarou-se na capital argelina um Estado palestino regido por um conjunto de princípios constitucionais iluminados e totalmente seculares.

Mudanças e transformações

Penso que não devemos minimizar a impressionante generosidade de visão, a audácia dos impulsos, a ousadia de certas formulações que se destacam enquanto a vontade palestina era lentamente forjada. Em outras palavras, não se trata apenas de uma mera acomodação palestina à realidade, mas com frequência de antecipar ou transformar essa realidade. Justamente por isso, seria equivocado negar os efeitos educativos da conjuntura internacional sobre a natureza da política palestina.

O resultado mais notável desses efeitos internacionais foi evidentemente a transformação de um movimento de libertação em um movimento de independência nacional, já implícito em 1974 na noção do CNP de uma autoridade nacional e de Estado. Mas houve outras mudanças importantes, como a aceitação das resoluções 242 e 338 da ONU (desnecessariamente estigmatizadas como a encarnação do mal por oradores palestinos durante quase uma geração inteira), o período de realinhamento com o Egito após os acordos de Camp David e a aceitação do Plano Baker em 1989-1990. Quando essas acomodações são confrontadas com o histórico de recusas obstinadas que as precederam, é surpreendente que, considerando-se a intensa experiência vivenciada de perdas e sofrimentos desse povo, a leniência e as declarações palestinas destacam-se por sua qualidade distintiva e pela genuína esperança que elas nutrem por uma reconciliação com o Estado judeu. Elas contêm um projeto, há muito acalentado, de acordo político, e não militar, com um inimigo difícil, dada a percepção adquirida ao longo do caminho de que nem israelenses nem palestinos têm realmente uma opção militar um contra o outro. Mas o que também se sobressai é a recusa implacável de Israel em reconhecer, abordar ou chegar a qualquer espécie de entendimento com o nacionalismo palestino.

Esse ponto exige destaque. Embora fosse desejável que os palestinos tivessem aceitado a Resolução 242 uma década antes, na época em que a primeira edição deste livro foi publicada (1979-1980), ou que o tom da retórica palestina sobre a "luta armada" tivesse sido menos estridente nas décadas de 1970 e 1980, ou que os palestinos tivessem encarado seu papel como, na verdade, de união do mundo árabe, em vez de separá-lo ainda mais (sobretudo durante a crise do Golfo), não há dúvida de que o ímpeto global da política palestina tem sido moderado, e não escalonado, em seus sonhos e demandas. O fato é que, sob a liderança de Arafat, a política palestina abriu caminho da periferia para o centro de um consenso internacional de coexistência com Israel, bem como de sua autodeterminação e condição de Estado; ao mesmo tempo, a posição israelense seguiu na direção oposta, deslocando-se da aparente e hábil moderação dos governos do Partido Trabalhista em direção ao duro extremismo maximalista dos sucessivos governos dominados pelo Likud a partir de 1977. Atualmente, fanáticos e ideólogos de extrema direita como Shamir, Sharon e Arens, que aspiram por um Israel maior, parecem quase de centro em um gabinete que inclui Yuval Neeman e um representante do Partido Moledet, o qual apoia abertamente a "transferência" em massa de palestinos para fora da Palestina. A presença de Arafat estabilizou o curso da política palestina ou, como diriam alguns, domesticou-a, ao passo que aconteceu exatamente o contrário em Israel depois que Menachem Begin assumiu o poder em 1977. E não podemos deixar de notar que, quando falamos aqui de política palestina sob o comando de Arafat, não nos referimos apenas a um punhado de ativistas da paz ou de oposicionistas por esporte, mas à corrente dominante do pensamento palestino, formalizada e aglutinada nas declarações do CNP, que representa a nação palestina em seu mais alto nível legislativo e político.

Além dessa mudança, também houve uma inversão de papéis no nível discursivo e simbólico, da qual tratarei em breve. Desde sua fundação em 1948, Israel exerce um domínio extraordinário no que diz respeito ao conhecimento, ao discurso político, à presença internacional e ao reconhecimento. Tomou-se Israel para representar o que há de melhor nas tradições ocidental e bíblica. Seus cidadãos eram soldados, sim, mas também agricultores, cientistas e artistas; sua transformação milagrosa de uma "terra árida e deserta" conquistou e continua a conquistar a admiração universal. Enquanto isso, os palestinos ou eram "árabes" ou criaturas anônimas, capazes apenas de romper e desfigurar uma narrativa fantástica idílica. Mais importante ainda, Israel representava (embora nem sempre desempenhasse esse papel) uma nação em busca de paz, ao passo que os árabes eram belicosos, sanguinários, exterminadores em potencial e reféns mais ou menos eternos de uma violência irracional. No fim da década de 1980, essa imagem passou a corresponder mais à realidade em virtude de uma combinação de retaliação agressiva, excelência no campo do conhecimento e da pesquisa, resistência política – do tipo que a *intifada* intensificou a um alto nível – e, é claro, a brutalidade crescente, o vácuo político e o negativismo apresentados oficialmente por Israel. Embora grande parte disso se devesse à atividade palestina, é importante observar aqui a contribuição marcante de muitos judeus, mesmo sionistas, em grupo ou individualmente, dentro e fora de Israel, que com uma doutrina revisionista, um discurso corajoso a favor dos direitos humanos e uma campanha ativa contra o militarismo israelense, contribuíram para tornar a mudança possível.

Devemos acrescentar outro fator a esse levantamento sobre mudanças: a extraordinária supremacia conquistada pelos Estados Unidos da América. Um modo de analisar como a presença seletiva da influência norte-americana no início da década de 1970 foi metamorfoseada no que é, sem dúvida, a mais imponente presença institucional de qualquer poder estrangeiro na história moderna do Oriente Médio é comparar o papel de Henry Kissinger, na era Nixon, à consolidação de uma aliança estratégica entre Israel e os Estados Unidos, nos anos Reagan. Kissinger conduziu a mediação diplomática e a arte de governar com ruidosa ostentação. Ele ajudou de fato nas negociações para o fim da guerra de 1973 e na viabilização do Sinai II, como o pacto de paz foi chamado em 1975, e estabeleceu as bases para os acordos de Camp David. No entanto, embora os Estados Unidos tenham reabastecido maciçamente Israel no campo de batalha em 1973, e embora tenha havido associações e toda espécie de esforços conjuntos entre os dois países, a presença da União Soviética, bem como os interesses ativamente perseguidos pelos Estados Unidos em alguns estados árabes, impediram uma conexão institucional entre ambos os países. Assim, durante a década de 1970, enquanto Richard Nixon se enredava no caso Watergate e Kissinger se prolongava em suas autopromoções e peregrinações, Israel não foi o principal foco de atenção dos Estados Unidos; a ajuda era elevada, mas ainda não astronômica; a competição entre Egito e Israel continuava intensa; a Guerra Fria, a América Latina e o Vietnã ainda permaneciam como as prioridades.

No fim da era que levou Ronald Reagan ao poder em 1980, o cenário era bem diferente. Egito e Israel estavam unidos no que se referia às leis de ajuda externa e, até certo ponto, à opinião pública. No Líbano, Alexander Haig deu sinal verde a Israel (em contraste com a firme advertência de Jimmy Carter ao governo Begin para que o Exército israelense recuasse em sua incursão no Líbano em 1978, o que foi feito imediatamente). Quando George

Shultz foi nomeado secretário de Estado, no verão de 1982, já estavam estabelecidas as bases para o maior acordo já realizado de ajuda externa, cooperação militar e apoio político quase incondicional entre os Estados Unidos e qualquer outro governo estrangeiro. Enquanto isso, a expropriação de terras palestinas prosseguia a passos acelerados, milhares de palestinos perdiam suas vidas para a violência israelense e o desrespeito de Israel às resoluções da ONU, às convenções de Genebra e Hague e aos direitos humanos continuava de maneira desbragada. Embora essa prática tenha começado quando Daniel Moynihan era o embaixador norte-americano na ONU, os Estados Unidos e Israel estavam isolados na organização mundial, não raro desafiando o bom-senso e o espírito humanitário com posições abusivas. No verão de 1982, com a prolongação do cerco israelense a Beirute, literalmente centenas de voos de reconhecimento foram realizados sem nenhum controle e a cidade ficou sem energia elétrica, água, alimentos e suprimentos médicos; ainda assim, a resolução do Conselho de Segurança da ONU que exigia que Israel permitisse a passagem de suprimentos humanitários foi vetada pelos Estados Unidos sob a alegação de que era "desproporcional".

Os maiores indícios *norte-americanos* de proximidade entre os dois países foram, em primeiro lugar, a declaração do chefe do American Israel Public Affairs Committee (Aipac) de que, nunca em sua história, o Congresso dos Estados Unidos foi tão pró-Israel como durante o mandato de Reagan (e seus membros mais sujeitos a sanções, caso não aderissem à atitude predominante, como foi o caso do deputado Paul Findley e do senador Charles Percy, ambos de Illinois) e, em segundo lugar, o fato de que a ajuda norte-americana aumentou geometricamente de 70 milhões de dólares por ano no fim da década de 1960 para mais de 5,1 bilhões de dólares anuais quinze anos depois. O total estimado da ajuda repassada a Israel entre 1967 e 1991 é de inacreditáveis 77 bilhões de dólares. Mas esses números não revelam questões como compartilhamento de dados da inteligência (a prisão de Jonathan Pollard em 1986 parece ter contribuído muito pouco para limitar ou submeter um controle mais amplo), planejamento estratégico militar e toda espécie de atividades conjuntas com regimes menos respeitáveis do Terceiro Mundo (como foi documentado pelos pesquisadores Jane Hunter e Benjamin Beit-Hallahmi).

O extraordinário poder intervencionista dos Estados Unidos no Oriente Médio teve visibilidade ainda mais drástica e enfática em episódios como a bem-sucedida negociação do presidente Carter nos acordos de Camp David, que levou à devolução do Sinai ao Egito e a uma situação de quase normalidade entre Israel e Egito, e, evidentemente, a intervenção militar armada norte-americana na região do Golfo em agosto de 1991, após a invasão do Iraque e a anexação ilegal do Kuwait. Nunca tantas tropas norte-americanas haviam desembarcado na região (as incursões no Líbano em 1958 e 1982-1983 foram comparativamente inexpressivas) e nunca, desde as invasões mongóis no século XIII, um poder estrangeiro havia imposto tanta devastação a um Estado árabe soberano. Assim, para o bem ou para o mal, e como um fato da natureza, os Estados Unidos não enfrentaram oposição de nenhum poder de Estado significativo no Oriente Médio. Nem seu enorme interesse por petróleo do Golfo, nem o *status* político da região (em grande parte congelado), nem a pressão geoestratégica positiva sobre tudo e todos estiveram seriamente ameaçados. Apenas o descontentamento enfurecido de diversos grupos isolados ou em desvantagem – à frente, é claro, as associações islâmicas – ainda tem potencial para complicar levemente as coisas, mas é pouco provável que consiga subvertê-las por completo, como na Argélia ou no Sudão. É só por sua escandalosa cumplicidade com Israel, pela violação das resoluções da ONU, que o dúbio malabarismo norte-americano mantém o país (até diante de seus aliados mais leais, como Arábia Saudita e Egito) em posição embaraçosa e perpetuamente inamistosa.

Os palestinos e o discurso ocidental

No que se refere à conscientização ocidental sobre os direitos palestinos, observa-se que a situação começou a melhorar a partir do momento em que a OLP surgiu como liderança autêntica do povo palestino. Comentaristas especializados, como Thomas L. Friedman, do *The New York Times*, afirmaram que os palestinos deviam sua relativa notoriedade na consciência ocidental ao fato de que seus oponentes eram judeus israelitas, mas o fato é que a mudança ocorreu por causa daquilo que os palestinos fizeram ativamente para mudar seu *status* e por causa da reação dos judeus israelitas. Pela primeira vez, os palestinos eram tratados pela mídia como um povo independente da coletividade "árabe"; esse foi um dos primeiros resultados do período entre 1968 e 1970, quando Amã esteve no olho do furacão. Depois disso, foi Beirute que atraiu a atenção para os palestinos. O auge desse período foi o cerco israelense a Beirute de junho a setembro de 1982 e seu terrível desfecho: os massacres nos campos de refugiados de Sabra e Chatila em meados de setembro, logo depois que o principal corpo de combatentes da OLP foi obrigado a deixar o país. Mas o que os palestinos fizeram não foi apenas revidar: eles também projetaram uma visão, embora nem sempre com um programa explícito, e incorporaram em sua própria vida uma nação em exílio, e não um grupo aleatório de indivíduos e pequenos agrupamentos vivendo aqui e ali.

Há também a considerável importância do extraordinário sucesso dos palestinos em ter sua causa disseminada e apoiada por outros, explorando com inteligência os múltiplos níveis de significado associados à Palestina, um ponto geográfico nada comum. É oportuno aqui relacionarmos os espaços, tanto culturais quanto políticos, aos quais a Palestina foi projetada pelo trabalho promovido e coordenado pelos palestinos e pela OLP. No início da década de 1970, a Palestina e a OLP eram fundamentais para a Liga Árabe e, obviamente, a ONU. Em 1980, a

Comunidade Econômica Europeia (CEE) declarou a autodeterminação palestina como um dos principais pilares de sua política para o Oriente Médio, apesar de ainda existirem divergências entre países como França, Espanha, Itália, países escandinavos, Grécia, Irlanda e Áustria, de um lado, e Alemanha, Holanda e, acima de tudo, Reino Unido (dominado por Reagan), de outro. Enquanto isso, organizações internacionais, como a Organização para a Unidade Africana (OUA), a Conferência Islâmica, a Internacional Socialista e a Unesco – além do Vaticano, de várias instituições eclesiásticas internacionais e inúmeras entidades não governamentais – davam à causa da autodeterminação palestina uma ênfase extraordinária, muitas de maneira inédita. Considerando-se que alguns desses grupos podiam estender seu apoio a contrapartidas ou ramos norte-americanos, houve sempre, em minha opinião, uma séria defasagem entre o que acontecia fora dos Estados Unidos e o que acontecia dentro do país, entre o franco apoio à autodeterminação palestina que se via na Europa e a aceitação cautelosa dos direitos palestinos na posição correspondente norte-americana, que foi reformulada de modo tão astucioso que escapou da censura intelectual do *lobby* israelense.

Nos Estados Unidos, alguns produtores de televisão ainda consultam o cônsul de Israel sobre a possível participação de pró-palestinos em seus programas; note-se, porém, que qualquer participação de palestinos é algo relativamente inusitado. E alguns lobistas pró-Israel ainda organizam protestos quando os palestinos se manifestam, publicam listas de inimigos e tentam impedir a transmissão de programas de TV. Também há casos de artistas renomados, como Vanessa Redgrave, serem punidos por suas posições e, sob pressão, várias publicações se recusarem a divulgar matérias mesmo moderadamente críticas a Israel ou sobre representantes árabes ou muçulmanos que não se identifiquem abertamente como antiárabes ou antimuçulmanos. O que tento mostrar aqui é a natureza ainda débil do discurso público nos Estados Unidos, que está drasticamente defasado em relação ao da maioria de seus pares na Europa Ocidental e, é claro, no Terceiro Mundo. O simbolismo da Palestina ainda é forte o suficiente para instigar entre seus inimigos uma negação ou obstrução total, como quando se suspende uma peça de teatro que mostra os palestinos por uma óptica favorável ou retrata criticamente o sionismo (*Hakawati*, no Public Theater de Nova York, ou *Perdition*, de Jim Alley, no Royal Court Theatre de Londres), quando se publica um livro que diz que os palestinos não existem de fato (*From Time Immemorial* [Desde tempos imemoriais], de Joan Peter, com suas citações mutiladas e estatísticas dúbias) ou quando se fazem ataques cruéis que retratam os palestinos como herdeiros do antissemitismo nazista.

Como parte da campanha contra os palestinos, há uma guerra semiótica contra a OLP como seu representante. Basta dizer que a posição israelense, que ecoa com frequência pelos Estados Unidos, é que a OLP não constitui um interlocutor adequado, por se tratar de "apenas uma organização de terror". Na verdade, Israel não negociará nem reconhecerá a OLP justamente porque ela representa os palestinos. Assim, pela primeira vez na história do conflito (como até Abba Eban reconheceu), uma das partes arroga-se o direito de escolher os representantes de ambos os lados da negociação. O que é inacreditável é que esse disparate seja tolerado pelos amigos de Israel. O resultado é a permissão unilateral para Israel suspender as negociações por anos, ou a permissão para certos governos (alguns deles árabes!) entrarem em um esconde-esconde internacional a fim de procurar em que concha se encontram os representantes palestinos mais convenientes, ou alternativos, ou aceitáveis, ou moderados, ou apropriados.

Não precisamos nos deter mais sobre os meandros do que é ou não tolerável nas representações palestinas na sociedade civil norte-americana ou europeia. Considerando-se que a luta palestina pela autodeterminação se tornou patente e assumiu uma escala inequivocamente *nacional*, a questão principal foi que essa luta passou a fazer parte do discurso norte-americano – do qual estava ausente havia muito tempo.

Um ponto fundamental deve ser elucidado. O terrorismo é a palavra de ordem aqui, essa associação ingrata entre ações individuais e organizadas do terror político palestino e todo o movimento nacional palestino. Eu colocaria essa questão da seguinte forma: até hoje, o principal temor dos palestinos, e com razão, é a negação, que pode muito facilmente se tornar nosso destino. Sem dúvida, a destruição da Palestina em 1948, os anos seguintes de anonimato, a dolorosa reconstrução de uma identidade palestina exilada, os esforços políticos de muitos trabalhadores, combatentes, poetas, artistas e historiadores palestinos para sustentar a identidade nacional – tudo isso cambaleou pelo medo perturbador de desaparecer, dada a inflexível determinação oficial de Israel de acelerar o processo de redução, minimização da presença palestina, e de assegurar sua ausência como força política e humana na equação do Oriente Médio. A reação palestina – que começou no fim da década de 1960 e início da década de 1970 – incluiu sequestros de aviões, assassinatos (nas Olimpíadas de Munique, em Maalot e, posteriormente, nos aeroportos de Roma e Viena, cometidos em 1985 pelo grupo renegado de Abu Nidal, inimigo da OLP) e outros infortúnios como esses, dos quais os mais estúpidos foram a execução de Leon Klinghoffer no navio *Achille Lauro* em 1985 e o ataque a uma praia de Tel-Aviv em 1990, por Abul Abbas. O fato de que esses atos possam ser explicitamente condenados hoje por árabes e palestinos é sinal do tanto que uma comunidade com razões para ser ansiosa teve de superar para chegar à maturidade e à moralidade política. No entanto, não causa surpresa que tudo isso tenha ocorrido; estão escritos, por assim dizer, no roteiro de todo movimento nacional (em especial, o sionista) como uma tentativa de inflamar o povo, atrair as atenções e deixar sua marca em uma consciência mundial embotada.

Por mais que se lamente e até se deseje reparar de algum modo as vidas perdidas e o sofrimento que a violência palestina

A questão da Palestina

impõe a inocentes, ainda assim é necessário, em minha opinião, afirmar que nenhum movimento nacional foi tão injustamente penalizado, difamado e sujeito a retaliações desproporcionais por suas culpas do que o palestino. A política israelense de contra-ataques punitivos (ou terrorismo de Estado) parece ser tentar matar de cinquenta a cem árabes por judeu morto. A devastação de campos de refugiados, hospitais, escolas, mesquitas, igrejas e orfanatos no Líbano; as prisões sumárias, deportações, demolições de casas, mutilações e torturas de palestinos na Cisjordânia e na Faixa de Gaza; o uso de uma retórica perniciosa e desumanizadora por parte de autoridades políticas, soldados, diplomatas e intelectuais israelenses para caracterizar os atos de resistência palestinos como terroristas e os próprios palestinos como seres não humanos ("baratas", "gafanhotos", "vermes de duas pernas" etc.); tudo isso, e mais as mortes de palestinos, a escala das perdas materiais e as privações físicas, políticas e psicológicas excederam em muito o dano causado pelos palestinos aos israelenses. E, devo acrescentar, a notável disparidade ou assimetria entre, de um lado, a posição dos palestinos como um povo discriminado, desfavorecido e injustiçado e, de outro, Israel como "Estado do povo judeu" e instrumento direto do sofrimento palestino é tão grande quanto ignorada.

Aqui também há uma ironia complexa: as vítimas clássicas dos anos de perseguição antissemita e do Holocausto tornaram--se, em sua própria nação, carrascos de outro povo, que passou a ser, portanto, vítima das vítimas. O fato de tantos intelectuais israelenses e ocidentais, judeus ou não, se esquivarem direta e corajosamente desse dilema é, creio eu, uma *trahison des clercs* [traição intelectual] de enormes proporções, sobretudo porque seu silêncio, sua indiferença ou ignorância, e seu não envolvimento perpetuam o sofrimento de um povo que não merece tão longa agonia. É claro que, se ninguém pode se apresentar e dizer com franqueza *sim*, os palestinos realmente merecem expiar os crimes históricos cometidos contra os judeus na Europa, então também deve ser verdadeiro que *não* dizer *Não*, os palestinos *não* devem mais ser submetidos a essas provações, é um ato de cumplicidade e covardia moral de dimensão singular.

Mas essa é a realidade. Quantos ex-políticos ou intelectuais ativamente engajados afirmam entre quatro paredes que estão horrorizados com a política militar de Israel e sua arrogância política ou que acreditam que a ocupação, a anexação furtiva e a ocupação dos territórios são imperdoáveis e, no entanto, falam pouco ou nada em público, quando suas palavras poderiam surtir algum efeito? E o que dizer do cinismo, e até do sadismo, da atuação de presidentes norte-americanos que celebram a bravura de dissidentes chineses, russos, do Leste Europeu e afegãos que lutam pela liberdade, mas não dizem uma só palavra que reconheça que os palestinos estão lutando a mesma batalha, pelo menos com igual bravura e diligência? Pois essa é a essência do esforço dos palestinos nas últimas décadas – a luta para que o drama palestino seja reconhecido por aquilo que é, uma narrativa política de dificuldade incomum e sem precedentes, na qual todo um povo está valorosamente engajado. Nenhum outro movimento na história teve um oponente tão difícil: um povo reconhecido como a vítima clássica da história. E nenhum outro movimento de libertação ou independência no período pós-guerra teve um conjunto de aliados naturais tão pouco confiáveis, e por vezes homicidas, uma conjuntura tão volátil, uma superpotência como interlocutor tão hostil quanto os Estados Unidos e uma super-potência aliada tão ausente (depois que a União Soviética abandonou a causa palestina em consideração aos Estados Unidos e a Israel, pouco antes de ruir). E tudo isso é vivido pelos palestinos sem nenhuma soberania territorial, seja onde for, restando a dispersão e a privação como sina de toda uma nação; sujeitos a leis punitivas em Israel e nos países árabes, a uma legislação discriminatória e a decretos unilaterais (e inapeláveis) que vão desde deportação e execução sumária até constrangimentos em aeroportos e abuso verbal na imprensa.

As relações entre os Estados Unidos e a Palestina

Visto que o principal defensor e aliado estratégico de Israel são os Estados Unidos, que, ao contrário da Europa, são a única força externa disposta a desempenhar um papel direto no Oriente Médio, é preciso analisar sua atual posição com relação à Palestina. As relações entre os Estados Unidos e a Palestina sempre foram extremamente complicadas e insatisfatórias, o que corresponde em grande parte ao produto final um tanto obscuro da política interna norte-americana. Em 1975, Henry Kissinger realizou a façanha de obstruir as negociações com a OLP, justamente no momento, é claro, em que a OLP começava a mudar sua posição internacional, dando ênfase especial à ONU (essa foi a única visita de Arafat à organização – em 1988, ele foi impedido de retornar à ONU pelo secretário de Estado norte-americano, George Shultz, por pressão de entidades judaicas norte-americanas, mesmo que violando o acordo da ONU com o governo anfitrião). Essa proibição, diversamente baseada na recusa da OLP em aceitar a Resolução 242, em sua suposta participação em atos terroristas e em várias outras precondições do gênero, nunca estendidas a Israel, também impediu a entrada dos membros da OLP no país; em 1988, a emenda Grassley procurou a sanção do Congresso para proibir a OLP de realizar qualquer negociação nos Estados Unidos e exigiu o fechamento do Escritório de Informações Palestino em Washington, assim como a suspensão da missão de observador da OLP na ONU (essa última tentativa foi derrotada na Corte Distrital dos Estados Unidos, e o escritório na ONU permanece aberto). No verão de 1979, o embaixador norte-americano na ONU, Andrew Young, foi obrigado a renunciar por ter tido o que foi, na verdade, um breve encontro social com Zuhdi Terzi, o delegado da OLP na ONU.

Até o fim de 1988, esse impedimento claudicante de qualquer contato entre representantes dos Estados Unidos e do povo palestino permaneceu em voga, em grande parte por influência do *lobby* sionista e em conformidade com os governos direitistas de Israel. Não se deve confundir a real natureza desse impedimento, que era, na verdade, uma extensão da velha e incrivelmente violenta política oficial israelense de total hostilidade ao povo palestino, *como povo*, e a seus representantes. (Na Cisjordânia e em Gaza, por exemplo, era proibido mencionar a palavra "Palestina", ostentar a bandeira ou mesmo as cores da bandeira palestina, que alguns comentaristas norte-americanos apelidaram cruelmente de "bandeira da OLP", apesar do fato de que tanto o emblema quanto as cores antecederem à OLP.)

No entanto – e neste ponto deixamos o campo das intenções e entramos novamente no terreno dos fatos –, houve contatos entre os Estados Unidos e a Palestina, a maioria de interesse imediato dos norte-americanos, ironicamente. Em meados da década de 1970, a OLP protegeu a embaixada dos Estados Unidos em Beirute e, em 1976, quando um grande número de funcionários norte-americanos teve de deixar a cidade por mar, a operação foi realizada sob a proteção de guardas palestinos. Em 1979, treze reféns norte-americanos foram libertados da embaixada dos Estados Unidos em Teerã, graças à intervenção de Yasser Arafat. Ocorreram inúmeros contatos entre a OLP e os Estados Unidos, todos eles intermediados por terceiros e, em sua maioria, secretos.

Raramente, porém, esses contatos redundaram em benefício para os palestinos. Por pelo menos vinte anos houve uma dessincronia quase tramada entre os Estados Unidos e a Palestina – dois mundos que se moviam em paralelo e, no entanto, seguiam pautas diferentes, em ritmos diferentes e sob pressões diferentes. Nos Estados Unidos, a questão da Palestina era sempre secundária diante dos maciços interesses norte-americanos nas nações árabes e, é evidente, em Israel; na verdade, podemos afirmar que a Palestina era uma questão interna dos Estados Unidos, dominada desde 1948 pelo *lobby* israelense, quase sem objeções da parte de certas alas da sociedade. É verdade, como já observamos, que, ao despontar como movimento nacional, os palestinos começaram a penetrar na consciência norte--americana, embora em proporção consideravelmente menor do que no Terceiro Mundo ou na Europa Oriental e Ocidental. A frustrante ironia é que a OLP fez muito pouco esforço para melhorar sua posição nos Estados Unidos; ao contrário, a Palestina se tornou uma questão independente, graças, em primeiro lugar, aos esforços de palestinos e norte-americanos de origem árabe residentes no país. Em segundo lugar, é preciso mencionar a ação independente e liberal (ou de esquerda) da opinião pública, das organizações e dos indivíduos que compõem a oposição antiguerra e anti-imperialista nos Estados Unidos. Em terceiro lugar, é necessário salientar a influência de judeus norte-americanos e europeus, de um pequeno contingente de organizações judias norte-americanas e europeias, como a efêmera Breira ou os vários grupos de defesa do Peace Now, de opositores à guerra e de afins em Israel. Em outras palavras, a batalha na América era quase exclusivamente norte-americana e, infelizmente, a OLP – ao contrário do desempenho muito melhor que teve na Europa Ocidental – parecia pouco preocupada, seja por falta de atenção, seja por falta de entendimento, quando a indiferença já não podia mais ser contestada; mas, de qualquer maneira, é algo indesculpável.

Apesar das limitadas mudanças de atitude dos norte-americanos em relação à questão palestina, seria equivocado considerar o efêmero diálogo diplomático entre a OLP e os Estados Unidos na capital da Tunísia, iniciado em dezembro de 1988 e concluído em meados da década de 1990, algo mais do que (ironicamente) um fragmento do muro de rejeição norte-americano, maquiado de compromisso contínuo com o "processo de paz". Qualquer conquista que devesse ser comemorada pelos palestinos quando os Estados Unidos concederam o diálogo desapareceu no momento em que até os mais otimistas notaram o ritual de humilhação a que eles foram submetidos antes que o empedernido e incrivelmente indulgente (a favor de Israel) George Shultz acenasse com o diálogo. (Não podemos deixar passar a oportunidade de dizer que, quando assumiu o posto do nada saudoso Alexander Haig, em julho de 1982, Shultz era vagamente considerado pró-árabe; os anos que ele dedicou aos negócios da Bechtel e os contatos amistosos com os árabes, inclusive palestinos, como parceiros comerciais, predispuseram as pessoas a achar que ele era de certo modo simpático à causa árabe. Entretanto, com o passar do tempo, ele se tornou talvez o mais pró-israelense dos secretários de Estado norte-americanos, uma decepção intrigante, para não dizer exasperante, para os seus amigos do passado.) Shultz exigiu que Arafat repetisse uma série de declarações redigidas pelo Departamento de Estado em que renunciava ao terrorismo, aceitava Israel e adotava a Resolução 242 da ONU – todas *já* faziam parte da política palestina –, como se a exposição pública da penitência e um compromisso formal de bom comportamento (normalmente imponderável no mundo da política e da diplomacia) fossem suficientes. No diálogo subsequente, os Estados Unidos nunca aceitaram os preceitos palestinos de autodeterminação, direito a um Estado independente ou compensação por suas reivindicações contra Israel. Quando o diálogo foi "suspenso" por James Baker, secretário de Estado, o pretexto dado foi o tolo e despropositado ataque de Abul Abbas contra as praias de Tel--Aviv (em que apenas palestinos morreram). Uma razão mais realista para essa suspensão foi a pressão do *lobby* israelense e a falta de generosidade oficial dos norte-americanos com o povo mais penosamente ultrajado e posto à prova no Oriente Médio.

Ainda assim, é justo que o lado palestino dessa triste narrativa também seja submetido a uma rigorosa análise. Aqui, uma atitude de inacreditável indiferença, descompasso e falta de discernimento, bem como uma recusa inflexível de concentrar esforços diplomáticos e políticos nos Estados Unidos, parece ter caracterizado o estilo de negociação da OLP com o que, com efeito, é sua principal esfera de ação fora do Oriente Médio. Após Camp David, uma série de iniciativas privadas manteve de pé um diálogo confidencial entre o governo Carter e a OLP em Beirute. Em 1979, por exemplo, teria sido possível, e até indubitável, que um diálogo entre a Palestina e os Estados Unidos fosse pronta e vantajosamente estabelecido, se a organização tivesse aceitado a Resolução 242 e uma extensa "reserva", isto é, uma cláusula que motivou a objeção palestina de que a resolução na forma original (de 1967) não dizia nada sobre os direitos palestinos. Essa iniciativa foi refutada com certa mistificação, embora o próprio Jimmy Carter tenha sido o primeiro presidente a pronunciar as palavras "uma pátria palestina", no início de 1977. Se me for permitido recorrer a minha experiência pessoal, também poderei atestar as inúmeras tentativas de palestinos e outros amigos residentes nos Estados Unidos de engajar o comprometimento da liderança palestina com a ideia de uma percepção ampla, detalhada e sofisticada para manter, estimular e desenvolver aquilo que acontecia nos Estados Unidos; isso não ocorreu, embora em países como Grã-Bretanha, França, Suécia e Itália, assim como em toda a CEE, as iniciativas políticas e informativas a respeito da Palestina fossem eficazes. A representação palestina oficial nos Estados Unidos continuou esquálida; as complexas correntes que percorrem a sociedade, as instituições e a história norte-americana jamais informaram, modificaram ou modularam (exceto muito superficialmente) as atitudes da OLP, ou suas tratativas, em relação aos Estados Unidos.

Boa parte do problema decorre do duro fato de que os políticos palestinos são essencialmente políticos árabes, ao passo que os Estados Unidos e a Europa Ocidental habitam um mundo totalmente diferente, em que, por exemplo, os meios acadêmicos, de pesquisa e de comunicação, as igrejas, as associações profissionais e os sindicatos desempenham um papel quase tão importante na sociedade civil quanto o governo central na sociedade política. O contraste entre os dois universos nunca era tão patente como quando o presidente Yasser Arafat aparecia na TV. Suas dificuldades, não só com o idioma, mas também com a apresentação de sua imagem pessoal, normalmente o deixavam em desvantagem; as diferenças só eram menos evidentes quando um de seus assessores aparecia a seu lado. Em geral, o resultado era uma representação precária da Palestina, muito menos eficaz do que os resultados obtidos com o aumento da conscientização no Ocidente devido à *intifada*. Mas essa diferença é ainda mais perturbadora quando recordamos que, nas últimas décadas, a opinião pública ocidental, e em especial a norte-americana, a favor de um Estado palestino e do fim da ocupação israelense cresceu constantemente.

A título de avaliação

E, no entanto, mais uma vez o senso de justiça nos incumbe de reconhecer que a análise retrospectiva sempre favorece o analista, não fazendo mais pelos participantes do que retratá-los em geral de modo pouco generoso. A história palestina recente está repleta de reveses e até de catástrofes aos quais as alternativas plausíveis na época não passavam de possibilidades teóricas e, na verdade, irrealizáveis. Quem saberia se, em 1970, o confronto com o exército jordaniano não poderia ter sido evitado? Ou se a trajetória da OLP no Líbano não poderia ter se mantido afastada do ímpeto cada vez maior do país para a guerra civil? Ou se a devastação causada pela invasão israelense em 1982 não poderia ter sido evitada? Ou se o alto preço pelo isolamento da Síria, com a subsequente revolta das facções dissidentes da OLP na esfera síria em 1983, a guerra nos campos de refugiados no fim da década de 1980 e a disputa contínua com o presidente sírio, não deveria ter sido pago? Ou se, por fim, os desastrosos resultados da aproximação da OLP com o Iraque, iniciada pelo menos dois anos antes da invasão do Kuwait, não poderia ter tido outro desfecho, sem as terríveis perdas palestinas em praticamente todas as frentes? Parece-me que a ironia da dinâmica da política regional sempre se tornava opressivamente evidente, quando o ímpeto palestino por sua autodeterminação e por um Estado independente assumia uma forma concreta, isto é, quando o componente palestino acabava entrando em confronto com uma ou outra soberania, atraía sua atenção, chamava-a para a briga e depois constatava que era tarde demais para retroceder. A ironia é que, como expressão da autodeterminação nacional, a atividade palestina era amplamente extraterritorial (desprovida de soberania territorial) e, portanto, sempre levava uma espécie de vida substituta em algum lugar *que não* a Palestina. Isso a tornava vulnerável, para não dizer completamente exposta, a uma hostilidade por vezes enfurecida.

Portanto, o exílio é a condição fundamental da vida palestina, a fonte daquilo que tanto a transcende quanto a avilta, a energia em prol do que está mais bem representado, digamos assim, nos componentes de sua notável literatura (*Pessoptimist* [Pessiotimista], de Emile Habibi; os romances de Ghassan Kanafani e Jabra; a poesia de Rashid Hussein, Fadwa Tuqan, Samih al--Qassem e Mahmoud Darwish; e a obra de inúmeros ensaístas, historiadores, teóricos e biógrafos) e de sua extraordinária rede de comunicações, associações e ramificações familiares. E, ao lado de tudo isso, a obstinação palestina. Em parte por sua profundidade cultural, religiosa e histórica, e em parte por abranger tantos interesses, locais e internacionais, a causa palestina é há duas décadas a única causa nacional e anticolonialista inalienável, indômita e feroz ainda viva – para seus seguidores, uma fonte de esperança não concretizada e de idealismo um tanto maculado; para seus inimigos, uma provocação e um eterno *alter ego* político que não vai embora nem se anula docilmente.

Contudo, ninguém – nem palestino, nem árabe, nem israelense – teria suspeitado, creio eu, que os vinte anos que se iniciaram com os horrores do Setembro Negro poderiam se estender e produzir tanto um conjunto de acontecimentos tão fascinantes quanto uma série de desastres tão terríveis – os dois extremos unidos pelo fato de que no centro de ambos estavam os palestinos – sem que uma polegada de terra palestina fosse de fato liberada. Não se sabe que nome dar a essa forma peculiar de experiência histórica, mas seus principais aspectos podem ser relatados em poucas palavras. Após 1948, os palestinos estavam dispersos, e os poucos que permaneceram em sua *pátria* histórica mergulharam em um novo Estado que, decididamente, *não* lhes pertencia. Três décadas depois, a OLP liderou um esforço monumental pela reconstituição nacional. Uma gama impressionante de instituições atendeu às necessidades palestinas nos campos da saúde, da educação, da indústria, da pesquisa, do poderio militar e da legislação, transformando a vida de todos os palestinos, onde quer que residissem. No centro de tudo estavam instituições políticas como o Comitê Executivo da OLP, os conselhos nacional e central da Palestina e um aparato respeitável de representação política, embora de competência irregular. A liderança tem sido duradoura, embora terrivelmente arranhada por vários assassinatos de líderes importantes e por vezes brilhantes, cuja perda afetou de modo significativo a força palestina: Ghassan Kanafani, Gamal Nasser, Kamal Adwan, Yousef Najjar, Abul Walid, Abu Jihad, Abu Iyad, Abul Hol. A lista fúnebre também inclui a morte na Europa de homens distintos, como Naim Khidr, Ezzedine Qallaq, Said Hammami, Issam Sartawi e Majid Abu Sharrar, cujo bom-senso político, assim como seus formidáveis talentos pessoais, foram alvo do terror.

Embora a comunidade palestina estivesse dispersa e instalada em uma série improvavelmente ampla de locais, havia a necessidade de uma constância central, personificada por Yasser Arafat, uma figura trágica de extraordinária estirpe política. Boa parte da animosidade entre partidos, distritos eleitorais e regimes árabes, boa parte da terrível inimizade de Israel e dos

Estados Unidos, boa parte da incoerência e às vezes das anárquicas convulsões internas do movimento, tudo isso foi abrandado e frequentemente conciliado por obra de Arafat. Ele desenvolveu uma espécie de dupla personalidade: uma como símbolo incontestável e imediatamente reconhecido da Palestina e outra como líder político com as láureas e os privilégios, assim como com os obstáculos que esse tipo de personalidade atrai. Uma de suas mais valiosas contribuições é a atmosfera de relativa democracia que caracteriza os processos políticos palestinos (quando comparado com o meio árabe, Arafat é o único líder ainda popular entre seu povo). A maneira como conduz a nação em exílio, na direção de uma coexistência com Israel, talvez seja sua realização mais duradoura. Ele se tornou acessível a um grande número de judeus de Israel e da Diáspora e estabeleceu um modo de ação entre os povos que, apesar de colocá-lo sempre no centro ou nas adjacências, possibilita uma espécie de comunicação entre a liderança e as pessoas comuns que, de certo modo, não existe no Terceiro Mundo. Embora seja altamente desprezado no Ocidente, a verdade é que Arafat, praticamente isolado entre os líderes de movimentos de liberação pós-colonial, evitou uma tremenda violência sectária, ou entre palestinos; ele suportou a censura de críticos palestinos e outros com surpreendente paciência e jamais permitiu que aquilo que poderia ser seu senso de ortodoxia política eliminasse ou reprimisse a presença de uma heterodoxia política bastante viva na vida palestina.

Arafat também presidiu um período de perdas de grandes proporções. Seria incorreto tentar avaliar aqui a culpa ou dividir a responsabilidade por esses acontecimentos; só digo que, durante as duas décadas que ele liderou, os palestinos não só seguiram perdendo territórios para os assentamentos israelenses na Cisjordânia, na Faixa de Gaza e no leste de Jerusalém, como também sofreram perdas trágicas, militares e civis, na invasão de Israel no Líbano em 1982, os terríveis efeitos colaterais decorrentes dos acordos de Camp David e a crise do Golfo em 1990-1991. Devo deixar para os futuros historiadores e os cientistas políticos o balanço da liderança de Arafat em relação à Jordânia, ao Líbano e à Síria – pois não resta dúvida de que ela teve consequências desastrosas para palestinos, libaneses, jordanianos e outros. O êxodo de Beirute depois de tanta destruição, ódio, equívoco e desgaste, isso por si só é uma nódoa no histórico palestino.

Mas é possível que se diga, afinal, que a liderança política palestina aprendeu a lição certa com a *intifada*, que se iniciou no fim de 1987 e dura até o momento em que escrevo. Todo palestino se orgulha do fato de que, ao fim de duas décadas de esforço difícil e laborioso, tenha surgido uma insurreição nacional tão notável contra a injustiça nos territórios ocupados. A *intifada* produziu um mapa da vida política e social palestina que é permanente, relativamente não violenta, engenhosa, corajosa e de uma inteligência desconcertante. Baseada em normas de conduta não coercitivas, que contrastam em muito com as práticas israelenses contra os palestinos nos territórios ocupados, a *intifada* logo se tornou um modelo para movimentos de protesto democrático, não só em países como Argélia, Tunísia e Jordânia, mas também no Leste Europeu e em partes da Ásia e da África. Se, por um lado, as tropas israelenses matavam a tiros, espancavam e perseguiam civis, por outro, os palestinos procuravam meios de contornar e cruzar as barreiras; enquanto autoridades civis e militares israelenses proibiam a educação ou a agricultura, os palestinos improvisavam organizações alternativas para fazer o que era necessário; enquanto as regras de uma sociedade ainda essencialmente patriarcal mantinham as mulheres em subserviência, a *intifada* lhes deu voz, autoridade e poder. Vieram da *intifada* a inspiração e a força que transformaram a cautela e a ambiguidade da diáspora palestina em clareza e visão autêntica; isso, é claro, foi incorporado às declarações do CNP em Argel, em 1988.

No entanto, à medida que a *intifada* progredia, dois fatos novos surgiram na vida palestina, enfraquecendo-a e impondo-

-lhe novos ônus. Um deles, obviamente, foi a crise do Golfo, que, embora exigisse os esforços de mediação da Palestina, também chafurdava a nação em um tenebroso lamaçal. Hoje, as comunidades palestinas do Golfo estão órfãs; muitos palestinos estão mais uma vez sem teto, seus bens foram perdidos e seu futuro é dramaticamente incerto. Como observaram Walid Khalidi e outros, houve profundas falhas de princípio e de liderança, algumas dos palestinos (que eram os que menos podiam arcar com elas), algumas dos árabes e outras dos norte-americanos. O resultado é o atual isolamento internacional, e até certo ponto árabe, da OLP e um baque geral em toda a nação palestina, cuja recuperação é incerta e, se ocorrer, irá demorar.

O segundo elemento novo é o enorme contingente de judeus russos (e, em menor proporção, etíopes) que estão imigrando para Israel. Neste ponto, devemos destacar que um acordo firmado em 1989 entre Mikhail Gorbachev e os Estados Unidos estabeleceu cotas de emigração bastante restritas de judeus russos para qualquer lugar, *exceto* para Israel. Isso provocou uma presença súbita de milhares de imigrantes judeus russos em Israel, justamente no momento em que o isolamento e a privação de direitos civis dos palestinos se tornavam mais visíveis. Clamores se ergueram em favor das prerrogativas de um Israel maior, enquanto apelos urgentes por ajuda financeira eram dirigidos aos Estados Unidos e aos judeus ricos da Diáspora. Era fácil ver que isso implicava um equilíbrio demográfico dramaticamente desfavorável aos palestinos, fazia pressão (em associação com a reação e a aquiescência belicosa do sempre condescendente general Sharon) para que houvesse mais assentamentos ilegais na Cisjordânia e tornava o fator tempo singularmente punitivo para os palestinos.

De súbito, um impulso messiânico tardio pareceu amaldiçoar o sionismo e trazer com ele as aflições que atingiram os palestinos já tão sofridos. Mas era 1991 e não 1947 ou 1948. Parecia que não importava mais para os fanáticos de Gush Emunim que, depois que a *intifada* começou, a opinião pública internacional considerasse os israelenses assassinos obstinados e desumanos, e sua "visão", nada mais do que uma punição cruel contra civis indefesos. O que importava eram a força e o poder que nasciam do impulso de colonização, o eterno atoleiro diplomático, a desordem e a desmoralização dolorosa tanto nas fileiras palestinas quanto nas árabes após a Guerra do Golfo. Em suma, não havia como deter ou conter o afluxo de talvez 750 mil a 1 milhão de judeus e, como sempre, os palestinos pagam o preço.

Contudo, nem israelenses nem palestinos têm opção militar um contra o outro; esse fato é tão contundente hoje como era quando escrevi *A questão da Palestina* treze anos atrás. A tarefa do povo palestino *ainda* é assegurar sua presença naquela terra e, por vários meios, convencer os israelenses de que somente um acordo político pode aliviar o cerco mútuo, a angústia e a insegurança de ambos os povos. Não existe nenhuma outra alternativa secular, isto é, real.

Introdução

Embora a maior parte desta obra tenha sido escrita no decorrer de 1977 e início de 1978, seu quadro de referência não se confina, de modo algum, a esse importante período da história moderna do Oriente Próximo. Pelo contrário, meu objetivo foi escrever um livro que apresentasse ao leitor ocidental uma posição amplamente representativa dos palestinos, algo, certamente, nem muito conhecido, nem muito valorizado até este momento, em que tanto se fala sobre os palestinos e a questão palestina. Depois de formulada essa posição, baseei-me sobretudo naquilo que, a meu ver, pode ser chamado justamente de experiência palestina, que, para todos os efeitos, tornou-se uma experiência de autoconsciência quando a primeira onda de colonialistas sionistas chegou à costa palestina no início dos anos 1880. A partir daí, a história palestina toma um rumo peculiar e bastante diferente da história árabe. Evidentemente, há muitas ligações entre o que palestinos e os árabes fizeram no século XX, mas a principal característica da história palestina – o encontro nacional traumático com o sionismo – é própria da região.

Essa singularidade conduziu tanto meu propósito quanto meu desempenho (por mais falhos que tenham sido) neste livro. Como palestino de origem, sempre procurei ter consciência de nossas fraquezas e deficiências como povo. Sob alguns critérios, talvez não sejamos um povo excepcional; nossa história nacional revela uma disputa combalida com uma ideologia (e uma prática) ambiciosa e essencialmente europeia; fomos incapazes de atrair o interesse do Ocidente para a legitimidade de nossa causa. Apesar disso, acredito que começamos a construir uma identidade e uma vontade política própria; desenvolvemos uma resistência extraordinária e tivemos um ressurgimento nacional mais extraordinário ainda; conquistamos o apoio de todos os povos do Terceiro Mundo; e, acima de tudo, apesar de estarmos geograficamente dispersos e fragmentados, apesar de nos destituírem de nosso território, ainda nos mantemos unidos como povo, em grande parte porque a *ideia* palestina (que articulamos a partir da nossa experiência de expropriação e opressão exclusivista) tem uma coerência à qual todos nós respondemos com inegável entusiasmo. É o espectro do fracasso dos palestinos e seu subsequente retorno aos pormenores da vida que tentei descrever neste livro.

Mas suponho que, para muitos de meus leitores, o problema palestino remeta imediatamente à ideia de "terrorismo", e é em parte por causa dessa associação ingrata que dedico pouco espaço ao tema neste livro. Abordá-lo implicaria argumentar de maneira defensiva, seja dizendo que, tal como é, nosso "terrorismo" é justificável, seja assumindo a posição de que não existe terrorismo palestino. Os fatos são consideravelmente mais complexos, mas alguns merecem ao menos alguma avaliação crítica aqui. Em termos estritamente numéricos, em números brutos de corpos e propriedades destruídas, não há absolutamente como comparar o que o sionismo fez aos palestinos com o que, em retaliação, os palestinos fizeram aos sionistas. Os ataques quase constantes dos israelenses aos campos de refugiados civis palestinos no Líbano e na Jordânia nos últimos vinte anos é apenas um indicador desse registro totalmente assimétrico da destruição. Em minha opinião, muito pior é a hipocrisia do jornalismo e do discurso intelectual do Ocidente (e do sionismo liberal), que raramente tem algo a dizer sobre o terror sionista.[1] Existe algo menos honesto do que a retórica de afronta que se emprega para relatar o terror "árabe" contra "civis israelenses", "cidades" e "vilas" ou "crianças na escola" e a retórica de neutralidade que se emprega para descrever os ataques "israelenses" contra "posições palestinas", segundo a qual ninguém consegue saber a que campos de refugiados palestinos no sul do Líbano se referem? (Refiro-me a relatos de incidentes recentes, ocorridos no fim de dezembro de 1978.) Desde 1967, com a ocupação da Cisjordânia e de Gaza por Israel, não se tem notícia de esmorecimento nos abusos diários da ocupação israelense e, no entanto, nada inflama mais a imprensa ocidental (e os meios de comunicação israelenses) do que uma bomba em um mercado de Jerusalém. Com um sentimento que beira o absoluto desgosto, devo observar que nenhum jornal norte-americano divulgou a seguinte entrevista com o general Gur, chefe do Estado-Maior do Exército israelense:

É verdade que [durante a invasão israelense de março de 1978] vocês bombardearam aglomerações [de pessoas] indiscriminadamente?

General Gur – Não sou dessas pessoas que têm memória seletiva. Você acha que vou fingir não saber o que fizemos todos esses anos? O que fizemos ao longo de todo o Canal de Suez? Um milhão e meio de refugiados! Francamente, em que mundo você vive? [...] Nós bombardeamos Ismailia, Suez, Porto Said e Porto Fuad. Um milhão e meio de refugiados... Desde quando a população do sul do Líbano se tornou tão sagrada? Eles sabiam muito

---

1 A respeito de uma censura análoga, ver Chomsky, "10 Years After Tet".

bem o que os terroristas estavam fazendo. Depois do massacre em Avivim, ordenei o bombardeio de quatro vilas ao sul do Líbano, sem autorização.

Sem fazer distinção entre civis e militares?

Que distinção? O que os habitantes de Irbid [cidade grande ao norte da Jordânia, com população majoritariamente palestina] fizeram para merecer ser bombardeados por nós?

Mas os comunicados militares sempre falaram de rebater o fogo e contra-atacar objetivos terroristas.

Por favor, fale sério. Você não sabia que todo o vale da Jordânia foi evacuado de seus habitantes por causa da Guerra de Desgaste?

Então o senhor sustenta que a população deve ser punida?

É claro, nunca duvidei disso. Quando autorizei Yanouch [comandante do fronte norte, responsável pela operação libanesa] a usar aviões, artilharia e tanques [na invasão], eu sabia exatamente o que estava fazendo. Faz trinta anos, desde a época da nossa Guerra da Independência, que combatemos a população civil [árabe] que mora em vilas e cidades e, cada vez que fazemos isso, surge sempre a mesma pergunta: devemos ou não atacar civis?[2]

Assim, uma das questões a respeito do "terrorismo" é o desequilíbrio em sua percepção, e o desequilíbrio em sua perpetração. Pode-se dizer, por exemplo, que em *todos* os casos em que reféns israelenses foram usados para tentar libertar palestinos mantidos em prisões israelenses, as forças israelenses foram *sempre* as primeiras a abrir fogo, provocando intencionalmente um massacre. Mas não basta citar números e apresentar explicações – pois o histórico de hostilidades entre judeus e árabes, entre palestinos e judeus sionistas, entre palestinos e o restante da humanidade (ou assim parece), entre judeus e o Ocidente, é assustador. Como palestino, sinto e deploro o modo como toda essa terrível questão é despida de suas repercussões e de

---

2 *Al-Hamishmar*, 10 maio 1978.

A questão da Palestina

seus detalhes, em geral moralmente confusos, para ser reduzida simples, confortável e inevitavelmente sob a rubrica "terror palestino". Contudo, como alguém atingido de diversas maneiras por essa questão, devo afirmar também – agora somente como palestino – que fiquei horrorizado com o sequestro dos aviões, as missões suicidas, os assassinatos, os bombardeios a escolas e hotéis; horrorizado tanto com o terror impingido às vítimas quanto com o terror nos palestinos, homens e mulheres, que foram levados a cometer esses atos. Como não pretendo escrever como um observador imparcial, agora acredito que, em vez de tentar enfrentar diretamente o terror em si, eu faria melhor se tentasse transmitir aos meus leitores uma noção da história mais ampla dos palestinos, de onde tudo isso vem. E se, afinal de contas, a narrativa não abrandar – como não pode – a devastação e o infortúnio, ao menos apresentará o que há muito é sonegado a esse leitor, a realidade de um trauma nacional, carregado por todo palestino na questão da Palestina.

Uma das características de um diminuto povo não europeu é não ser pródigo em documentos, histórias, autobiografias, crônicas e afins. Isso se aplica aos palestinos e justifica a falta de um texto abalizado e maior sobre a história palestina. Não tentei suprir essa carência por razões claramente evidentes. O que procurei mostrar é que a experiência palestina é uma parte importante e concreta da história, uma parte amplamente ignorada tanto pelos sionistas, que desejavam que ela nunca tivesse acontecido, quanto pelos europeus e pelos norte-americanos, que não sabiam o que fazer com ela. Tentei mostrar que os palestinos muçulmanos e cristãos que viveram na Palestina por centenas de anos até serem expulsos em 1948 foram as vítimas desventuradas de um movimento cujo objetivo principal era acabar com a perseguição aos judeus pela Europa cristã. No entanto, precisamente porque o sionismo foi tão bem-sucedido em levar os judeus para a Palestina e construir uma nação, que o mundo não tem se preocupado com o que essa iniciativa significou em termos de perda, dispersão e catástrofe para os palestinos nativos. Hoje, portanto, faz-se necessário algo como uma irônica visão dupla para ver ambos, o sucesso notório *e* o desastre bem menos notório que Hannah Arendt descreveu da seguinte maneira:

> Após a [Segunda] Guerra, ocorreu que a questão judaica, tida como a única insolúvel, na verdade estava resolvida – ou seja, por por meio de um território colonizado e, então, conquistado –, mas isso não solucionava o problema das minorias nem dos sem pátria. Pelo contrário, como praticamente todos os outros acontecimentos de nosso século, a solução da questão judaica apenas gerou uma nova categoria de refugiados, os árabes, elevando desse modo o número de sem pátria para mais 700 mil a 800 mil pessoas.[3]

Como afirmo ao longo deste livro, enquanto Israel e sua história são incessantemente celebrados, a realidade dos palestinos e a vida que levam, as pequenas histórias que guardam e as aspirações que alimentam, só há pouco tempo tiveram sua existência reconhecida. E, de súbito, a questão palestina passou a procurar uma solução: a opinião mundial exige que se dê a devida atenção ao dilema até então desprezado do impasse do Oriente Próximo. Mas, infelizmente, as perspectivas de um debate adequado são vagas, e as de uma solução irrefutável, ainda menores. Os termos do debate são frágeis, uma vez que os palestinos (como disse) são reconhecidos apenas como refugiados, extremistas ou terroristas. Um grupo considerável de "especialistas" em Oriente Médio tende a monopolizar a discussão, sobretudo pelo uso de jargões das Ciências Sociais e clichês ideológicos mascarados de eruditos. Mas, acima de tudo, creio eu, existe uma atitude *cultural* arraigada em relação aos palestinos, derivada de antigos preconceitos ocidentais contra o Islã, os árabes e o Oriente. Essa

---

3 Arendt, *The Origins of Totalitarianism*, p.290.

A questão da Palestina

atitude, da qual o sionismo, por sua vez, extraiu a visão que tem dos palestinos, desumanizou-nos, reduziu-nos à condição pouco tolerada de incômodo.

Talvez seja generalizar demais afirmar que a maioria dos estudos das ciências políticas sobre o Oriente Médio e os palestinos mantém essa tradição. Mas, em minha opinião, há de fato uma tendência nesse sentido. Na medida em que a maioria desses estudos é resultado da estrutura que legitimou o sionismo, em contraposição aos direitos palestinos, e, acima de tudo, aceita-a sem questioná-la, eles têm muito pouco a contribuir para a compreensão da situação real no Oriente Médio. É fato que quase todo estudo sério sobre o Oriente Médio moderno produzido neste país [Estados Unidos], desde a Segunda Guerra Mundial, não prepara ninguém para o que vem acontecendo na região. Isso se aplica tanto aos recentes acontecimentos no Irã quanto à Guerra Civil Libanesa, à resistência palestina e à atuação árabe durante a Guerra de 1973. É claro que não concebo este livro como uma polêmica contra o que se tem chamado corretamente de viés ideológico do trabalho das Ciências Sociais com pretensão à objetividade científica, sobretudo desde o advento da Guerra Fria. Contudo, pretendo, sim, conscientemente, evitar as armadilhas da "imparcialidade". Incluem-se aí os relatos da realidade política que enfocam a rivalidade entre as superpotências, consideram desejável qualquer coisa que esteja associada ao Ocidente e a sua missão modernizadora no Terceiro Mundo e ignoram os movimentos populares, ao mesmo tempo que exaltam e valorizam uma série de regimes clientelistas opressivos e indistintos e descartam como não histórico qualquer fato que não possa ser facilmente enquadrado em determinado *télos* ou metodologia com objetivos "racionais", "empíricos" e "pragmáticos". As falhas evidentes dessa noção foram publicamente culpadas por "nossa" derrota no Irã e por "nossa" incapacidade de prever o "renascimento do Islã", sem permitir, ao mesmo tempo, qualquer análise das premissas dessa noção.

LIII

Consequentemente, elas são reafirmadas e, mais uma vez, os cientistas políticos que têm um papel importante na tomada de decisão avalizam as mesmas visões míopes e, mais uma vez, a política externa norte-americana se aventura naquilo que, para olhos inexperientes (como os meus), são causas perdidas, visões históricas retrógradas. Enquanto escrevo estas linhas, os graves erros de Camp David parecem comprovar meu ponto de vista.

Até 1976, porém, creio que não seja incorreto afirmar que os palestinos contribuíram para sua própria detração e, por conseguinte, para sua pouca importância, conforme sustentado por sionistas e especialistas no assunto. Então, nós nos descobrimos, descobrimos o mundo e o mundo nos descobriu. Tento descrever as trevas em que vivemos e nosso lento despertar, sem ao mesmo tempo deixar de situar nossas vidas na terra, na região, na política mundial e assim por diante. Mas, em toda a nossa experiência, há a vertente formada pelo sionismo. Não se trata de uma questão teórica, nem é o caso de apontar nomes. O sionismo significou tanto para nós quanto para os judeus, embora de modo diverso. O que precisamos dizer ao mundo é o significado concreto dessas coisas para nós, coisas cujos vestígios vivos suportamos coletivamente.

Considero meu livro um ensaio político, porque tento apresentar nossa questão ao leitor ocidental não como algo inequívoco e cabal, mas como algo a se refletir, a pôr à prova, em que se engajar – em suma, como um assunto que deve ser tratado politicamente. Ficamos fora da história, e certamente fora do debate, por tempo demais; com muita modéstia, este livro pretende tornar a questão palestina um tema de discussão e compreensão política. O leitor logo descobrirá, espero eu, que o que se propõe neste livro não é uma visão "especializada" nem um testemunho pessoal. Ao contrário, trata-se de um conjunto de realidades vivenciadas, baseadas em um senso dos direitos humanos e nas contradições da experiência social, calcada tanto quanto possível na linguagem da realidade cotidiana.

Algumas premissas básicas corroboram o argumento deste livro. Uma delas é a existência contínua de um povo árabe-palestino. Outra é a compreensão de que sua experiência é indispensável para compreender o impasse que existe entre o sionismo e o mundo árabe. E outra ainda é que Israel, assim como seus defensores, tentou obliterar os palestinos com palavras e ações, porque o Estado judeu constrói-se de muitas maneiras (mas não todas) sobre a negação da Palestina e dos palestinos. Até hoje, é impressionante que apenas o fato de mencionar os palestinos ou a Palestina em Israel, ou diante de um sionista convicto, significa mencionar o inominável, de tão potente que é nossa simples existência para acusar Israel do que nos impingiram. Por fim, parto do princípio moral de que os seres humanos, individual e seletivamente, possuem direitos fundamentais, sendo a autodeterminação um deles. Quero dizer com isso que nenhum ser humano deveria ser ameaçado de "transferência" de sua casa ou de sua terra; nenhum ser humano deveria ser discriminado por não pertencer a esta ou àquela religião; nenhum ser humano deveria ser destituído de sua pátria, de sua identidade nacional ou de sua cultura, seja qual for o motivo.

No fim das contas, suponho que neste livro eu questione: "O que Israel, o que os Estados Unidos e o que os árabes vão fazer com os palestinos?". Considerando a realidade da experiência palestina, não acredito de modo algum, como queriam o presidente Anuar Sadat e seus vários seguidores, que 99% das cartas estão nas mãos dos Estados Unidos, assim como não penso que estejam principalmente nas mãos de Israel ou dos Estados árabes; a questão – na verdade, o que torna este livro possível – é que também há cartadas palestinas, por assim dizer, e elas têm um papel ativo na determinação das aspirações, das lutas políticas e das conquistas dos palestinos, bem como de seus reveses. No entanto, não nego que aquilo que os judeus e os norte-americanos pensam e fazem ocupam um lugar importante na questão palestina. É a esse lugar que meu livro se dirige.

Menciono algo que talvez seja óbvio com o propósito de destacar o substrato existencial do qual, creio eu, depende nossa experiência como povo. Ocupávamos uma terra chamada Palestina; nossa expropriação e nossa extinção – pelas quais quase um milhão de nós foi obrigado a deixar a Palestina e a nossa sociedade se tornou inexistente – seriam justificáveis para salvar os judeus europeus que sobreviveram ao nazismo? Por que padrão moral ou político espera-se que abandonemos nossa reivindicação à nossa existência nacional, à nossa terra e aos nossos direitos humanos? Em que mundo não haveria uma discussão quando todo um povo é considerado juridicamente inexistente, embora exércitos sejam mobilizados para combatê-lo, campanhas sejam orquestradas até contra o seu nome, a história seja modificada para "provar" sua inexistência? Ainda que a questão acerca dos palestinos seja complexa e envolva políticas de grandes potências, disputas regionais, conflito de classes e tensão ideológica, a força que anima o movimento palestino é a consciência desses pontos simples, porém de imensa repercussão.

Mas os palestinos não estão sozinhos quando são mal compreendidos ou ignorados pelos Estados Unidos em sua tentativa de construir uma política externa na Ásia e na África. Sem dúvida, a oposição iraniana que derrubou o xá em janeiro de 1979 é um caso exemplar, mas não foi por falta de informação (apesar das críticas dissimuladas do presidente Carter à "comunidade da inteligência" por seu fracasso no Irã). Embora seja admissível que os indivíduos prefiram soluções simples e ordenadas a realidades complexas e desordenadas, isso claramente não deveria valer para governos e instituições; no que diz respeito ao problema palestino, isso se aplica ao governo norte-americano. A atual administração assumiu o poder afirmando ser a favor de uma paz ampla no Oriente Médio, o que supostamente incluiria uma solução justa para o problema palestino "em todos os seus aspectos"; no entanto, desde Camp David, tem se fracassado quando se tenta abordar o problema como um

A questão da Palestina

todo ou de maneira minimamente séria. Por que se supõe que 4 milhões de pessoas deveriam se contentar com menos (autonomia, digamos) do que seria aceitável para qualquer outro grupo nacional; por que se supõe que tratados possam ser assinados na ausência da principal parte interessada em uma disputa; por que se supõe que uma política externa possa ser conduzida sem *jamais* encarar o principal ator da região; por que se supõe que é aceitável simplesmente desejar que um grupo oposicionista poderoso deixe de existir; por que se supõe que os palestinos, mais do que qualquer outro povo, deveriam se contentar com a colonização permanente de Israel; ou por que se supõe que os palestinos não vão lutar indefinidamente para reconquistar seus direitos nacionais negados, usurpados ou oprimidos (como têm lutado em cada crise no Oriente Médio)? São essas as questões que este livro tenta trazer à discussão e responder, diante das mudanças quase assombrosamente turbulentas que vêm ocorrendo no Oriente Médio. Também tenho esperança de que, no capítulo final, o leitor considere que se fez uma análise justa das questões políticas iminentes que regem o Oriente Médio pós- -Camp David, da política dos Estados Unidos, da política árabe e regional e das posições e atitudes palestinas.

Não acho que tenha sido fácil escrever este livro. Grande parte desta obra é resultado do estudo e da reflexão do significado da história palestina moderna. Contudo, muito dela surgiu de uma participação ativa na busca em geral desalentadora da autodeterminação palestina, uma busca (pelo menos no meu caso) realizada no exílio. Inevitavelmente, tenho sido bastante assediado por acontecimentos diários, por notícias e mudanças súbitas, por discussões fortuitas e, sobretudo, por uma iluminação errática. Duvido que tenha escapado à influência desses fatos, dos quais, de todo modo, seria impróprio tentar escapar por completo. Mas estou ciente de que tentei apresentar mais do que um resumo da história recente, ou uma previsão dos desdobramentos futuros. Minha esperança é ter deixado clara a interpretação palestina da experiência palestina, e ter mostrado a relevância de ambas na cena política contemporânea. Explicar o senso que se tem de si mesmo como palestino é sentir-se pronto para uma batalha. No Ocidente, onde moro, ser palestino significa, em termos políticos, ser uma espécie de proscrito ou, na melhor das hipóteses, um intruso. Mas isso é uma realidade e, se a menciono, é somente como um meio de indicar a solidão de minha iniciativa neste livro.

Agradeço a Debbie Rogers, Asma Khauwly e Paul Lipari por sua contribuição na preparação do manuscrito. Durante anos, tirei proveito das muitas discussões com conterrâneos palestinos que, como eu próprio, tentam compreender nossa condição como povo. Bons amigos nos Estados Unidos, em Israel e em nações árabes também compartilharam seu conhecimento comigo, mas mencionar nomes e dívidas morais específicas seria trivializar desnecessariamente nossa experiência compartilhada, sem a qual este livro não poderia ter sido escrito.

Os dois amigos cujos nomes são eternizados na dedicatória deste livro jamais imaginariam que suas vidas me tocariam e influenciariam tão profundamente. Ambos eram palestinos, ambos levaram uma estranha e obcecada vida de exilados; ambos tiveram mortes amarguradamente tristes e desafortunadas; ambos, em minha opinião, eram homens integralmente bons. Farid Haddad era médico, viveu e morreu em um país árabe, onde convivi com ele por vários anos. Mais do que qualquer outro que eu conheça, ele tinha um senso agudo não só para o que era a injustiça humana, mas também sobre o que se poderia fazer contra ela. Idealista e abnegado, foi torturado até a morte na prisão em 1961, embora na época de sua morte (até onde pude entender) ele tenha feito tudo o que fez como ser humano e militante político e não como palestino. Rashid Hussein era um irônico poeta palestino que deixou Israel em 1966 e viveu nos Estados Unidos até a sua morte. Aprendi com ele tudo o que sei sobre a vida nas aldeias palestinas após 1948, uma vida que mostra a questão palestina com uma força singular. Seu espírito generoso, sua receptividade e honestidade política eram dádivas para quem o conhecia. Quando morreu, em 1977, de modo particularmente devastador, ele já havia sofrido muito por aquilo que era: um palestino independente, genuinamente radical. Ambos, Farid Haddad e Rashid Hussein, iluminaram-me para a causa palestina, pela qual, como tantos de nossos compatriotas em tantos lugares, eles deram a vida.

A questão da Palestina

1
A questão da Palestina

I. A Palestina e os palestinos

Até por volta dos últimos trinta anos do século XIX, tudo o que se localizava a leste de uma linha imaginária traçada em algum ponto entre a Grécia e a Turquia era chamado de Oriente. Como uma designação criada na Europa, durante muitos séculos o "Oriente" representou um modo de pensar peculiar, como na expressão "a mentalidade oriental", além de um conjunto de características culturais, políticas e até raciais específicas (em conceitos como o déspota oriental, a sensualidade, o esplendor, a inescrutabilidade orientais). Essencialmente, o Oriente representava uma espécie de generalização indiscriminada para a Europa, associada não só à diferença e à diversidade, mas também às vastidões, às massas indistintas, em sua maioria de pessoas de cor, bem como ao romance, ao exotismo e ao mistério das "maravilhas do Oriente". Mas qualquer um que esteja familiarizado com a história política do fim da Era Vitoriana sabe que a exasperante e, sobretudo, política "questão oriental", como ficou conhecida, tendeu a substituir o "Oriente" como objeto de apreensão. Em 1918, estimava-se que as potências europeias controlavam a ocupação colonial de cerca de 85% do mundo, sendo que uma grande parcela pertencia às regiões antes conhecidas simplesmente como orientais.[1] O romantismo do Oriente foi sucedido então pelo problema do convívio com o Oriente na disputa, em primeiro lugar, com outras forças europeias presentes por lá e, em segundo lugar, com os próprios colonos em sua luta pela independência. De lugar "afastado", o Oriente tornou-se um lugar de pormenores extraordinariamente urgentes e precisos, um lugar de inúmeras subdivisões. Uma delas, o Oriente Médio, é até hoje uma região associada a infinitos problemas, complexidades e conflitos. No centro disso está o que chamarei de a questão da Palestina.

Quando nos referimos a um assunto, a um local ou a uma pessoa na locução "a questão", queremos dizer com ela uma série de coisas. Por exemplo, alguém conclui uma pesquisa sobre a atualidade, dizendo: "E agora chegamos à questão X". O ponto aqui é que "X" constitui um assunto isolado dos demais, que deve ser tratado à parte. Em segundo lugar, usamos "a questão" em referência a algum problema de longa data, particularmente difícil de tratar, persistente: a questão dos direitos, a questão oriental, a questão da liberdade de expressão. Em terceiro lugar, e mais raramente, podemos empregar a locução "a questão" para sugerir que o *status* daquilo a que ela se refere na frase é incerto, questionável, instável: a questão da existência do monstro do Lago Ness, por exemplo. O uso de "a questão" em associação com a Palestina implica todos esses três significados. Assim como o Oriente do qual faz parte, a Palestina existe em um mundo diferente daquele que é habitual no Atlântico. De certo modo, a Palestina também representa tudo aquilo em que se resume o problema internacional mais espinhoso do pós-guerra:

---

1 Ver Said, *Orientalism*, p.31-49.

a luta pela, para e na Palestina, que tem consumido as energias de mais pessoas do que em qualquer outra época. Por fim, e esta é a principal razão deste livro, a Palestina é em si um conceito muito debatido, e até contestado. Sua mera menção constitui, para os palestinos e seus partidários, um ato de afirmação política importante e positiva e, para os inimigos dos palestinos, um ato igualmente afirmativo, mas de uma rejeição bem mais negativa e ameaçadora. Devemos relembrar aqui que as manifestações de rua nos principais centros cosmopolitas norte-americanos no fim da década de 1960 e grande parte da década de 1970 foram lideradas por facções que bradavam que a "Palestina *existe*" ou que a "Palestina não existe". Na Israel contemporânea, é comum que os palestinos sejam oficialmente tratados como os "assim chamados palestinos" – uma frase um pouco mais suave do que a declaração cabal de Golda Meir, em 1969, de que os palestinos não existiam.

A realidade é que, hoje, a Palestina não existe, exceto como uma reminiscência ou, mais fundamentalmente, como uma ideia, uma experiência política e humana e um ato de persistente vontade popular. O tema deste meu ensaio envolverá todos esses aspectos sobre a Palestina, embora em nenhum momento eu pretenda, para qualquer um que viva ou escreva no Ocidente, que a Palestina não seja "uma questão". No entanto, essa própria admissão já configura um aventurar-se em um campo relativamente pouco familiar. Para muitas pessoas que acompanham as notícias pelos jornais, pela TV e pelo rádio, que parecem ter mais do que um parco conhecimento político e que apregoam opiniões versadas sobre controvérsias internacionais, o Oriente Médio é essencialmente o conflito (disputa, problema, luta etc.) árabe-israelense, e não muito mais do que isso. É evidente que há um considerável reducionismo nessa visão, mas o que está de fato errado nela é que, na maioria das vezes, ela literalmente impede os palestinos de ter algo a ver com o atual Oriente Médio, que, desde setembro de 1978, parece ser simbolizado apenas por Menachem Begin, Anuar Sadat e Jimmy Carter fechados em Camp David. Parte expressiva da literatura sobre o Oriente Médio, pelo menos até 1968, deixa a impressão de que a essência do que acontece no lá é uma série de guerras intermináveis entre um grupo de países árabes e Israel. O fato de que tenha existido uma entidade como a Palestina até 1948 ou que a existência de Israel – sua "independência", como se diz – resultou da erradicação da Palestina são verdades indiscutíveis, que a maioria das pessoas que acompanha os acontecimentos no Oriente Médio desconhece ou não percebe.[2] O mais relevante é a contínua negação ou ignorância da existência no cotidiano de cerca de 4 milhões de árabes muçulmanos e cristãos que são conhecidos entre si e pelos outros como palestinos. Eles constituem a questão da Palestina, e, se não há nenhum país assim chamado, não é porque não há palestinos. Eles existem,

---

2 Há uma descrição detalhada sobre censura imposta à imprensa e às publicações em geral no que diz respeito ao problema palestino (de comum acordo) na Inglaterra em Christopher Mayhew e Michael Adams, *Publish It Not: The Middle East Cover-Up*. Além disso, qualquer livro israelense ou pró-Israel é comentado habitualmente no *The New York Times* por pró-israelenses notórios (por exemplo, Irving Howe comentou a obra de Saul Bellow, *Jerusalém, ida e volta*; Saul Bellow comentou o livro de Teddy Kollek sobre sua experiência como prefeito de Jerusalém etc.). Entretanto, qualquer livro de autoria de um árabe ou crítico a Israel é comentado habitualmente por um crítico pró-sionismo (por exemplo, Michael Walzer comentou *Peace in the Middle East?*, de Noam Chomsky, e Nadav Safran tratou da autobiografia de Sadat). O *New York Review of Books* (NYRB) não publicou quase nada de palestinos desde 1974, quando a questão palestina veio à tona. Em 1978, o *NYRB* chegou a publicar artigos de I. F. Stone, Guido Goldman e Stanley Hoffmann mais ou menos críticos a Israel; todos defendiam algum tipo de autodeterminação palestina, porém a cortina de ferro contra os palestinos – e não são poucos – que falam por si mesmos persiste. Mais grave é a escandalosa falta de informações sobre o que ocorre em Israel ou nos territórios ocupados; é quase total o *blackout* informativo sobre as práticas do governo israelense (a maioria divulgada com frequência pela imprensa israelense), que, se fossem adotadas em qualquer outro lugar do mundo, seriam manchete de primeira página.

A questão da Palestina

sim, e este ensaio é uma tentativa de apresentar sua realidade ao leitor.

Boa parte da história recente envolve os palestinos e, assim como a presente realidade, é uma história dispersa em locais prováveis e improváveis. Nenhum simpósio, ensaio acadêmico ou atitude moral relativos aos assuntos internacionais é completo se não faz referência ao terrorismo palestino (também conhecido como "árabe"). Nenhum diretor de cinema que se preze e que esteja planejando um filme sobre uma barbaridade qualquer dos tempos atuais, provavelmente fictícia, deixaria passar a oportunidade de apresentar um palestino em seu elenco como uma espécie de terrorista de carteirinha. Filmes como *Domingo negro* e *O comboio do medo* vêm imediatamente à mente. Por outro lado, os palestinos têm sido associados canonicamente a todas as características de refugiados que, conforme a ocasião, apodrecem em campos de concentração, são um "joguete" político nas mãos dos Estados árabes, constituem terreno fértil para o comunismo, tendem a procriar como coelhos e assim por diante. Comentaristas mais analíticos e pragmáticos observam com frequência que os palestinos formam a elite do mundo árabe. Não só eles parecem ter mais instrução do que qualquer outro grupo nacional, como também ocupam posições sensíveis na comunidade política árabe global. Áreas delicadas, como ministérios e instalações no Golfo Pérsico, consultoria econômica e educacional, e mais uma grande parcela ligada à alta burguesia árabe (banqueiros, empresários, intelectuais), são ocupadas por palestinos, e supõe-se que todos sejam ávidos por encrencas e vingança.

Enfim, pela primeira vez desde 1948, o debate político norte-americano voltou-se recentemente para o problema palestino. A começar pelo presidente Carter: não é mais sinal de antissemitismo radical declarar que a paz no Oriente Médio deve ao menos levar em consideração o problema dos palestinos. A "pátria palestina" e a espinhosa questão da representação palestina em conferências de paz são temas de enorme importância, que hoje desafiam a consciência pública. Por ter aparecido pela primeira vez, desde 1948, como um ponto independente na pauta da Assembleia Geral da ONU em 1974, e ainda associada à presença controversa de Yasser Arafat, "a questão palestina" irritou e penetrou na consciência geral de um modo novo e possivelmente favorável, embora a autodeterminação palestina tenha sido votada favoravelmente pela primeira vez na ONU em 1969. (A Resolução 2535B da Assembleia Geral expressou séria preocupação "de que a negação dos direitos [palestinos] tenha sido agravada pelos atos relatados de punição coletiva, detenção arbitrária, toque de recolher, destruição de casas e propriedades, deportação e outros atos de repressão contra refugiados e outros habitantes dos territórios ocupados", e prosseguiu para "reafirmar os direitos inalienáveis do povo da Palestina". Um ano depois, a Resolução 2627C reconheceu "que o povo da Palestina tem direito à igualdade e à autodeterminação, de acordo com a Carta das Nações Unidas".)

Apesar dessas determinações explícitas, os palestinos continuam sendo um povo tão *singular* que servem essencialmente como sinônimo de problema – um problema desenraizado, irracional e gratuito. Eles não vão embora como deveriam, não aceitam o destino de outros refugiados (que aparentemente se resignaram a ser refugiados e estão satisfeitos desse modo) e causam problemas. As crises recentes com palestinos no Líbano e na Jordânia são citadas como exemplos que confirmam esse argumento. E, se for mais capcioso, o comentarista também aludirá ao "fato" de que os palestinos fazem parte do que é, sem dúvida, um acontecimento assustador: o ressurgimento do islamismo.[3] Segundo uma visão um tanto paranoica, se até o

---

3 O *locus classicus* é Lewis, "The return of Islam"; trata-se de uma visão revista de seu "The Revolt of Islam". Ambos são úteis à propaganda sionista. Ver minha discussão sobre eles em *Orientalism*, p.316-9.

presidente dos Estados Unidos se refere ao problema palestino como parte intrínseca da paz no Oriente Médio, é por causa do petróleo dos muçulmanos, do fanatismo dos muçulmanos, da chantagem dos muçulmanos.

O que, em parte, todo esse material esconde é algo totalmente intratável, algo que resiste a qualquer teoria, a qualquer explicação lógica, a qualquer demonstração de sentimentos ou atitudes. Refiro-me à essência plena e irredutível da experiência palestina nos últimos cem anos: a de que, por centenas de anos, existiu na terra chamada Palestina um povo essencialmente pastoril e, no entanto, social, cultural, política e economicamente identificável, cuja língua e religião eram (em grande parte) árabe e islâmica, respectivamente. Esse povo – ou, para aqueles que desejam lhe negar qualquer concepção moderna de si próprio como povo, esse *grupo* de pessoas – criou uma identidade com a terra que ele cultivou e em que viveu (na pobreza ou não, isso é irrelevante), que se tornou ainda mais forte depois que se tomou uma decisão quase exclusivamente europeia de restabelecer, reconstituir, recuperar essa terra para os judeus que deveriam ser levados para lá de algum outro lugar. Até onde já se pôde estabelecer, não houve nenhum exemplo de gesto significativo palestino para aceitar essa reconquista moderna ou aceitar que o sionismo removesse permanentemente os palestinos da Palestina. Tal como está, a realidade palestina é, foi e, muito provavelmente, será construída a partir de um ato de resistência contra essa nova forma de colonialismo estrangeiro. O mais provável, porém, é que a resistência inversa que sempre caracterizou o sionismo e Israel perdure: a recusa em admitir e a consequente negação da existência dos árabe-palestinos, que estão ali não como um incômodo inconveniente, mas como uma população com um vínculo indissociável com a terra.

A questão palestina é, portanto, o confronto entre uma afirmação e uma negação, e esse confronto primordial, que tem mais de cem anos, é o que anima e dá sentido ao atual impasse entre os Estados árabes e Israel. Esse confronto foi comicamente desigual desde o princípio. Sem dúvida, no que diz respeito ao Ocidente, a Palestina é um lugar onde uma população recém--chegada e relativamente avançada (porque europeia) de judeus realizou milagres em construção e civilização e lutou guerras tecnológicas brilhantemente vitoriosas contra o que sempre foi retratado como uma população parva e essencialmente repulsiva de árabes nativos incivilizados. Não há dúvida de que a disputa na Palestina é entre uma cultura evoluída (e em evolução) e outra *relativamente* retrógrada e, até certo ponto, tradicional. Contudo, devemos tentar compreender quais foram os instrumentos dessa disputa e como eles moldaram a história subsequente para que essa história agora *pareça* confirmar a validade das reivindicações sionistas em relação à Palestina, denegrindo desse modo as reivindicações palestinas.

Em outras palavras, devemos compreender a luta entre palestinos e sionistas como uma luta entre uma presença e uma interpretação, em que a primeira parece ser constantemente subjugada e erradicada pela segunda. O que era essa presença? Por mais retrógrados, incivilizados e calados que fossem, os árabe-palestinos *estavam* naquela terra. Basta ler qualquer relato de viagem pelo Oriente do século XVII ou XIX – Chateaubriand, Mark Twain, Lamartine, Nerval, Disraeli – para encontrar registros de habitantes árabes na terra da Palestina. Segundo fontes israelenses, não havia mais do que 24 mil judeus na Palestina em 1822, menos de 10% da população total, majoritariamente árabe. É verdade que esses árabes costumavam ser descritos, em grande parte, como subdesenvolvidos e sem interesse, mas, seja como for, eles viviam lá. E quase sempre, porque a terra era palestina e portanto controlada, na mente ocidental, e não por suas realidades e habitantes presentes, mas por seu glorioso e portentoso passado e por seu potencial aparentemente ilimitado para um (possível) futuro glorioso, a Palestina era considerada um lugar que deveria ser tomado *novamente* e reconstruído.

Alphonse de Lamartine ilustra muito bem esse ponto. Em 1833, ele visitou a região e fez uma narrativa de várias centenas de páginas sobre suas viagens, *Voyage en Orient* [Viagem ao Oriente]. Ao publicá-la, anexou um *Résumé politique* [Síntese política] na forma de uma série de sugestões ao governo francês. Embora tenha detalhado no próprio *Voyage en Orient* inúmeros encontros com camponeses e moradores árabes na Terra Santa, no *Résumé* ele relata que o território não era propriamente um país (e era muito provável que nem seus moradores fossem cidadãos "legítimos") e, portanto, era um espaço maravilhoso para que a França empreendesse um projeto imperial ou colonial.[4] O que Lamartine faz é anular e transcender uma realidade de fato – um grupo de residentes árabes – por meio de um desejo futuro – que a terra seja desocupada para ser desenvolvida por um poder mais merecedor. Era precisamente esse tipo de pensamento, quase palavra por palavra, que transmitia o *slogan* sionista criado por Israel Zangwill para a Palestina perto do fim do século: uma terra sem povo para um povo sem terra.

A Palestina sempre teve um papel especial na imaginação e na vontade política do Ocidente, que é também onde, por comum acordo, o sionismo moderno se originou. A Palestina é um lugar de causas e peregrinações. Foi o prêmio das Cruzadas, assim como o lugar cujo próprio nome (e sua infinita renomeação histórica) tem uma importância doutrinária. Como eu disse anteriormente, chamar o lugar de Palestina e não de Israel ou Sião já é um ato de vontade política. Isso explica em parte a insistência dos textos pró-sionistas na dúbia afirmação de que Palestina foi usada como designação administrativa apenas no Império Romano, e nunca mais desde então – exceto, é claro, durante o mandato britânico, após 1922. O objetivo era mostrar que *Palestina* também é uma interpretação, uma interpretação com muito menos continuidade e prestígio do que *Israel*.

---

4 Lamartine, *Voyage en Orient*, v.2, p.533.

Vemos aqui outro exemplo do mesmo mecanismo empregado por Lamartine: usar um sonho futuro ou passado para obliterar a realidade existente entre o passado e o futuro. A verdade, evidentemente, é que aqueles que lerem os geógrafos, os historiadores, os filósofos e os poetas que escreveram em árabe desde o século VIII encontrarão referências à Palestina (sem contar as inúmeras referências na literatura europeia desde a Idade Média até hoje). O argumento pode ser fraco, mas serve para mostrar que o nome e, é claro, a própria ocupação física da Palestina são epistemologicamente transmutados – porque a Palestina carrega um fardo imaginativo e doutrinal – de uma realidade para uma não realidade, de uma presença para uma ausência. O argumento mais relevante é que, no que se refere aos árabe-palestinos, o projeto sionista para a Palestina (e sua conquista) foi simplesmente o mais bem-sucedido e, até hoje, o mais longo dos muitos projetos semelhantes que a Europa concebeu desde a Idade Média. Digo isso como uma declaração histórica relativamente despretensiosa, sem querer afirmar nada nesse estágio sobre o mérito intrínseco do sionismo em relação a projetos anteriores.

A Palestina tornou-se um país predominantemente árabe e islâmico no fim do século VII. Pouco depois, suas fronteiras e suas características – inclusive seu nome em árabe, *Filastin* [Filisteia] – ficaram conhecidas em todo o mundo islâmico tanto por sua fertilidade e beleza quanto por sua importância religiosa. No fim do século X, por exemplo, encontramos este trecho em árabe:

> A Filisteia é a província mais a oeste da Síria. Em seu maior comprimento, de Rafh à fronteira de Al Lajjun (Legio), um viajante levaria dois dias de jornada, e o mesmo tempo para cruzar a província em sua largura, de Yaha (Jafa) a Riha (Jericó). Zugar (Segor, Zoar) e o país do povo de Lot (Diyar Kaum Lot); Al Jibal (as montanhas de Edom) e Ash Sharah até Ailah – sendo Al Jibal e Ash

A questão da Palestina

Sharah duas províncias separadas, porém contíguas – pertencem à Filisteia e fazem parte de seu governo. A Filisteia recebe água das chuvas e do orvalho. Suas árvores e suas terras aradas não necessitam de irrigação artificial; e é somente em Nablus que se encontram águas correntes para esse propósito. A Filisteia é a mais fértil das províncias sírias. Sua capital e maior cidade é Ar Ramlah, mas a Cidade Santa (Jerusalém) aproxima-se dela em tamanho. Na província da Filisteia, apesar de sua pequena extensão, existem cerca de vinte mesquitas, com púlpitos para as orações de sexta-feira.[5]

Em 1516, a Palestina tornou-se uma província do Império Otomano, mas isso não a tornou menos fértil, menos árabe ou menos islâmica. Um século depois, o poeta inglês George Sandys referiu-se a ela como "uma terra abundante em leite e mel; no centro do mundo habitável e com um clima temperado; adornada por belas montanhas e vales luxuriantes; as rochas produziam excelentes águas; e não havia nenhuma parte desprovida de deleite ou renda".[6] Tais relatos persistem em profusão por todo o século XVIII e XIX, não só nas histórias de viajantes, mas, no fim do século XIX, em relatórios científicos trimestrais publicados pela Fundação para a Exploração da Palestina, da Inglaterra.

Apesar do fluxo regular de colonos judeus para a Palestina a partir de 1882, é importante notar que nas semanas anteriores à criação de Israel, na primavera de 1948, havia apenas uma grande maioria árabe por lá. Por exemplo, em 1931 a população judaica era de 174.606 pessoas entre um total de 1.033.314; em 1936 o número de judeus subiu para 384.078 entre 1.366.692; e em 1946 eles eram 608.225 numa população total de 1.912.112.[7]

---

5 Istakhari; Ibn Hankal apud Le Strange, *Palestine Under the Moslems*, p.28.
6 Sandys apud Bevis, "Make the Desert Bloom", p.4.
7 *The Anglo-Palestine Yearbook 1947-8*, p.33.

Em todas essas estatísticas, os "nativos" eram facilmente distinguíveis dos colonos recém-chegados. Mas quem eram esses nativos?

Todos falavam árabe, eram muçulmanos sunitas em sua maioria e conviviam com uma minoria formada por cristãos, drusos e muçulmanos xiitas, que também falavam árabe. Cerca de 65% dos árabe-palestinos constituíam um povo agrícola, que vivia em torno de quinhentas aldeias e cultivava grãos, frutas e vegetais. As principais cidades palestinas – Nablus, Jerusalém, Nazaré, Acre, Jafa, Jericó, Ramallah, Hebron e Haifa – foram construídas em grande parte por árabe-palestinos, que continuaram a morar na região mesmo depois que as colônias sionistas invasoras se estenderam para as cercanias. Também havia uma classe intelectual e profissional palestina respeitável, uma atividade industrial incipiente e uma consciência nacional altamente desenvolvida. A vida social, econômica e cultural da Palestina moderna organizava-se em torno das mesmas questões a respeito da independência e do anticolonialismo predominantes na região, exceto que, no caso dos palestinos, o legado otomano, o colonialismo sionista e a autoridade britânica (após a Primeira Guerra Mundial) tiveram de ser combatidos mais ou menos ao mesmo tempo. Praticamente todos os árabe-palestinos sentiam-se parte do grande despertar árabe iniciado a partir do fim do século XIX, e foi esse sentimento que deu coragem e coesão a uma história moderna, que, do contrário, seria turbulenta. Escritores e intelectuais palestinos (como Hakam Darwazeh, Khalil Sakakineh, Khalil Beidas e Najib Nassar), organizações políticas (como a Futtuwa e a Najada), o Alto Comitê Árabe e a Liga Árabe de Libertação Nacional (que argumentava que a questão palestina só poderia ser resolvida por árabes e judeus juntos)[8] formavam grandes blocos nacionais entre a população, canalizavam as energias da comunidade palestina "não judaica", criavam uma identidade palestina igualmente contrária ao domí-

---

8 Ver Abu-Ghazeleh, *Arab Cultural Nationalism in Palestine*.

A questão da Palestina

nio britânico e à colonização judaica e solidificavam o senso de pertencimento dos palestinos, qualquer que fosse a continuidade da permanência de um grupo nacional distinto, com uma língua própria (o dialeto árabe-palestino) e um senso de comunidade específico (particularmente ameaçado pelo sionismo).

Desde o início do planejamento concreto dos sionistas para a Palestina (isto é, durante e depois da Primeira Guerra Mundial), pode-se notar um predomínio crescente da noção de que Israel deveria se erguer sobre as ruínas dessa Palestina árabe. No princípio, a ideia era expressa com uma boa dose de cautela, e de modo a se adaptar à concepção de um colonialismo de reconstrução tão crucial para o alto imperialismo europeu. Em 1895, Theodor Herzl observou em seu *Diaries* que alguma coisa deveria ser feita em relação aos palestinos nativos:

> Teremos de estimular a população pobre a cruzar as fronteiras em busca de emprego nos países de trânsito, enquanto lhe negamos emprego em nosso próprio país.
>
> O processo tanto de expropriação quanto de remoção dos pobres deve ser conduzido com discrição e circunspecção.[9]

A favor dos sionistas, lorde Rothschild se correspondeu com o governo britânico na fase preparatória do anúncio da Declaração de Balfour. O memorando, datado de 18 de julho de 1917, trata do "princípio de que a Palestina deve ser reconstituída como a pátria do povo judeu". Chaim Weizmann diria logo depois que os britânicos entendiam que "somente os judeus eram capazes de reconstruir a Palestina e dar-lhe um lugar na moderna família de nações". O rabino-chefe da Inglaterra, dr. J. H. Herz, discorreu com muita eloquência sobre o "poderoso apoio [britânico] ao restabelecimento na Palestina de uma pátria

---

9 Herzl, *Complete Diaries*, v.1, p.88.

15

para o povo judeu".[10] Nenhuma dessas declarações é clara o bastante sobre o que se encontrava na Palestina. No entanto, a "reconstituição" ou "reconstrução" implica inequivocamente que a configuração da Palestina – que incluía centenas de milhares de árabes – deveria ser dissolvida (como ou onde isso deveria ocorrer não está muito claro), *para que em seu lugar* surgisse um novo Estado judeu. O tom dessas declarações deixa de fora qualquer referência explícita ao fato, sem dúvida nenhuma inconveniente, de que o país já estava constituído (ainda que como colônia) e era bastante improvável que seus habitantes ficassem satisfeitos que ele fosse "reconstituído" por uma nova força colonial. Mas as declarações em si são corretas: a Palestina foi reconstruída, reconstituída, restabelecida. Quão brutais foram esses atos é mostrado, a meu ver, nos comentários que Moshe Dayan fez em abril de 1969:

> Viemos para este país que já estava ocupado por árabes e estamos estabelecendo aqui um Estado hebraico judeu. Em áreas consideráveis do país [a área total era de cerca de 6%] adquirimos terras de árabes. Aldeias judaicas foram construídas no lugar das aldeias árabes. Você nem ao menos sabe o nome dessas aldeias árabes, e eu não o culpo, porque esse atlas geográfico nem existe mais; não só o atlas não existe mais, como as próprias aldeias árabes não existem mais. Nahalal [povoado do próprio Dayan] surgiu no lugar de Mahalul; Gevat surgiu no lugar de Jibta; [o kibutz] Sarid surgiu no lugar de Haneifs; e Kefar Yehoshua surgiu no lugar de Tell Shaman. Não há um único lugar neste país que não tivesse antes uma população árabe.[11]

Até a terminologia de Dayan, por mais franca que seja, é eufemística. O que ele quer dizer com "as próprias aldeias árabes

---

10 Ver Ingram (org.), *Palestine Papers 1917-1922*, p.19 et seq.
11 *Ha-aretz*, 4 abr. 1969.

não existem mais" é que elas foram sistematicamente destruídas. O professor Israel Shahak, um israelense indignado, segundo o qual quase quatrocentas aldeias foram eliminadas dessa maneira, afirmou que estas foram "destruídas *completamente*, com suas casas, seus jardins e até com seus túmulos e cemitérios, de modo que não permaneceu literalmente pedra sobre pedra, e aos visitantes de passagem dizia-se que 'tudo estava deserto'".[12] Há certa coerência desagradável no fato de que, após a ocupação israelense da Cisjordânia e de Gaza em 1967, a mesma política de destruição foi implantada nessas áreas; no fim de 1969, 7.554 residências árabes foram arrasadas e, em 16 de agosto de 1971, 212 casas foram demolidas, segundo o londrino *Sunday Times* de 19 de junho de 1977.

Mas isso não foi tudo. Segundo os cálculos mais precisos realizados até hoje, cerca de 780 mil árabe-palestinos foram expropriados e desalojados em 1948 para facilitar "a reconstituição e a reconstrução" da Palestina.[13] Trata-se dos refugiados palestinos que somam atualmente bem mais de 2 milhões. E, por fim, devemos acrescentar que o número de árabes mantidos desde 1967 nos territórios ocupados (que Menachem Begin alega ter "libertado") chega a 1,7 milhão; destes, meio milhão fazia parte de Israel antes de 1967. A transformação da Palestina em Israel tem sido um projeto altamente oneroso, em especial para os árabe-palestinos.

II. A Palestina e o Ocidente liberal

Todos os projetos de transformação da Palestina, inclusive o sionismo, racionalizaram a negação da realidade palestina atual com argumentos sobre um interesse, uma causa ou uma

---

12 Ver Davis; Mezvinsky (orgs.), *Documents from Israel, 1967-1973*, p.44.
13 Abu-Lughod, "The Demographic Transformation of Palestine", p.153-61.

missão "superior" (ou melhor, mais digna, mais moderna, mais adequada; os sinônimos são quase infinitos). Esses aspectos "superiores" não só dão a seus proponentes o direito de alegar que os naturais da Palestina, como tais, não merecem ser levados em consideração, ou não existem, como eles se sentem no direito de alegar que estes, e a própria Palestina, foram suplantados definitivamente, transformados de forma completa e irrevogável, ainda que alguns venham mostrando exatamente o contrário. Nesse ponto, mais uma vez, os árabe-palestinos têm se confrontado com um adversário inegavelmente mais capaz, cuja consciência de si mesmo e dos palestinos é *posicionalmente* superior. Entre os muitos exemplos dessa superioridade expressa e demonstrada podemos citar, é claro, a Declaração de Balfour, anunciada em novembro de 1917 pelo governo britânico na forma de uma carta de lorde Rothschild (que representava os interesses sionistas), na qual o governo se comprometia a "avaliar favoravelmente o estabelecimento na Palestina de uma pátria para o povo judeu". O que é relevante na declaração é que, em primeiro lugar, há muito tempo ela é a base jurídica das reivindicações sionistas da Palestina e, em segundo lugar, e mais crucial para os nossos propósitos, é que se trata de uma declaração cuja força posicional só pode ser avaliada quando se tem em mente as realidades demográficas e humanas da Palestina. Isto é, a declaração foi feita: (a) por uma potência europeia; (b) sobre um território não europeu; (c) em completo desrespeito tanto à presença quanto aos desejos da maioria nativa que residia nesse território; e (d) na forma de uma promessa desse mesmo território a um grupo estrangeiro, de modo que este poderia, de modo bastante literal, *transformar* esse território numa pátria para o povo judeu.

Não adianta lamentar uma declaração como a de Balfour. Parece-me mais útil considerá-la parte de uma história, de um estilo e de um conjunto de características que constituem a questão palestina que deve ser debatida atualmente. As afir-

A questão da Palestina

mações de Balfour tomam por irrefutável o direito soberano de um poder colonial de dispor de um território como achar mais apropriado. Como o próprio Balfour justificou, isso era especialmente verdadeiro por se tratar de um território tão significativo quanto a Palestina e em prol de uma ideia tão vital quanto o sionismo, que julgava apenas reclamar um território prometido originalmente por Deus ao povo judeu, e ao mesmo tempo solucionar o problema judeu. Observemos no trecho a seguir, extraído de um memorando escrito em agosto de 1919 por Balfour, em que ele, como membro do Gabinete, estava bem consciente das várias promessas contraditórias que foram feitas aos personagens do teatro do Oriente Médio e que o que ele relatava afinal não era uma quebra dessas promessas, mas *seu* senso de prioridade (isto é, como membro privilegiado de uma casta superior política, cultural e até racial):

> A contradição entre a carta do pacto [declaração anglo-francesa de 1918 que prometia aos árabes das antigas colônias otomanas que, como recompensa pelo apoio aos Aliados, eles poderiam ter sua independência] é ainda mais flagrante no caso da nação independente da Palestina do que no da nação independente da Síria. *Pois na Palestina nós não propomos nem mesmo realizar a consulta dos desejos dos atuais habitantes do país*, embora a Comissão Norte-Americana esteja procedendo à formalidade de perguntar quais são. As quatro principais potências estão comprometidas com o sionismo, e o sionismo, certo ou errado, bom ou mau, está arraigado na longa tradição, nas necessidades presentes, nas esperanças futuras, *de importância muito mais profunda do que o desejo e as inclinações dos 700 mil árabes que habitam essa terra antiga. Em minha opinião, isso está certo.*[14]

Essa não é a mera expressão de uma opinião: foi a declaração de uma política que mudou radicalmente o curso da história, se

---

14 Balfour apud Sykes, *Crossroads to Israel*, p.5. Grifo nosso.

19

não de todo o mundo, certamente dos 700 mil árabes e seus descendentes cujas terras estavam sendo condenadas. Mais adiante, discutirei de onde vem o poder desse tipo de declaração. Nesse momento, porém, eu gostaria de comentar minha observação de que esse confronto ocorre entre uma realidade pretensamente "superior" e outra humilde.

Mais ou menos na época em que Balfour escrevia seu memorando, ocorriam fatos – e eu me refiro aqui às pessoas que poderiam ser contadas (como de fato foram pelo Censo Britânico na Palestina, em 1922) – sobre os quais não havia o que discutir no que dizia respeito aos números brutos, embora os aspectos *qualitativos* fossem sujeitos a interpretação. O censo, que é a única fonte confiável de que dispomos sobre a realidade demográfica daquela época (apesar de seus números consideravelmente subestimados, ele tem sido usado com frequência pelos historiadores israelenses), apresenta em 1914 uma população de "689.272 pessoas, das quais não mais (e talvez menos) de 60 mil judeus". O censo mostra ainda que, em 1922, "cerca de 590.890 (78%) eram muçulmanos; 73.024 (9,6%) eram cristãos, majoritariamente árabes, embora incluíssem alguns britânicos e outros europeus; menos de 10 mil (1%) consistiam em outros; e 83.794 (11%) eram judeus. Destes, provavelmente dois terços eram imigrantes europeus e seus descendentes – alguns haviam chegado no fim do século XIX, outros a partir do início do domínio britânico". Como afirmei, no término da Segunda Guerra Mundial, a proporção de não judeus na população da Palestina era de 70% e, dos 30% restantes que compunham a população judaica, 70% concentravam-se não "na terra", onde supostamente fizeram o deserto florescer, mas nas cidades e nas aldeias.[15] Além disso, a política britânica tornou o sionismo seu beneficiário, demograficamente falando. O aumento natural numa população é normalmente de 1,5% ao ano, mas o número

---

15 Abu-Lughod, "The Demographic Transformation", p.141-2, 152-3.

de judeus na Palestina entre 1922 e 1946 cresceu em média 9% ao ano, estimulado pela política britânica de forçar uma maioria judaica no país. Somente em 1927, esse aumento chegou a 28,7% e, em 1934, a 25,9%.[16]

A única maneira de tornar aceitável essa desproporção brutal, politicamente manipulada, entre nativos e não nativos era pela lógica usada por Balfour. Uma ideia superior à de um simples número ou presença *deveria vigorar* na Palestina, e essa ideia – o sionismo – teve legitimidade até e após 1948. De sua parte, os sionistas se viam claramente como beneficiários dessa visão. Longe de representar uma terra já habitada, para os primeiros colonos sionistas as multidões árabes eram um povo para ser ignorado. Alegaram diferentes razões, a maioria fundamentada num pressuposto essencialmente idêntico ao de Balfour. Um livro escrito por um israelense sobre os israelenses descreve a cegueira dos colonos na Palestina do início até meados do século XX, mas não estabelece nenhuma conexão com Balfour e com a epistemologia moral do imperialismo.[17] Essa cegueira valia tanto para os ideólogos e os movimentos de esquerda, como o Ber Borochov e o Ha'poel Ha'tzair, quanto para os chamados direitistas românticos, como Vladimir Jabotinsky e seus revisionistas (os ancestrais políticos de Menachem Begin). No fundo, como Amos Elon mostrou com muito rigor, os sionistas consideravam que o problema árabe deveria ser ou completamente evitado ou completamente negado (e, portanto, combatido). Não há distinção entre as ideologias de Balfour e as do sionismo, embora os judeus sionistas tivessem necessariamente um sentimento diferente, uma história e uma vivência histórica diferentes em relação às ideias sobre a Palestina. Apesar de todas as diferenças (e elas *eram* inúmeras), tanto o imperialismo britânico quanto a visão sionista se unem no esforço de minimizar e até excluir

---

16 Anglo-American Committee of Inquiry, *A Survey of Palestine 1946*, p.146.
17 Elon, *The Israelis*, p.194 et seq.

os árabes da Palestina como algo de certo modo secundário e insignificante. Ambos elevam a importância moral de suas visões muito acima da mera presença de nativos num pedaço de território imensamente significativo. E ambas as visões (como veremos no Capítulo 2) fazem parte do *ethos* de uma *mission civilisatrice* europeia – do século XIX, colonialista, racista – baseada em noções de desigualdade entre homens, raças e civilizações, uma desigualdade que permite as formas mais extremas de projeção de grandeza e de disciplina punitiva contra os desafortunados nativos, cuja existência, paradoxalmente, era negada.

Direi mais adiante algumas palavras sobre a projeção e a disciplina sionistas em relação aos palestinos. Por enquanto, quero observar sobretudo que, na maior parte de sua história, a Palestina e seu povo foram submetidos a negações muito rigorosas. Para mitigar a presença de um grande número de nativos numa terra cobiçada, os sionistas se convenceram de que eles não existiam e, em seguida, admitiram que existiam apenas da maneira mais rarefeita. Primeiro negação, depois obstrução, diminuição, silenciamento, confinamento. Trata-se de uma política altamente complexa, porque inclui não só a política dos sionistas em relação ao povo árabe, como também a política de Israel em relação às colônias árabes e a natureza das forças de ocupação israelenses na Cisjordânia e em Gaza após 1967. Esses são dois assuntos com que me ocuparei mais adiante. Entretanto, parece mais interessante perguntar por que esses aspectos da experiência palestina são tão pouco conhecidos e discutidos no Ocidente. Neste ponto, deparamos com alguns atributos peculiares da interação sionista-palestina.

Se, como venho dizendo, a Palestina foi palco de um confronto entre uma presença nativa e uma forma avançada de cultura, recém-chegada e basicamente europeia/ocidental, parte considerável do confronto ocorreu fora da própria Palestina. Antes de 1918, a Palestina era uma província do Império Otomano.

Após 1918, passou oficialmente para a esfera de influência da Grã-Bretanha. No que diz respeito à minoria judaica na Palestina, o sionismo tinha pouco a ver com ela. Apesar do interesse dos judeus de todo o mundo pela Declaração de Balfour, não houve nenhuma divulgação a seu respeito na Palestina, entre a comunidade judaica.[18] Esse fato condizia com o espírito de Balfour, se não com a letra, de que "os atuais habitantes" não precisavam ser consultados – embora esses habitantes também incluíssem judeus. Mais tarde, num testemunho diante do Conselho Supremo de Guerra, que antecedeu a Conferência de Paz de Paris, Sylvain Lévi (um renomado orientalista francês, e a profissão é relevante para a discussão deste livro) falou em nome da delegação sionista; alegou "que, embora o trabalho dos sionistas tivesse grande importância do ponto de vista moral, a Palestina era uma terra pequena e pobre, com uma população de 600 mil árabes, e os judeus [recém-chegados], tendo um padrão de vida mais elevado, tenderiam a desalojá-los".[19] Segundo Weizmann, isso constrangeu os sionistas, já que, como disse depois, "o mundo julgaria o Estado judeu [e provavelmente o movimento sionista] por aquilo que fizesse com os árabes".[20] De fato, foi o mundo que tornou possível o êxito do sionismo, e foi a percepção do sionismo de que o mundo era partidário e espectador que desempenhou um papel prático considerável na luta pela Palestina.

Nem todo o mundo tinha a desconsideração insensível de Balfour pelos nativos, embora seja verdade que, no fim do século XIX e início do XX, mesmo anti-imperialistas como John Hobson acreditavam na existência de "raças subordinadas", cuja opinião tinha pouco peso numa lista de prioridades. No entanto, sionistas e até britânicos sabiam que os nativos apareceriam

---

18 Ver Ingrams (org.), *Palestine Papers*, p.20, 28.
19 Ver ibid., p.58.
20 Weizmann, *Trial and Error*, p.462.

de alguma forma – e por *aparecer* quero dizer mais do que os nativos se tornarem fisicamente perceptíveis ao menos para os observadores – e, dessa forma, mostrariam sua resistência para o mundo. Britânicos e sionistas não ignoravam que, de acordo com o mais fino estudo árabe sobre a luta por independência,[21] o renascimento árabe tornaria os árabes conscientes da inconcebível contradição entre seus planos para si mesmos e para seus territórios (a Palestina inclusive, é claro) e os planos apresentados por Balfour, pelos sionistas e pelos franceses. Além disso, a maioria dos judeus do mundo, tanto na época como hoje, não estava na Palestina, mas "no mundo", definido como o mundo europeu e norte-americano. A tarefa passou a ser a conversão da Palestina em um Estado judeu, sem que ao menos o mundo pudesse levar a sério (ou mesmo viesse a conhecer) o protesto dos nativos. A negação sistemática de uma expressiva presença árabe na Palestina era acompanhada, como afirmei, por sua destruição, sua obstrução e seu confinamento na Palestina; e por sua obstrução e seu confinamento nos conselhos do mundo. Além do mais, os sionistas eram capazes de difundir suas visões e sua realidade *em detrimento* da visão e da realidade dos árabe-palestinos. Um projeto negativo – negação e obstrução – acarretava um projeto positivo equivalente e contrário – difusão.

Não me refiro à mera propaganda política, que, se dependesse das mentiras sobre a Palestina, jamais teria levado o sionismo a se concretizar em Israel. O que mais me preocupa é a *força* do processo de difusão, cujo foco principal era a colonização sionista da Palestina, seus êxitos, seus feitos, suas instituições fora do comum; assim como hoje, a força da mensagem israelense é sua admirável autoestima e o enaltecimento de seu espírito "pioneiro", com o qual os norte-americanos em particular se identificaram sem grande esforço. Um aspecto intrínseco dessa força de difusão é a repressão sistemática da realidade árabe na

---

21 Antonius, *The Arab Awakening*.

Palestina. A maioria das informações sobre os kibutzim, por exemplo, omite o fato de que, mesmo antes (e, é claro, depois) da criação do Estado de Israel, os árabes nunca foram admitidos como membros dos kibutzim, a contratação de mão de obra barata (de árabes ou judeus orientais) era essencial para o seu funcionamento e seu princípio "socialista" era e é estabelecido sobre terras confiscadas de árabes.[22] Em vez de tentar se antecipar às acusações contra a política sionista em relação aos nativos árabes na Palestina, os porta-vozes do sionismo simplesmente não dizem nada a seu respeito. No caso dos kibutzim, a instituição parecia crescer e prosperar de modo mais ou menos espontâneo numa terra desabitada, onde empreendedores imigrantes judeus encontravam a unidade social absolutamente extraordinária que eram os kibutzim.

E, assim, introduziram-se na Palestina instrumentos como a Avoda Ivrit (trabalho judeu), que, segundo Amos Elon:

destinava-se a estabelecer um setor econômico completamente à parte para os recém-chegados [os judeus que chegavam à Palestina como parte do projeto sionista]. A mão de obra nativa não poderia ser "explorada" na reconstrução do país pelos judeus. Os judeus deveriam fazer tudo eles mesmos. Os nativos continuariam a se beneficiar indiretamente das melhorias gerais e do progresso econômico, em particular no comércio. Mas, dali em diante, os judeus deveriam tentar ser autossuficientes e realizar todo o trabalho braçal com as próprias mãos, inclusive os mais difíceis, os mais mal pagos e os mais humildes. Se não houvesse "exploração" do trabalho árabe, os trabalhadores árabes não poderiam se opor "objetivamente" aos sionistas [...]. *Avoda Ivrit* baseava-se em parte numa ilusão doutrinária; era cheia de inconsistências intelectuais. Na verdade, ela criou uma subcultura, livre das demandas da sociedade, não parasitária em relação a ela e que, acima de tudo, desfrutava de uma

---

22 Para um relato desmistificado sobre os kibutzim, ver Merag, *The Candid Kibbutz Book*.

espécie de desapego da "realidade" – turca, britânica ou árabe – que permitia a seus membros entregar-se a seus sonhos.[23]

O benefício principal e imediato para os nativos era a perda de seu país – mas, de modo geral, o raciocínio de Elon é razoável; a Avroda Ivrit e outros recursos sionistas para alienar a terra dos nativos não permitiam a ninguém afirmar que havia uma exploração *objetiva*. Nesse contexto, "objetivo" adquire um significado direto e cruel. Significa (e significou) que o sionismo se prepararia e venceria suas primeiras batalhas objetivamente em seu próprio campo, e não *contra* alguém – nesse caso (e dali em diante) "alguém" era definido como não judeu. Note-se que nem mesmo Elon consegue enxergar a distinção moral entre as "realidades" britânica e árabe na Palestina. Não lhe ocorreu que, por sua existência contínua na Palestina durante séculos, os nativos tinham e ainda têm uma autoridade moral incomparavelmente maior do que a do poder imperial europeu. E isso também nem sempre ocorreu aos sionistas, que se esforçaram para eliminar objetivamente os árabe-palestinos depois de 1948. Uma visão típica do que aconteceu é a observação de Weizmann de que "foi uma limpeza milagrosa da terra, a milagrosa simplificação da missão de Israel".[24]

Assim, todos os apelos a favor do sionismo eram forçosamente internacionais. A luta sionista se desenrolou apenas em parte na Palestina. Até 1948, e mesmo depois (a própria obra de Weizmann é o melhor exemplo disso), a luta teve de ser travada, alimentada e suprida, na maioria das vezes, nas grandes capitais do Ocidente. Por um lado, a resistência nativa aos sionistas era minimizada ou ignorada no Ocidente; por outro, os sionistas reclamavam que a Grã-Bretanha estava impedindo que eles penetrassem ainda mais na Palestina. Entre 1922

---

23 Elon, *The Israelis*, p.220, 222.
24 Weizmann apud McDonald, *My Mission to Israel*, p.176.

e 1947, a grande questão a que o mundo assistiu na Palestina não foi o confronto entre os nativos e os novos colonos, como os palestinos gostariam de pensar, mas um confronto que foi apresentado como sendo entre a Grã-Bretanha e os sionistas. A ironia desse acontecimento epistemológico extraordinário – e eu uso o termo filosófico porque não há maneira mais adequada de expressar a absoluta supressão do conhecimento de quase 1 milhão de nativos – é realçada quando lembramos que, em 1948, no momento em que se declarava um Estado, Israel possuía legalmente pouco mais de 6% das terras palestinas e a população de judeus era uma pequena fração do total da população palestina. A coerência dessa atitude e da Avoda Ivrit é quase perfeita: tratem o mundo como a parte lesada e a Grã-Bretanha (a potência colonial) como inimiga; ignorem os nativos e não tenham nada a dizer a respeito deles para, *objetivamente*, não vê--los como diretamente explorados.

É mais do que óbvio que a difusão do sionismo no Ocidente e seu subsequente refortalecimento pelo Ocidente foram comandados pelas comunidades judaicas do Ocidente. A essência da campanha sionista pela conquista da Palestina era e continua a ser um apelo tão específico e, ainda assim, tão cheio de justificativas genéricas que transforma qualquer oposição em algo tão inadmissivelmente geral quanto geralmente inadmissível. Isso teve o efeito de atrair a maior parte do Ocidente culto e liberal para o seu lado. Citarei alguns exemplos. Quando Herzl concebeu o sionismo na década de 1890, tratava-se de um movimento para libertar os judeus e resolver o problema do antissemitismo no Ocidente; elaborações posteriores dessa ideia tomaram a Palestina como lugar onde essa concepção se concretizaria (depois de considerar e descartar lugares na América do Sul e no leste da África). Além de ser um lugar com o qual existia uma ligação espiritual na forma de um pacto entre Deus e os judeus, a Palestina ainda tinha a vantagem de ser uma província atrasada em um império ainda mais atrasado. Portanto, o esforço de todos os defensores do sionismo se concentrou desde o início em reivindicar direitos sobre a Palestina tanto como um território atrasado e pouco habitado quanto como um lugar em que os judeus, desfrutando de um privilégio histórico único, poderiam reconstruir essa terra como a terra natal dos judeus.

Opor-se a essa ideia no Ocidente significava se alinhar de imediato ao antissemitismo. Por outro lado, apoiá-la levava a uma série de ações mais interessantes e aceitáveis do que apenas desalojar ou ignorar um bando de nativos sem nenhum interesse. Tratava-se mais uma vez de resolver um problema específico com uma solução específica, uma possibilidade que, como veremos, compreendia não só a ideologia de uma aventura colonial construtiva, como também a atitude *científica* e disciplinada de uma solução social positiva para uma questão social e intelectual positiva. Além do mais, a ideia de um Estado judeu (ou um movimento judeu) na Palestina adquiriu uma aura de prestígio moral extraordinária, sobretudo depois do advento do fascismo na Europa. Havia ali um povo identificado com a terra de Israel desde tempos imemoriais, e também com uma prodigiosa história de sofrimento e de grandeza moral e intelectual e, acima de tudo, com a dispersão. A Palestina era a resposta específica para as suas necessidades e, aparentemente, a mais liberal de todas.

Opor-se a esse plano, como eu disse, significava se sentir deslocado no Ocidente. De certo modo, isso ainda acontece. O sionismo sempre buscou respostas específicas: imigração, hospitais e, mais tarde, armas para sua defesa, dinheiro. Essas respostas atraem apoio, uma vez que sua negação parece sobretudo uma negação vazia, porque abstrata e genérica. Até a obra-prima de George Antonius adotou o tema do despertar *árabe* (não a presença palestina), que, segundo ele, deveria ser entendido nos termos da arabização e da islamização de todo o Oriente Próximo.[25] Quem quer que duvidasse das conquistas

---

25 Antonius, *The Arab Awakening*, p.15.

sionistas na Palestina teria inevitavelmente de encarar o "fato" de que aquilo que ele apoiava era resultado de um bloco árabe e islâmico. E esse bloco, tanto em seu amorfismo quanto em sua obscura abstração, tornava mais elegante e atrativa a imagem de um punhado de judeus europeus construindo uma civilização de luz e suavidade no mar negro islâmico (a uma distância razoável da Europa). Os sionistas ocuparam um lugar que tornou possível interpretar a Palestina e sua realidade nos termos que o Ocidente podia compreender e aceitar facilmente de modo específico e genérico. Por outro lado, a recusa em aceitar o argumento sionista deixava qualquer um no Ocidente sem muitas alternativas: ou pessimista, ou antissemita, ou defensor do islamismo e dos árabes. Em todos esses casos, a alternativa ao sionismo era, como afirmei, abrangente ou ultrajante demais; em contrapartida, o sionismo oferecia a clareza de uma solução (ou resposta) específica a um problema específico. Afinal, quem podia saber o que os árabes ou os islâmicos desejavam, pensavam ou *defendiam*? Apenas levantar a questão na época (e hoje, lamentavelmente) já tornava possível o argumento de que "os árabes" eram um monte de coisas desagradáveis em geral, que, ao se apresentar, provocava uma reação deprimente e alarmante. O fato é que os "árabes" eram sempre *representados*, nunca podiam falar por si mesmos; somando esse fato, paradoxalmente, a uma visibilidade política cada vez mais patente, explica-se por que lhes é negado esmagadoramente um lugar decente na realidade – ainda que estejam instalados na terra. Por exemplo, a Organização para a Libertação da Palestina (OLP) é reconhecida por mais de cem países e, é claro, por *todos* os palestinos como o único representante legítimo do povo palestino; no entanto, nem os Estados Unidos nem Israel admitem que a OLP representa os palestinos. Ao contrário, Camp David atribuiu indevidamente o direito de representação palestina aos Estados Unidos, a Israel e ao Egito.

Ao tornar o sionismo atraente, isto é, ao fazê-lo atrair um apoio genuíno no sentido mais profundo do termo, seus líderes não ignoraram apenas o árabe; quando foi necessário lidar com ele, eles o tornavam inteligível, eles o representaram no Ocidente como algo que podia ser entendido e administrado de modo específico. Entre o sionismo e o Ocidente havia e há uma comunhão de linguagem e ideologia; no que dizia respeito aos árabes, eles não faziam parte dessa comunidade. Em larga medida, essa comunidade depende de uma notável tradição ocidental de inimizade em relação ao Islã em particular e ao Oriente em geral. Documentei essa tradição em outra obra e remeto o leitor ao estudo que realizei do que chamei de orientalismo para mais detalhes e informações sobre uma longa e consistente história, que culmina atualmente no fato, por exemplo, de que praticamente o *único* grupo étnico contra o qual o Ocidente tolera e até encoraja críticas é o árabe.[26] Os árabes e o islamismo *representam* o mal, o venial, a decadência, a luxúria e a estupidez no discurso popular e erudito. O sionismo, assim como seus mentores ideológicos ocidentais, tirou proveito dessa representação coletiva dos árabes e do islamismo. *Como* tirou proveito disso e onde estava quando fez isso merece atenção, porque é um exemplo perfeito de como a propaganda política, o saber politizado e o discurso ideológico podem ter poder, implementar políticas e, ao mesmo tempo, parecer uma "verdade objetiva".

Em primeiro lugar, os sionistas se consideravam um povo parcialmente "oriental", que se emancipou dos piores excessos orientais para explicar os árabes orientais ao Ocidente, para assumir a responsabilidade de expressar o que os árabes realmente eram e pretendiam, sem jamais permitir que se equiparassem a eles como presença na Palestina. Essa tática permitia que o sionismo parecesse invariavelmente envolvido na realidade nativa do Oriente Médio e, ao mesmo tempo, superior a ela. Um exemplo é esta carta extremamente reveladora de Weizmann para Balfour, datada de 30 de maio de 1918:

---

26 Discuto em detalhe esse ponto em *Orientalism*, p.284-328.

É com grande senso de responsabilidade que tento lhe escrever sobre a situação aqui e os problemas que enfrenta a comissão sionista [...].

Os árabes, que são superficialmente espertos e perspicazes, adoram uma coisa e apenas ela: poder e sucesso. Por isso, embora não seja correto afirmar que o prestígio britânico foi abalado pelo impasse militar, com certeza ele não cresceu [...]. As autoridades britânicas [...] cientes como são da natureza traiçoeira do árabe, têm de cuidar com atenção e constância para que nada aconteça que provoque nos árabes a menor mágoa ou motivo de queixa. Em outras palavras, os árabes devem ser "pajeados", para que não apunhalem o Exército pelas costas. O árabe, ágil como é para avaliar uma situação, tenta tirar o melhor proveito disso. Ele grita sempre que pode e chantageia sempre que pode.

O primeiro grito foi ouvido quando a sua declaração foi anunciada. Toda sorte de interpretações equivocadas e falsos juízos foi imputada à declaração. Os ingleses, dizem eles, vão entregar os pobres árabes aos ricos judeus, que estão todos à espera na esteira do exército do general Allenby, prontos para se lançar como abutres sobre uma presa fácil e expulsar todos da terra [...].

No comando da administração, há funcionários ingleses esclarecidos e honestos, mas o restante da máquina administrativa foi mantida intacta, e todas as repartições estão cheias de árabes e sírios [...]. Vemos esses funcionários corruptos e ineficientes lamentando os bons e velhos tempos, quando a propina era o único meio de resolver os assuntos administrativos [...]. Quanto mais justo o regime inglês tenta ser, mais arrogante o árabe se torna. Também deve ser levado em conta o fato de que o funcionário árabe conhece a língua, os hábitos e os costumes do país [o que talvez não seja tão extraordinário, já que ele é *do* país, já que é árabe, afinal de contas; nota-se que Weizmann faz parecer que os árabes têm uma vantagem injusta, simplesmente porque estão lá], é um debochado e, portanto, leva grande vantagem sobre o oficial inglês íntegro e imparcial, que não está familiarizado com as sutilezas da mente oriental. Assim os ingleses são "dirigidos" pelos árabes.

A administração em si é claramente hostil aos judeus [...] o inglês no comando dos assuntos administrativos é honesto e justo, e, para tentar regular as relações entre os dois grupos que chefiam a comunidade [árabes e judeus; atribuir uma "chefia" mais ou menos igual a ambos é um pouco de exagero, mas Weizmann o faz assim mesmo], ele é escrupulosamente cuidadoso para manter o equilíbrio. Mas seu único guia nessa difícil situação é o princípio democrático, que tem de enfrentar a relativa força numérica, e os números brutos pesam contra nós, pois há cinco árabes para cada judeu [...].

O presente estado de coisas tenderia necessariamente à criação de uma Palestina árabe, se houvesse um povo árabe na Palestina [Weizmann usa critérios de "identidade de um povo" concebidos especificamente no século XIX para privar negros africanos e índios latino-americanos do direito de resistir aos colonizadores brancos, que *eram* um povo]. Isso não vai dar resultado porque o felá está pelo menos quatro séculos defasado no tempo, e o efêndi (que, a propósito, é o verdadeiro beneficiário do sistema atual) é desonesto, inculto, ganancioso e tão antipatriótico quanto ineficiente.[27]

A franqueza de Weizmann é instrutiva. Seu principal recurso retórico é identificar-se com Balfour como um europeu que conhece a diferença entre a mente oriental e a ocidental. A essa distinção segue-se todo tipo de conclusões. Árabes são orientais, portanto menos humanos e preciosos que os europeus e os sionistas; são traiçoeiros, degenerados etc. Acima de tudo, não merecem ter um país, mesmo que a vantagem numérica pareça lhes dar esse direito. Essencialmente, Weizmann repete os argumentos de John Stuart Mill sobre o governo representativo, pelo qual os índios foram privados do direito de se governar porque estavam séculos "atrás" dos ingleses.[28] Weizmann não tem ne-

---

27 Ver Ingrams (org.), *Palestine Papers*, p.31-2.
28 Esse assunto é discutido em Stokes, *The English Utilitarians and India*.

nhuma dificuldade em identificar o sionismo com os aspectos mais repreensíveis da hegemonia cultural e racial dos europeus, assim como em identificar mais utilmente a si mesmo com o conhecimento especializado sobre o Oriente, reservado em geral a orientalistas, especialistas, "membros" do Arab Bureau etc. O sionista une-se ao europeu branco contra o oriental de cor, cuja principal reivindicação política parece ser apenas quantitativa (seu número bruto) ou, do contrário, carente de qualidade; e o sionista – porque "conhece a mente oriental por dentro" – também representa o árabe, fala por ele, explica-o ao europeu. Sionistas e europeus têm em comum o ideal da honestidade, da civilização e do progresso, nada que o oriental seja capaz de compreender. Como explica Weizmann, o conflito na Palestina é uma luta para arrancar dos nativos o controle da terra; mas essa luta é dignificada por uma *ideia*, e a ideia era tudo.

Em segundo lugar, o conflito do sionismo com os árabes na Palestina e em toda a região era considerado uma extensão, uma perpetuação e até uma intensificação (para proveito do Ocidente) do antiquíssimo conflito entre o Ocidente e o Oriente, cujo principal substituto era o Islã. Tratava-se não apenas de uma questão de colonização, mas também de civilização. Era perfeitamente claro para defensores ocidentais do sionismo, como Balfour, que a colonização da Palestina deveria ser transformada em meta para as potências ocidentais desde o início do projeto sionista: Herzl usou a ideia, assim como Weizmann e todos os líderes israelenses desde então. Israel era um instrumento para manter o islamismo – e mais tarde a União Soviética e o comunismo – a distância. O sionismo e Israel eram associados ao liberalismo, à liberdade e à democracia, ao conhecimento e ao esclarecimento, àquilo que "nós" entendemos e pelo qual lutamos. Em contrapartida, os inimigos do sionismo eram simplesmente uma versão moderna do espírito alienado do despotismo oriental, da sensualidade, da ignorância e outras formas de retrocesso. Se "eles" não compreendiam a iniciativa gloriosa que era o sionismo, era porque "eles" estavam irremediavelmente desconectados dos "nossos" valores. Aparentemente, não importava que o muçulmano atrasado tivesse seu próprio modo de vida, ao qual ele tinha direito como ser humano, ou que seu apego à terra em que vivia fosse tão grande ou talvez até maior – em virtude dos séculos de investimento na habitação real – que o dos judeus que ansiavam em seu exílio por Sião. O que importava eram os ideais etnocêntricos que foram apropriados pelo sionismo e que valorizavam a superioridade do homem branco e seu direito sobre territórios considerados consoantes com esses ideais.

Até que ponto esses conceitos foram incorporados ao discurso comum da democracia liberal e esclarecida norte-americana necessita ser documentado imediata e decisivamente. Cada caso citado aqui considera o sionismo e Israel de duas maneiras interligadas entre si. A primeira é que o sionismo é maravilhoso e admirável por mérito próprio e não pode ser atribuído a nada nem a ninguém, sobretudo porque corresponde plenamente à noção ocidental sobre o homem e a sociedade. A segunda é que as objeções ao sionismo e/ou a Israel são estúpidas, execráveis ou moralmente indecentes e – isto é crucial – não se deve ouvi-las sem mediação. Somente o sionismo pode falar por elas. Tomemos Reinhold Niebuhr como primeiro caso. Pelo que sei, ele tinha pouco a ver com o mundo árabe ou islâmico, exceto pelo fato de ter se apropriado incondicionalmente das ideias culturais a respeito deles. No entanto, com outros seis notáveis, Niebuhr assinou uma longa carta ao *The New York Times*, em 21 de novembro de 1947, apoiando a ideia de divisão da Palestina. Esta é essência de seu argumento:

> Politicamente, gostaríamos de ver as terras do Oriente Médio praticando a democracia como fazemos aqui. Social e economicamente, desejaríamos que essas terras se desenvolvessem de modo que as condições de vida locais melhorassem e tanto os recursos

quanto os mercados da região se tornassem acessíveis. Em outras palavras, de qualquer modo que se olhe para a questão, os interesses norte-americanos, vistos de uma perspectiva de longo prazo, impõem uma modernização acelerada do Oriente Médio em todas as esferas do esforço humano.

Qualquer um que aborde o Oriente Médio com um mínimo de objetividade tem de admitir que, até o momento, existe lá apenas uma frente de progresso e modernização [note-se a apropriação de uma linguagem quase marxista para promover um esquema fundamentalmente colonialista], a da Palestina judaica. Um segundo fator de progresso é o Líbano cristão, que hoje está artificialmente subjugado pelos pan-arabistas e pan-islamitas da Liga Árabe contra a vontade e os sentimentos da maioria cristã libanesa. Mas, para essas duas ilhas de civilização ocidental, a Palestina judaica e o Líbano cristão, o Oriente Médio árabe muçulmano apresenta uma imagem desoladora do ponto de vista norte-americano.

A autoridade intelectual de Niebuhr era considerável na vida cultural norte-americana. Portanto, o que ele diz tem a força dessa autoridade. Entretanto, para o árabe-palestino, na medida em que ele é o alvo dessa força, os comentários de Niebuhr são simplesmente violentos. "Gostaríamos de ver" e "desejaríamos que essas terras" – habitadas por milhões de árabes muçulmanos quando Niebuhr se referiu a elas – sugerem que aquilo que essas terras querem e desejam têm pouca importância. Nossos desejos *devem* subjugar os deles. Nossos desejos declaram por ordem irredutível que "existe apenas uma frente de progresso", constituída por duas ínfimas minorias, uma importada e outra nativa. Não parece ter ocorrido em nenhum momento aos signatários dessa carta que os anseios da vasta maioria do povo do Oriente Médio eram "naturais", e que a "artificialidade" a que Niebuhr e seus amigos se referem poderia ser atribuída de maneira mais apropriada aos sionistas e aos maronitas. (E quão involuntariamente estavam prescientes dos distúrbios futuros na região, a saber, os problemas de Israel e a guerra civil no Líbano.) Essas "ilhas" – se fosse menos dissimulado, Niebuhr as teria chamado de "colônias" – suavizam a imagem "desoladora" que o mundo muçulmano apresenta. Desoladora para quem e por quê? Niebuhr não acha necessário dizer o que deveria ser evidente para qualquer ocidental civilizado. O islamismo é inimigo do judaísmo e do cristianismo, portanto "nossa" política deveria ser apoiar a Palestina judaica e o Líbano cristão. Que possam existir pessoas reais na região que Niebuhr trata de maneira tão imperiosa é uma possibilidade inimaginável. A cortina ideológica que literalmente os esconde permite que ele e seus amigos falem do modo como falam. O sionismo é o progresso e a modernidade; o islamismo e os árabes são o oposto. Somente Niebuhr pode falar em nome de todas as partes envolvidas; não podemos deixar de ver certa condescendência no sectarismo a favor dos judeus palestinos e dos libaneses cristãos.

Um ano antes, Niebuhr escrevera um artigo para o *Spectator*, intitulado "A New View of Palestine" [Uma nova visão da Palestina]. Seu tom era um pouco mais conciliatório, sabendo que "conselhos ou críticas de um norte-americano sobre a questão palestina não seriam muito bem recebidos na Grã-Bretanha no momento presente". O momento em questão era uma crise por causa do interminável problema da limitação à imigração judaica na Palestina. Mesmo assim, Niebuhr sente que é sua incumbência oferecer, se não um aconselhamento, ao menos uma nova visão, ou uma visão útil aos ingleses. Ao contrário da carta ao *The New York Times*, aqui ele se dirige diretamente a uma autoridade imperial, como uma agência imperial para outra.

> Sei que não há consideração suficiente na América pelos direitos árabes ou pela dificuldade da Inglaterra para lidar com o mundo árabe. Acho desconcertante, por outro lado, que o indivíduo comum fale de "opinião" árabe sem sugerir que essa opinião é limitada a um pequeno círculo de senhores feudais, que não existe classe média

A questão da Palestina

neste mundo e que as massas miseráveis estão numa condição tão vil de pobreza que uma opinião é um luxo impossível para elas. Uma das dificuldades do problema árabe é que a civilização técnica e dinâmica que os judeus poderiam ter ajudado a introduzir, que deveria ter tido o apoio do capital norte-americano e que deveria incluir o desenvolvimento de rios, a conservação do solo e o uso da força de trabalho nativa, não seria aceitável para os comandantes árabes, embora fosse benéfica às massas árabes. Ela teria de ser imposta provisoriamente, mas teria uma chance de aceitação cabal por parte das massas.[29]

Antes ou depois de escrever esse artigo, Niebuhr não poderia ser declarado culpado de discutir e muito menos de apoiar os "direitos árabes". Ele simplesmente nunca faz isso. A frase inicial não passa de manobra retórica para enfatizar o ponto principal, ou seja, a opinião árabe não importa (pelas razões sociológicas espúrias apresentadas por ele, como se as massas também não precisassem de um pedaço de terra para conduzir sua ignorância, seu atraso e sua decadência). Mesmo esta não é sua *real* intenção, que não é outra senão afirmar que, tenham ou não opinião, não se deve permitir que os árabes obstruam a "civilização técnica e dinâmica" trazida para a Palestina pelos judeus europeus. Teria sido mais fácil defender esse ponto de vista, se, por exemplo, ele pudesse afirmar claramente que: (a) os árabes são inferiores de modo *sui generis*; e (b) eles são meras criaturas, sem vontade ou opinião própria, de uma classe irremediavelmente decadente, insignificante e feudal de "senhores" que manipulam as "massas", como se fossem marionetes. Niebuhr, ao contrário, opta por afirmações mais aceitáveis culturalmente e diz que seu argumento se constrói, na verdade, não só a favor da "civilização técnica e dinâmica" importada pelo sionismo, mas levando em conta as massas árabes.

---

29 Niebuhr, "A New View of Palestine", *The Spectator*, 6 ago. 1946, p.162.

Deixemos de lado o fato de que Niebuhr poderia ter encontrado na história recente dos camponeses árabes diversos exemplos de insurreição espontânea contra o sionismo, ou casos de camponeses árabes que recorreram em vão aos colonizadores sionistas contra proprietários de terras árabes ausentes. O que ele não enxerga – assim como Marx não enxergou cem anos atrás, quando escreveu sobre os britânicos na Índia – é que um direito *nacional* estava sendo violado, mesmo por uma "civilização técnica e dinâmica", quando esta fazia incursões coloniais sobre "massas miseráveis". Além disso, e do ponto de vista de um renomado teólogo cristão, era de se esperar (e, em anos futuros, esperar em vão) alguma apreciação do fato de que, para cada judeu que emigrava para a Palestina, um ou vários árabes eram desalojados e seus direitos humanos suprimidos. Por fim, esperava-se que Niebuhr fizesse algum esforço para ouvir "as massas miseráveis" e seus anseios, ou ao menos admitisse que, entre seus anseios mais ou menos naturais, estava o de não serem desalojadas ou tão violentamente "beneficiadas" por uma civilização superior.

Se Niebuhr estivesse falando da situação na África do Sul ou na América do Sul, a condescendência e as implicações raciais não teriam sido toleradas, o que é uma situação que merece ainda mais consideração quando nos damos conta, como eu disse anteriormente, de que Niebuhr considera que está manifestando uma visão avançada, progressista, liberal. Ora, eu me pergunto, será que Niebuhr não sabia o que estava acontecendo na Palestina ou (como acredito que seja o caso) ele acreditava realmente que o sionismo era culturalmente superior à "decadência" árabe?

Isso me leva ao segundo exemplo, que ilustrará até que ponto o apoio ao sionismo, em todos os seus aspectos positivos e afirmativos, impunha não só uma aceitação relutante de uma parte da realidade árabe na Palestina, como também um sentimento afirmativo e positivo de que o sionismo fez bem em destruir a Palestina árabe. Edmund Wilson, porta-voz e figura de projeção cultural à altura de Niebuhr, era também um crítico católico brilhante – literatura, sociedade, história e moral. Mais do que Niebuhr, ele desenvolveu ao longo de sua vida um projeto de discriminação entre elementos da cultura ocidental (e mundial) que eram de valorização da vida (a frase é um tanto piegas, mas eu a uso com sinceridade) e elementos que eram um atraso de vida. Independentemente do que mais tenha sido, Wilson *nunca* se identificou com o Estado ou com nada minimamente chauvinista ou mesmo institucional. Seus leitores – e ele foi o homem de letras mais lido do país – reconhecerão esse fato. Wilson interessava-se em particular pelos judeus, pelos hebreus e pelo Velho Testamento; quando fez 60 anos, escreveu em um ensaio sobre os judeus que "a cultura de nenhum outro povo [como os ingleses e, por conseguinte, os puritanos norte-americanos] parece tão profundamente influenciada por isso [as frases e as visões da Bíblia hebraica]",[30] e seu estudo sobre os hebreus, assim como seu livro sobre os manuscritos do Mar Morto, atestam a forte influência dos judeus e do judaísmo sobre ele. Não há nenhum problema nisso, exceto quando Israel está em questão.

Black, Red, Blond and Olive [Preto, vermelho, loiro e oliva] tem um trecho longo e evasivo baseado na visita de Wilson a Israel. A narrativa é episódica e apresentada na forma de diário, como uma amostra aleatória de impressões sobre Israel, a maioria desencadeada pela leitura da literatura hebraica e pelo interesse pelo judaísmo. Em determinado ponto, Wilson fala do terrorismo a partir do qual o Estado se originou e do fato de que havia elementos repreensíveis nesse processo. Ele entende que o terrorismo "resultou das perseguições nazistas e da política dos britânicos", mas acrescenta em tom reprovador que, em Israel, "a prática terrorista se instalou" e, com ela, um "elemento de fanatismo moral". No entanto, Wilson se aprofunda o bastante no assunto para observar "que os israelenses, em relação aos árabes, mostravam certos sinais de retomada da intolerância

---

30 Wilson, *A Piece of My Mind*, p.85.

insensível dos israelitas em relação ao povo que eles haviam desapossado". Sobre a expropriação, Wilson parece não assumir uma posição em particular, exceto que, como na Bíblia, ela *aconteceu*. Isso pode sugerir certa neutralidade histórica de sua parte em relação à ocorrência de expropriações em várias partes do mundo, muito embora não possamos deixar de lembrar que, no momento em que escreveu, Wilson estava no local onde a expropriação e a intolerância ocorriam efetivamente. Percebe-se que ele não se refere à Bíblia quando faz a seguinte descrição algumas frases adiante:

> Desse modo, a posição dos árabes em Israel – em especial quando vistos no país – é a de um povo violento, porém pitoresco e pateticamente atrasado, excluído da comunidade principal, mas sendo ainda um problema recorrente. Em uma grande cidade árabe como Acre, a miséria da multidão nas ruas inspira em um israelense a mesma repulsa que em um visitante ocidental. Para os judeus, que levam tão a sério as relações familiares e, em Israel, trataram com tanto desvelo os órfãos da Polônia e da Alemanha e os filhos dos iemenitas analfabetos, o espetáculo de bandos de moleques sujos, ignorantes, doentes, berrando e fazendo algazarra, mendigando nas ruas estreitas e sujas, inspira um horror moral. Se as restrições impostas ao casamento pela antiga lei dos rabinos são consideradas por muitos rígidas demais, a facilidade do divórcio entre os árabes, que, associada a seus hábitos nômades, encoraja o pai de família a simplesmente abandonar sua prole e a se mudar com uma mulher para outro lugar, deve ser vista como um mal ainda pior. Não é que certo desprezo não seja natural em alguém criado no Ocidente, nem que certa crueldade de Israel não se equipare à obstinação de certo modo estúpida dos refugiados árabes na Jordânia, que recusaram as ofertas da UNRWA* para acomodá-los em outras localidades

---

* Agência das Nações Unidas de Assistência aos Refugiados da Palestina no Oriente Próximo. (N. E.)

e continuam a insistir em retornar a suas aldeias e fazendas em Israel. Tento aqui unicamente trazer à tona a existência de certa tendência judaica à exclusividade em Israel – tratarei mais adiante do seu reverso, os elementos que revitalizam a tradição judaica – como uma influência limitante e, por vezes, destrutiva.[31]

Em relação aos árabes que Wilson descreve aqui, a exclusividade judaica parece não ser de todo má. Em sua breve descrição, os árabes são totalmente repulsivos e detestáveis; a razão de sua pobreza parece menos importante do que sua aparência, embora não fosse difícil para Wilson se inteirar dos fatos sobre os árabes em Israel. Quanto a seus comentários sobre o povo árabe e seu senso de família, eles só podem ser compreendidos à luz de comentários sobre "orientais" que não nutrem a mesma consideração pela vida humana que "nós". Em outras palavras, os árabes não se importam com as crianças, não sentem amor ou raiva, são simplesmente animais de procriação rápida. O "certo desprezo" sentido pelos árabes estende-se à ideia de que o árabe-palestino é "estúpido" por resistir a ser instalado em outro lugar, mas a desonestidade mais exasperante é o modo como Wilson usa a palavra "exclusividade", ao se referir ao tratamento que os sionistas deram aos árabes que não partiram antes de 1948. Na época em que ele estava em Israel, as leis aplicadas aos árabes eram os *Regulamentos para defesa em caso de emergência*, concebidos e implantados na Palestina pelos britânicos para serem usados contra judeus e árabes. Essas leis eram ostensivamente racistas, na medida em que *nunca* eram usadas em Israel contra os judeus. Foram mantidas em Israel após 1948 para controlar a minoria árabe e vedar a estes o direito de ir e vir, o direito de adquirir terras, o direito de residência etc. Sob o mandato britânico, essas leis eram denunciadas com frequência pelos judeus como colonialistas e racistas. No entanto, assim que Israel se tornou um Estado,

---

31 Wilson, *Black, Red, Blond and Olive*, p.462-3.

essas mesmas leis foram aplicadas contra os árabes. Wilson não diz nada a esse respeito. Mais uma vez, há poucas justificativas para essa omissão, já que, como se pode atestar facilmente no livro de Sabri Jiryis, *The Arabs in Israel* [Os árabes em Israel], após 1948 havia uma grande quantidade de documentos *sionistas* contra os abusos das antigas leis coloniais, então aplicadas por israelenses para reprimir e manipular os árabes.

Para além de tudo o que o artigo de Wilson explicita está a verdade implícita (assim parece) de que qualquer um, em especial um liberal humanista esclarecido, pode escrever, ter uma opinião especializada e tratar da situação no Oriente Médio. Esse é um ponto muito importante, penso eu. Pois, se no século XIX recorria-se a um orientalista para conhecer o Oriente, no século XX a situação mudou drasticamente. Hoje, um ocidental em busca de indicações e informações sobre o Oriente (ou sobre os orientais) recorre aos sionistas. O que Wilson observa – aliás, o que o ocidental de modo geral observa – no Oriente Médio parte de uma perspectiva sionista. Israel é a norma, os israelenses são a presença, suas ideias e suas instituições são autenticamente nativas; os árabes são um estorvo, os palestinos são uma realidade quase mítica (ou, como se argumenta, uma realidade de propaganda política), e assim por diante. As origens israelenses foram esquecidas; Israel passou a ser simplesmente uma democracia ocidental, gratuitamente atacada por árabes antissemitas. A inversão da realidade é total. Esse é o maior êxito daquilo a que me referi anteriormente como a prática sionista de difundir a "verdade". Em outras palavras, os comentários de Wilson sobre os árabes não são imprecisos; ao contrário, são bastante exatos como cópia mais ou menos literal daquilo que os israelenses (como colonialistas ocidentais em uma região atrasada) pensam sobre os árabes, seus hábitos "nômades", e assim por diante. Contudo, a omissão é tão cabal que esquecemos que a relação entre israelenses e árabes não é um fato da natureza, mas resultado de um processo específico e contínuo de expropriação, deslocamento e *apartheid* colonial *de facto*. Além do mais, tendemos a esquecer que os sionistas *chegaram* à Palestina vindos da Europa.

III. A questão da representação

O que estou tentando frisar é que um artigo como o de Wilson pode ser tomado como símbolo perfeito de uma realidade política dentro daquilo que chamo de discurso comum da democracia liberal esclarecida norte-americana. Trata-se de uma fusão hegemônica total entre a visão liberal ocidental e a visão sionista-israelense. Emprego a palavra "hegemônica" deliberadamente, com todas as suas ressonâncias em Antonio Gramsci, o grande marxista italiano que analisou a importância da cultura e dos intelectuais para a política. Ao elaborar um de seus pensamentos, Gramsci atribuiu a noção de consentimento à *hegemonia*; em outras palavras, a hegemonia existe não por mera dominação, mas por consentimento, aquiescência. Em meados do século XX, como mostram os exemplos de Niebuhr e Wilson, havia uma identificação condescendente entre o discurso liberal ocidental e o sionismo. As razões dessa identificação são complexas (talvez exista uma justificativa aceitável para ela), mas, para o árabe-palestino, o significado concreto dessa relação hegemônica era desastroso. Não há meio-termo. A identificação do sionismo com o liberalismo no Ocidente significava que o árabe, na medida em que fora desalojado e expropriado na Palestina, perdeu sua identidade, tanto porque o sionista transformou a si mesmo na *única* presença na Palestina quanto porque a personalidade negativa do árabe (oriental, decadente, inferior) foi intensificada. No sionismo, o Ocidente liberal via o triunfo da razão e do idealismo, e somente isso (porque é isso que o liberalismo deseja ver); no liberalismo, o sionista via a si mesmo como deseja ser. Em ambos os casos, o árabe foi eliminado, exceto como problema, negação, "maus" valores. Esse é, seguramente, um caso único de ideologia sobreposta à simples economia. Até hoje, no campo estritamente econômico (e considerado o volume de ajuda concedido a Israel e ao sionismo), Israel é um desastre, mas o triunfo de sua causa pioneira justifica mais e mais ajuda, mais e mais ratificação – mas os pretextos para essa ratificação minguam pouco a pouco.

Niebuhr e Edmund Wilson são das décadas de 1940 e 1950, respectivamente. Na década posterior à guerra de junho de 1967, as fronteiras de Israel se expandiram enormemente; por causa disso, uma população de 1 milhão de árabes teve de se amontoar. Ninguém, muito menos os israelenses, podia se esquivar do problema que essa nova realidade palestina representava. A palavra "árabe" não servia mais para descrever todos que não eram judeus. Havia os "antigos" árabes em Israel, o novo grupo da Cisjordânia e de Gaza, os militantes da luta pela libertação (mais tarde OLP) e as várias comunidades espalhadas pelo Líbano, pela Jordânia, pela Síria e pelo Golfo Pérsico. Há mais de dez anos, Israel ocupa militarmente territórios e povos. É verdade que a Cisjordânia é designada como "Judeia e Samaria", mas seus habitantes não serão dispersados com tanta facilidade, ao menos por enquanto. Por isso, o novo obstáculo para o sionismo-liberalismo é a questão da ocupação. Israel sustentará que a ocupação militar significa "conviver", um conceito conveniente o bastante para o *The New York Times* ter oportunidade de lhe dar apoio indiscriminado. Em 2 de maio de 1976, o principal editorial do jornal acusou os "propagandistas árabes" de todo tipo de abominação (a principal: o ataque à ocupação do território árabe) e – repetindo o discurso oficial de Israel – anunciou a ocupação militar da Cisjordânia e de Gaza como "um modelo de cooperação futura" entre árabes e judeus na antiga Palestina. Em nenhum outro contexto esse anúncio poderia ser feito. A ocupação militar foi dada como representativa das boas relações entre os povos, um projeto sobre o qual um futuro seria construído, assim como "autonomia" seria supostamente o que "os árabes da Terra de Israel" *realmente* desejavam.

Mas isso não é tudo. O que devemos observar mais uma vez é o problema da *representação*, um problema sempre à espreita da questão palestina. Eu disse que o sionismo sempre se incumbe de falar em nome da Palestina e dos palestinos; isso sempre significou uma operação de obstrução, em que o palestino não pode ser ouvido (ou representar a si mesmo) no palco do mundo. Assim como o orientalista acreditava que somente ele podia falar (paternalista que era) pelos nativos e pelas sociedades primitivas que estudara – a *presença* daquele denotava a *ausência* destes –, os sionistas falavam ao mundo em nome dos palestinos. Isso não era possível o tempo todo e em toda parte, como qualquer movimento insurgente aprendeu, desde a Segunda Guerra Mundial, para seu próprio bem. Numa época de comunicação em massa, e às vezes instantânea, explorações sensacionalistas de guerrilhas ou atos de terrorismo podem "falar" diretamente, podem representar diretamente uma presença que, do contrário, seria obstruída. Em alguns casos, quando essa presença reprimida é negada, ela se infiltra ainda mais, como ocorreu com a maioria dos israelenses. Em última análise, essa negação mais recente dos palestinos se tornou o maior (e mais inevitável) erro do sionismo desde a sua concepção. Discutiremos isso no próximo capítulo; aqui, devemos ilustrar alguns casos recentes da união hegemônica liberal-sionista para completar a série de exemplos iniciada com Niebuhr e Wilson.

Costuma ser verdade, penso eu, que um indicador quase infalível de aceitabilidade e legitimidade política nos Estados Unidos é quem fala pelo quê. Uma das razões para a poderosa (embora altamente seletiva) legitimidade da Frente de Libertação Nacional (FLN) no país era o espectro de figuras altamente bem posicionadas, visíveis e eminentes que falavam contra a ação dos Estados Unidos no Vietnã. Quando o dr. Spock, Jane

Fonda, Noam Chomsky e o senador McGovern condenam todos a mesma coisa, pode-se dizer que eles validam o oposto do que condenam. Ao contrário, no caso de Israel, em que falar com fervor por e a favor de Israel é obrigação de *qualquer um*, seja na vida pública, seja nos meios intelectuais, a possibilidade de encontrar espaço para falar pelos palestinos é quase nula; na verdade, cada declaração a favor de Israel aumenta e concentra a pressão para que os palestinos se calem e aceitem a repressão. Assim, é legítimo e aceitável ser *a favor* de Israel e *contra* os palestinos. O princípio mais ativo decorrente desse axioma é que, com muita frequência, há artigos escritos por israelenses sobre Israel em circulação, mas muito raramente artigos de árabes sobre eles mesmos. Trata-se não apenas de uma desproporção numérica brutal (que tem muito a ver com a diferença de tamanho e, também, de qualidade entre as comunidades árabes e judaicas nos Estados Unidos), mas também qualitativa. Durante a guerra de 1973, por exemplo, *The New York Times Sunday Magazine* publicou um artigo de um respeitável advogado israelense em que ele dizia como era estar em guerra e, na semana seguinte, deu destaque a uma matéria supostamente simétrica, embora escrita por um ex-embaixador dos Estados Unidos na Síria. Quando se dá voz a um árabe, isso é feito de modo que cause uma impressão ínfima, ou, como eu disse anteriormente, quando se apresenta uma visão árabe representativa, isso é feito por um especialista ocidental ou é uma "declaração" árabe quase oficial. Quantidade e qualidade são consideradas equivalentes.

Na década de 1970, muitas personalidades renomadas visitaram Israel e, no caso dos escritores, registraram suas impressões. O caso mais recente é Saul Bellow; entre os outros estão Stephen Spender, Francine Du Plessix Gray, Renata Adler e Gary Wills. Após 1967 – ao contrário do período em que Edmund Wilson escreveu – não era possível evitar ou ignorar os territórios ocupados ou os árabes que viviam lá. Cada relato de visita a Israel, portanto, incluía algo sobre os palestinos. Em

A questão da Palestina

todos os casos, o contato com os árabes era feito por intermédio de um especialista árabe-israelense, em geral uma autoridade colonial com experiência mundial e eventualmente um acadêmico com experiência em inteligência militar. Nesse sentido, Bellow e Spender são idênticos.[32] Seu humanismo liberal, sua preocupação com a "possível" violação da democracia israelense pela ocupação militar aparecem em uma conversa com um especialista que representava a "realidade" árabe para eles, aliviava suas apreensões em relação aos valores humanos e tranquilizava-os quanto à democracia israelense. Por outro lado, essa visão do árabe-palestino dentro dos territórios ocupados passou a representar o que o árabe-palestino era, o que queria e como se sentia. Exatamente como enviar um funcionário branco do departamento de "relações com negros" para explicar a um visitante ocidental o que a maioria negra sul-africana *realmente* era, realmente queria, realmente sentia. É claro que tal embuste seria considerado improvável. A obra de Bellow, *Jerusalém, ida e volta*, extrai sua força precisamente desse tipo aceito e legitimado de representação.

Não que não houvesse evidências sobre o que acontecia em Israel. Muitos israelenses em visita aos Estados Unidos observavam que a principal diferença entre um israelense e um norte-americano pró-sionismo é que este é muito menos ingênuo e franco sobre Israel e seu "problema" árabe do que aquele.[33] Porque a causa de Israel e do sionismo nos Estados Unidos (isso se aplica menos à Europa) é quase sacrossanta; a fundação de Israel em 1948 é discutida no mesmo tom sussurrado e no mesmo alto nível que o Plano Marshall. Parte da comunidade intelectual e acadêmica – sem falar da indústria

---

32 Bellow, *Jerusalém, ida e volta*; Spender, "Among the Israelis"; ver também Chomsky, "What Every American Should Believe", p.24-32, para uma crítica de Bellow.

33 Ver Stone, "Confessions of a Jewish Dissident", p.229-40.

inteira da comunicação – observa os rituais de Israel e tudo que lhe diz respeito em um nível que não se compara a nenhuma outra causa. Em 1974 e 1975, ao primeiro sinal, personalidades das artes, da vida pública e da política assinaram declarações contra a "expulsão" de Israel da Unesco e a condenação do sionismo por parte das Nações Unidas como uma forma de racismo. Apenas ocasionalmente – Noam Chomsky foi uma voz solitária, pelo que pude constatar – dizia-se algo sobre o que o sionismo e Israel fizeram e ainda fazem aos árabe-palestinos, já que as várias práticas discriminatórias contra os "não judeus" em Israel não se distinguiam de outras formas de opressão racial no mundo. O que se via, em vez disso, era Daniel Patrick Moynihan atacando a infâmia e defendendo a liberdade no vácuo moral e intelectual reservado a Israel e ao sionismo.[34]

A sociologia do que normalmente define uma "causa", ou talvez o que deve ser uma questão para que seja uma causa, cai completamente por terra no caso da Israel atual, ao menos quando Israel é tema de discussão ou debate público. Nenhum liberal seria silenciado por defender a causa dos direitos humanos na União Soviética, no Chile ou na África. No entanto, no que se refere a esse tipo de assunto em Israel, o silêncio é quase total. O tema do governo militar, seus abusos e suas violações contra os direitos humanos em Israel resiste a qualquer esforço para transformá-lo em "causa". Isso é particularmente flagrante nos casos em que as fontes citadas pelos poucos críticos de Israel são fontes *israelenses*. Há anos a Liga Israelense de Direitos Humanos divulga informações sobre a demolição de residências árabes, a expropriação de terras árabes, o tratamento dos trabalhadores árabes, a tortura e a detenção ilegal de árabes – todos documentados sobretudo por traduções de artigos em jornais e revistas israelenses. Nenhum desses assuntos jamais vem à tona nos Estados Unidos, e não porque não sejam enviados a editores,

---

34 Essa posição é formulada à perfeição em Moynihan, *A Dangerous Place*.

comentaristas de TV, liberais importantes e (em geral) sinceros etc. Existem literalmente dezenas de agências de notícias israelenses, jornais e revistas liberais que cobrem regularmente os assuntos árabe-palestinos tanto em Israel pré-1967 quanto nos territórios ocupados – sem falar nos relatórios da ONU, documentos escritos por ex-fiscais das fronteiras e do armistício da ONU, relatórios de agências internacionais, como a Anistia Internacional e a Cruz Vermelha, dúzias de estudos árabes e árabe-americanos – e nenhum deles jamais é amplamente distribuído e disseminado nos Estados Unidos. O mais recente e, em muitos aspectos, o mais bizarro desses atos deliberados de omissão aconteceu com o relatório "Insight", do *Sunday Times* de Londres (19 de junho de 1977), que tratava da tortura em Israel. Empregando uma série exaustiva de técnicas investigativas, o *Times* revelou que a tortura de árabes é um recurso constante, metódico e oficialmente sancionado em Israel; que centenas de árabes estão sendo presos e torturados; que há evidências cabais de que o Estado faz vista grossa para essa prática como forma de intimidação, controle e terror contra a população "nativa" nos territórios ocupados. Com exceção do *Globe*, de Boston, nenhum grande jornal norte-americano (ou revista, ou semanário ou noticiário de televisão) divulgou o relatório, a maioria dos jornais mal o citou , e nenhum mencionou os vários relatórios da Anistia Internacional, da Cruz Vermelha e outros semelhantes que se seguiram. Sobre esse escandaloso desleixo com as informações, Nicholas von Hoffman observou com toda a razão:

> No mínimo, as autoridades israelenses deveriam estudar o caso levantado contra eles [pela matéria do *Sunday Times* sobre a tortura praticada por autoridades israelenses] e dar uma resposta mais convincente do que a declaração divulgada pela embaixada em Londres, que dizia simplesmente: "Alegações dessa natureza têm sido repetidamente disseminadas pela propaganda política árabe nos últimos anos e provaram ser totalmente infundadas à luz de

investigações minuciosas e documentadas". Insultos e investigações conduzidas por Israel para sua própria isenção não servem [...]. A grotesca ironia de usar gás como instrumento de tortura era para ser demais até para os oficiais israelenses que acreditam que tratar seres humanos dessa maneira promova a causa da democracia.

A maioria dos norte-americanos jamais ficará sabendo de nada disso. Até [agora] [...] somente um jornal (o *Globe*, de Boston) julgou conveniente divulgar o relatório. A indiferença não se deve a dúvidas sobre o calibre do jornalismo. A equipe do "Insight" do *Sunday Times* que preparou a matéria é respeitada por todos no meio.

A falta de interesse nesse caso pode ser explicada pelo *Times* de Nova York, que cobriu a investigação sobre as torturas com um artigo de 86 palavras, na página 13. De certa maneira, todas as notícias da América se resumem ao que o *Times* de Nova York considera notícia, em especial no caso de notícias estrangeiras [...]. Poucos editores de mídia impressa ou televisiva são capazes de fazer julgamentos independentes sobre as notícias. Falta-lhes simplesmente personalidade e estatura para ter opinião própria, preferem deixar que o jornal mais prestigioso da nação tome a decisão por eles.

Isso é particularmente cômodo em questões como a de Israel, em que a publicidade desfavorável pode atrair contra o editor as calúnias vociferantes do *lobby* mais bem organizado da nação. Não é assim que as coisas funcionam no exterior, onde a mídia de massa fornece ao público de outras democracias informações bem menos parciais.[35]

Quando um relatório ou artigo, como o de Von Hoffman, é publicado ou recebe alguma atenção, a raridade e o isolamento – decorrentes da ausência de contexto ou tradição em que inseri--lo – tira toda a sua eficácia. O poder de um consenso, de uma tradição ou de um discurso coerente como o que existe entre

---

35 Von Hoffman, *Anaheim Bulletin*.

Israel e a opinião liberal consiste no fato de que sua simples presença institucional dissipa qualquer evidência contrária, rejeita-a como irrelevante. Mais do que isso, transforma em *apoio* o que poderia ser um desafio devastador. Tomemos como exemplo recente a eleição de Menachem Begin. Durante anos a fio, Begin ficou conhecido como terrorista e não fez nenhum esforço para esconder o fato. Seu livro – *The Revolt* [A revolta] – pode ser encontrado em qualquer biblioteca universitária ou pública de médio porte como parte da coleção básica sobre o Oriente Médio. Nele, Begin descreve seus atos de terrorismo – inclusive o massacre indiscriminado de mulheres e crianças inocentes – em justificável (e aterradora) profusão. Admite ter sido o responsável pelo massacre de 250 mulheres e crianças na aldeia árabe de Deir Yassin, em abril de 1948. No entanto, algumas semanas depois de ser eleito, em maio de 1977, ele apareceu na imprensa como um "estadista" comparado implicitamente a Charles de Gaulle, seu terrorismo tinha sido esquecido. Nesse ponto, não se pode dizer que as provas do terrorismo de Begin tenham sido eliminadas. Estavam lá, sempre estiveram, diante de qualquer um que discutisse a Israel moderna, e eram citadas com frequência (em comparações, por exemplo, entre Begin e David Ben Gurion ou Golda Meir, que supostamente possuíam um perfil estadista). Entretanto, o consenso que decreta que os líderes israelenses são democráticos, ocidentais, incapazes de praticar o mal associado em geral aos árabes e aos nazistas (que, afinal, Israel supostamente anulou com sua existência) é tão sólido que mesmo uma migalha tão indigesta quanto Begin foi transformada em mais um estadista israelense (e recebeu o título de doutor *honoris causa* em Direito Civil da Northwestern University em 1978 e, para completar, parte de um Nobel da Paz!). Aqueles liberais que encontram causas e ultrajes por toda parte não têm absolutamente nada a dizer sobre Begin, a tortura em Israel ou as incontroláveis políticas anexionistas do Estado de Israel.

Muito do que se disse vale para os palestinos refugiados. Há controvérsia sobre quantos palestinos foram forçados a deixar seu país e suas terras em 1948 (os números variam de 500 mil a 800 mil; mesmo fontes israelenses contestam esses números, mas não o êxodo em si), mas é consenso que esses refugiados existem. Quase trinta anos longe da terra natal, bem como a supressão do direito de autodeterminação, "provam" (a palavra soa inadequada, quando seu sentido humano é tomado pelo que realmente significa nesse contexto) certa injustiça cometida contra eles. Contudo, quando se pergunta por quem ou por que eles se tornaram refugiados, quando se impõe a questão da ingerência, Israel não só é eximida de culpa ou responsabilidade (para começar, pelo presidente Carter, que também eximiu de responsabilidade os Estados Unidos pela devastação na Indochina), como Israel ainda é *louvada* por sua humanidade (assim como os Estados Unidos). Dizem que os palestinos foram "trocados" pelos judeus que deixaram os países árabes para se instalar em Israel; que eles partiram apesar das advertências do Haganá; que aqueles que permaneceram se deram melhor do que seus irmãos nos países árabes vizinhos; que existe apenas um refúgio para os judeus, mas existem vinte e tantos para os árabes (e por que os árabes não podem fazer como os judeus e abrigar seus refugiados?); que a ocupação de mais território palestino em 1967 levou, na verdade, a uma existência "binacional" entre árabes e judeus; que a ocupação da Cisjordânia é o cumprimento de profecias bíblicas; que existe uma Palestina e ela fica na Transjordânia; que outros refugiados (da Índia muçulmana, da Alemanha nazista) se estabeleceram em outros lugares (e por que os palestinos não entendem isso?); que os palestinos são simplesmente um fantoche (ou joguete) político dos regimes árabes e, portanto, não são realmente um problema, desde que esses regimes vejam que não ficarão indefinidamente impunes com essas táticas. É evidente que tudo isso apenas rodeia o assunto, o que parece ter sido transformado em evidência poderosa da moralidade e dos altos padrões de conduta do sionismo.

IV. Direitos palestinos

Mas aqui, como na maioria dos outros temas relativos à questão palestina, é necessário conectar os fatos entre si e vê--los não como *ocultos* (nenhum dos casos que cito aqui ou em qualquer outra parte é enigmático ou obscuro; a maioria pode ser encontrada em documentos de fácil acesso), mas ignorados ou negados. O contexto apropriado para tratar do problema dos refugiados está bem à mão: os refugiados palestinos querem ser repatriados, indenizados ou reassentados em outro lugar? Em segundo lugar: há consenso internacional e moral sobre as respostas práticas e teóricas a essa pergunta? Em terceiro lugar: de qual mecanismo Israel dispõe para transformar judeus europeus e norte-americanos em imigrantes, portanto em cidadãos, e como esse mecanismo *impede* que os refugiados árabe-palestinos sejam beneficiados? As respostas a todas essas perguntas são morais, é claro, mas também são interessantes e relevantes por causa de sua realidade política. Em outras palavras, não se trata de questões acadêmicas, mas de questões que afetam diretamente a vida de milhões de pessoas, nações e a ordem internacional. Vamos analisá-las aqui imparcialmente.

Antes de 1948, a maior parte do território denominado Palestina era habitada, sem sombra de dúvida, por uma maioria de árabes, os quais, após o surgimento de Israel, foram dispersados (partiram ou foram obrigados a partir) ou cerceados no Estado como uma minoria não judaica. Após 1967, Israel ocupou mais território árabe-palestino. O resultado foi que, atualmente, existem três tipos de árabe-palestinos: os que vivem nos limites da Israel pré-1967, os que vivem nos territórios ocupados e os que vivem fora das fronteiras da antiga Palestina. Nunca houve um plebiscito entre os palestinos no que se refere aos seus desejos, e a razão é óbvia: o simples fato de sua presença complexa e dispersa em várias jurisdições; a impossibilidade política de realização de um plebiscito, sobretudo em países sob cujos auspícios não se realiza eleição alguma; e a lista de razões pode aumentar – todas contribuindo para a insuperável dificuldade de realizar um plebiscito. No entanto, isso não significa que não existam outros meios pelos quais os palestinos possam se expressar – mesmo em seu exílio e dispersão. A julgar pelo grande apelo popular e pela legitimidade da Organização para Libertação da Palestina, pela constante resistência e desobediência às leis militares israelenses nos territórios ocupados, pelas manifestações diárias, pelas greves e pelos atos políticos de resistência por lá e entre os árabes dentro da Israel de 1967, por todas as organizações privadas e de massa criadas por e para os palestinos, está mais do que claro que, considerados juntos, como membros de uma comunidade cuja experiência em comum é a expropriação, o exílio e a privação de qualquer território pátrio, *o povo palestino não se conforma com sua sina*. Ao contrário, os palestinos têm insistido em seu direito de retornar, em seu desejo de exercer sua autodeterminação e em sua obstinada oposição ao sionismo pelo modo como ele os afetou.

Essa persistência palestina não é uma aberração isolada, fora de contexto; conta com o total apoio de toda convenção internacional legal e moral vigente no mundo moderno. O Artigo 13 da Declaração Universal dos Direitos Humanos (1948) estipula que:

> 1. Todo ser humano tem direito à liberdade de locomoção e residência dentro das fronteiras de cada Estado.
> 2. Todo ser humano tem o direito de deixar qualquer país, inclusive o próprio, e a este regressar.

O Pacto Internacional de Direitos Civis e Políticos (1966) ratifica esses direitos fundamentais e, desde 1976, é aceito como documento com força inigualada de voto unânime da Assembleia Geral das Nações Unidas (com apenas cinco abstenções). Seu Artigo 12 declara:

2. Toda pessoa terá o direito de sair livremente de qualquer país, inclusive o seu próprio. [...]
4. Ninguém poderá ser privado do direito de entrar em seu próprio país.

Além disso, a Comissão de Direitos Humanos da ONU assegura que:

a. Todos têm o direito, sem distinção de qualquer espécie, tais como raça, cor, sexo, língua, religião, convicção política ou outra, origem nacional ou social, propriedade, nascimento, casamento ou outro estado civil, de retornar a seu país.

b. Ninguém deve ser arbitrariamente privado de sua nacionalidade ou forçado a renunciar a ela como meio de privá-lo do direito de retornar a seu país.

c. Ninguém deve ser arbitrariamente privado do direito de entrar em seu próprio país.

d. Ninguém pode ter negado o direito de retornar a seu próprio país sob pretexto de não ter passaporte ou outro documento de viagem.[36]

A maioria dos argumentos que tenta refutar essas determinações explícitas, ao menos no caso dos palestinos, concentra-se em um conjunto limitado de razões. Diz que, se os palestinos partiram em 1948, foi porque as nações árabes os instigaram, para que, depois de cantar vitória, eles pudessem retornar em triunfo. Minha experiência e todas as evidências sugerem que o motivo decisivo do êxodo árabe-palestino em 1948 foi outro. Mas a razão dessa fuga é irrelevante diante do argumento legítimo do direito dos palestinos de retornar. *O que importa é que eles têm o direito de retornar*, como estipulam as leis internacionais, como asseguram inúmeras resoluções das Nações Unidas (a favor das quais os Estados Unidos votaram) e como eles próprios

---

36 Apud United Nations, *The Right of Return of the Palestinian People*, p.6-7.

desejam. (A primeira resolução da Assembleia Geral das Nações Unidas, a de número 194, que ratifica o direito dos palestinos de retornar a suas casas e propriedades, foi aprovada em 11 de dezembro de 1948 e, desde então, foi ratificada *nada menos que 28 vezes*.) Embora o direito moral e político de uma pessoa de retornar a seu lugar de domicílio permanente seja reconhecido em todo o mundo, Israel tem negado a possibilidade de retorno dos palestinos, em primeiro lugar, por uma série de leis que declaram as terras de árabes na Palestina propriedade abandonada e, portanto, passíveis de desapropriação pelo Fundo Nacional Judeu (que é o proprietário legal da terra em Israel "para todo o povo judeu", uma fórmula sem analogia em qualquer outro Estado ou pseudo-Estado); e, em segundo lugar, pela Lei do Retorno, segundo a qual qualquer judeu nascido em qualquer lugar do mundo tem o direito de reclamar cidadania e residência israelense imediatas (mas não um árabe, mesmo que possa comprovar sua residência e a de sua família por várias gerações na Palestina). Essas duas categorias, que se excluem sistemática e juridicamente, tornam impossível, em qualquer base que seja, que o árabe-palestino regresse, seja indenizado por sua propriedade ou viva em Israel como um cidadão igual a um israelense judeu perante a lei.

Outro argumento é que, se tantos palestinos essencialmente hostis fossem autorizados a retornar, o que aconteceria com Israel seria, na realidade, um suicídio político. Além disso, Israel é um Estado para os judeus, e sempre deve ser dada a eles a opção infinitamente aberta de um possível "retorno" a Sião. Ambos os argumentos têm a força e, certamente, a convicção e a intensidade da paixão genuína. É inútil a um árabe-palestino negá-los, assim como é inútil imaginar que os judeus israelenses poderiam algum dia querer regressar a seu lugar de origem. Muito do desespero e do pessimismo que se sente no conflito palestino-sionista é a incapacidade de ambos os lados de lidar, em certo sentido, com o poder existencial e a presença de *outro* povo em sua terra, com sua desafortunada história de sofrimento, seu investimento emocional e político nessa terra e, pior, de fingir que o Outro é um estorvo temporário, que com tempo e esforço (e violência punitiva de tempos em tempos) acabará indo embora. A realidade é que palestinos e judeus israelenses estão plenamente enredados na vida e no destino político uns dos outros, talvez não de modo definitivo – perspectiva que não se sustenta com facilidade em uma discussão racional –, mas sem dúvida o estão no presente e num futuro próximo. Ainda assim, é preciso ser capaz de distinguir uma presença política que invade, desaloja e cerceia de uma presença que é invadida, desalojada e cerceada. As duas não são iguais e, no final das contas, nem uma prevalecerá sobre a outra nem uma dominará definitivamente a outra. O sionismo como forma de perpetuar um sistema político, jurídico e epistemológico, cujo objetivo imediato, constantemente renovado e de longo prazo é manter a distância a Palestina e os palestinos é algo, acredito, a que devemos nos opor e submeter a séria análise.

Qual é o sentido e a forma dessa oposição? Por causa das circunstâncias políticas e epistemológicas que descrevemos aqui, opor-se a Israel e ao sionismo parece defender, na melhor das hipóteses, o antissemitismo e, na pior, o genocídio. É evidente que chegar a essa conclusão a partir daquilo que pretendo demonstrar é um programa de oposição autônomo, baseado em princípios, do mesmo modo como é algo pernicioso e destrutivo; mas isso é feito de todo modo e, infelizmente, continuará sendo feito pela posteridade. No entanto, o ponto crucial da discussão racional, na qual acredito piamente, é tentar mudar as condições e as perspectivas em que problemas aparentemente insolúveis são compreendidos – e, juntos, israelenses e palestinos constituem esse problema e, juntos, demandam uma mudança racional.

Houve uma oportunidade perfeita de mudança quando a União Soviética e os Estados Unidos fizeram uma declaração conjunta em 1º de outubro de 1977. O aspecto mais extraordinário dessa declaração foi a menção aos direitos palestinos (e não apenas aos interesses) como algo que deveria ser discutido em qualquer resolução pacífica final sobre o problema no Oriente Médio. O coro de ofensa e histeria com que a opinião judaica recebeu essa declaração foi desanimador. A reação interna judaico-americana foi não só ofensiva, como arrogante: os líderes judeus se vangloriaram de ter inundado a Casa Branca com milhares de cartas e telefonemas. O recado era que, a qualquer sinal de ameaça contra Israel (e a qualquer sinal de desvio na política governamental dos Estados Unidos de apoio incondicional a tudo que se referia a Israel), cada judeu e cada israelense se mobilizaria contra o governo. O propósito da intimidação era manter o Oriente Médio como um assunto interno, e não apenas como política externa. Outro propósito, porém, era mostrar como é fácil mobilizar as pessoas à base do medo.

Mas podemos questionar se medo, repressão e terrorismo intelectual descarado são justificáveis, ou se servem a um interesse terrivelmente míope e ignorante. Será que a única alternativa para a discussão sobre os palestinos são ameaças de guerra civil entre a comunidade judaico-americana e o governo ou aquilo que israelenses e autoridades norte-americanas descrevem com frequência na imprensa como uma possível guerra de aniquilação travada por Israel contra os árabes?[37] Que coisa temerária é essa que provoca reações tão violentas e, mais importante, ela pode ser eliminada por ameaças de guerra ou pela guerra em si?

Falar racionalmente sobre os palestinos é, em minha opinião, parar de falar de guerra ou genocídio e começar a tratar seriamente da realidade política. *Existe* um povo palestino, *existe* uma ocupação israelense das terras palestinas, *existem* palestinos sob ocupação militar israelense, *existem* palestinos (650 mil) que são cidadãos israelenses e constituem 15% da população

---

37 Ver, por exemplo, Jim Hoagland, *Washington Post*, 26 out. 1977.

de Israel, *existe* uma grande população palestina no exílio: essas são realidades que os Estados Unidos e a maior parte do mundo reconhecem direta ou indiretamente, e que Israel também reconhece, ainda que na forma de negação, rejeição, ameaças de guerra e punição. A história dos últimos quarenta anos mostra que os palestinos não encolheram, mas cresceram politicamente sob a influência da repressão e da privação; e a história dos judeus mostra que o tempo só fez aumentar seu o apego à terra saturada de história da Palestina. Exceto em caso de extinção total, os palestinos continuarão a existir e continuarão a ter ideias próprias sobre quem os representa, onde querem viver e o que querem fazer de seu futuro político e nacional.

Criticar o sionismo, portanto, é criticar não tanto uma ideia ou uma teoria, mas um muro de negações. É afirmar com firmeza que não se pode esperar que milhões de árabe-palestinos retirem-se, conformem-se com a ocupação ou se submetam ao que israelenses, egípcios ou norte-americanos imaginam que deva ser seu destino, sua "autonomia" ou sua localização física. Também é afirmar que chegou a hora de palestinos e judeus israelenses se sentarem para discutir todas as questões pendentes entre eles: direitos de imigração, indenização por propriedades perdidas e outros, tudo dentro de um contexto de discussão geral sobre a paz no futuro, e também de um contexto intelectual de aceitação *sionista* de que a libertação nacional judaica (como às vezes é chamada) ocorreu sobre as ruínas de *outra* existência nacional, e não em abstrato. É, por fim, reconhecer que a questão palestina não se restringe a um debate hermético entre sionistas sobre o modo como o sionismo e Israel devem se comportar na terra que já foi palestina, mas é uma questão política vital, que envolve árabes e judeus residentes em um território de significado comum.

Mas, em toda essa discussão, devemos lembrar que as questões são vistas e formuladas não como questões estritamente locais, entre povos do Oriente Médio, mas, como tentei demonstrar, como questões que envolvem duas comunidades que se consideram exiladas, duas comunidades cuja disputa envolveu o mundo. As partes envolvidas são, por um lado, o sionismo, o pacto judaico e a história judaica, os sobreviventes do destino mais trágico infligido a um povo, e, por outro, um povo anti-imperialista e anticolonialista do Terceiro Mundo, cuja base de ação é sua própria expropriação como povo, assim como a discriminação racial, a desapropriação territorial e a ocupação militar. Esses temas universais paralisam o mundo em torno de algum dos aspectos da disputa e, apesar de sempre existir o risco de que pequenas disputas amplificadas se tornem espinhosas, é verdade que a amplificação dá certo sentido ao conjunto de problemas e ideias que animam uma disputa.

Mas essa contenda, talvez imponderável demais, deve esmorecer. Acredito que tanto os palestinos quanto os judeus na Palestina têm muito a ganhar – e, é claro, algo a perder – com uma visão de direitos humanos acerca da situação em comum, em oposição a uma perspectiva estritamente *nacional*. Esquece-se com muita frequência que o colonialismo do século XIX transmitiu ao Oriente Médio, de maneira quase incondicional, um legado político terrivelmente dividido. O Império Otomano, assim como suas partes submetidas à suserania ocidental, era governado sobretudo por minorias cujos interesses locais as aliava ao poder colonial. Hoje, há governos minoritários no Líbano, na Jordânia, na Síria, em Israel, no Kuwait e na Arábia Saudita. A região é islâmica sunita em grande parte, embora cada país seja governado ou por um grupo não sunita ou por uma família e/ou oligarquia regional inacessível à população. O resultado é que os governos centrais são essencialmente repressores em relação à população majoritária, e é assim não só nos Estados árabes, como também em Israel. A mentalidade da minoria, associada a uma admiração acrítica do Estado pelo Estado, tornou precário o destino do cidadão individual. Em Israel, por exemplo, o Estado é dividido em judeus e não judeus, e ainda mais distintamente em judeus europeus e orientais. Em outras partes da região, os direitos dos cidadãos dependem não da garantia da lei, mas do arbítrio de um poder central ciosamente protegido. Portanto, um movimento em direção a alguma equidade ou alguma solução para a disputa israelense-palestina seria a reconsideração do problema entre os dois grupos, sua reformulação como disputa entre povos que anseiam por um tempo em que todos os habitantes (passados e presentes) do território tenham seus direitos assegurados. Nesse tempo, Israel não poderá mais ser o Estado de todo o povo judeu residente *ou não*, mas será o Estado de seus cidadãos judeus e não árabes *presentes*. O mesmo princípio vale para os outros Estados da região.

Neste momento, porém, mesmo um passo tão elementar é praticamente impossível. As relações entre israelenses e palestinos estão tão inflamadas que qualquer coisa que se assemelhe a equidade ou resolução parece fora de questão. Mas apenas por enquanto. O objetivo de longo prazo é, penso eu, o mesmo para todo ser humano: que, politicamente, todos possam viver sem medo, insegurança, terror e opressão, e também sem a possibilidade de exercer um domínio desigual ou injusto sobre os outros. Essa meta tem significados diferentes para os árabe-palestinos e para os judeus israelenses. Para os últimos, significa libertar-se da terrível pressão histórica do antissemitismo, que culminou com o genocídio nazista, libertar-se do temor dos árabes e também da cegueira do sionismo programático em sua prática contra os não judeus. Para os árabe-palestinos, significa libertar-se do exílio e da expropriação, libertar-se da devastação cultural e psicológica da marginalidade histórica e também de atitudes e práticas desumanas em relação à opressora Israel. Como se pode pensar em superar os obstáculos presentes em direção a esses objetivos de longo prazo?

O primeiro e talvez pequeníssimo passo é tentar compreender. Eu disse anteriormente que o sionismo é estudado e discutido como se dissesse respeito apenas aos judeus, embora tenha sido o palestino quem sofreu o pior impacto do extraordinário custo humano do sionismo, um custo não só alto, mas também não reconhecido. Portanto, convém que se tente uma reconciliação com o sionismo como teoria, ideologia, programa de ação histórico-política com consequências definitivas para os árabe-palestinos, bem como para os israelenses e outros judeus. Quando essa realidade for admitida no debate e na compreensão racional, começaremos a compreender também o que dá alento à vida *árabe*. Em outras palavras, meu objetivo aqui é abrir a discussão da questão palestina para uma realidade negada, reprimida – a dos árabe-palestinos, dos quais eu mesmo sou um.

Como primeiro passo, esse talvez não seja tão modesto e acadêmico quanto parece à primeira vista. Minha discussão parte da premissa de que, tanto na própria Palestina quanto no debate sobre a Palestina, não se deu a devida atenção à plena realidade humana do árabe-palestino como um cidadão com direitos humanos, como alguém que não é apenas um símbolo do refugiado intratável, antissemita e terrorista. Providencialmente, em nenhuma outra ocasião essa discussão seria frutífera ou mesmo possível. Mas com o espírito conciliador que parece prevalecer de tempos em tempos – apesar de hoje ser igualmente reais mais guerras e mais discursos insensatos sobre o "processo de paz" – a necessidade de uma compreensão abrangente dessas questões parece imperativa. Nas páginas seguintes, proponho uma tentativa de compreensão em duas partes: primeiro, no Capítulo 2, uma reflexão sobre o sionismo por intermédio do modo como ele afetou o árabe-palestino, que não se beneficiou dele, mas foi sua vítima; em seguida, no Capítulo 3, uma análise descritiva da experiência palestina moderna, o que inclui a realidade contemporânea de sua vida corporativa, cultural, política e social. Para concluir, apresentarei no Capítulo 4 uma discussão sobre a política presente e passada dos Estados Unidos em relação ao Oriente Médio, além de uma reflexão sobre os problemas que serão enfrentados caso os processos de paz sejam finalmente levados a sério no que se refere aos palestinos.

2
O sionismo do ponto de vista das vítimas

I. O sionismo e as atitudes do colonialismo europeu

Toda ideia ou sistema ideológico existe *em algum lugar*, mistura-se a circunstâncias históricas, faz parte daquilo que se pode chamar simplesmente de "realidade". Um dos atributos permanentes do idealismo oportunista [*self-serving idealism*], porém, é a noção de que ideias são apenas ideias e existem somente no domínio das ideias. A tendência a considerar que ideias pertencem unicamente a um mundo de abstrações é maior entre pessoas para quem elas são essencialmente perfeitas, boas, e nunca contaminadas pelo desejo ou pela vontade humana. Essa visão também se aplica quando as ideias são consideradas nocivas, absolutamente perfeitas em sua maldade, e assim por diante. É evidente que, quando uma ideia se concretiza – isto é, quando seu valor é comprovado na realidade por uma ampla aceitação –, parece ser necessário revisá-la, já que passa a ser vista como se tivesse assumido parte das características da realidade nua e crua. Assim, é comum que se argumente que uma ideia como o sionismo, por todas as adversidades políticas e pelas lutas travadas em seu nome, é, no fundo, uma ideia *imutável*, que expressa o desejo de que a autodeterminação política e religiosa dos judeus – por uma identidade nacional judaica – seja exercida na terra prometida. Como o sionismo parece ter culminado na criação do Estado de Israel, também se argumenta que a realização histórica da ideia confirma sua essência imutável e, não menos importante, os meios usados para sua concretização. Discute-se muito pouco o que o sionismo causou aos não judeus que por acaso se depararam com ele; a propósito, não se diz nada sobre onde (salvo na história judaica) ele ocorreu e do que, no contexto histórico da Europa do século XIX, extraiu sua força. Aos palestinos, para quem o sionismo era uma ideia alheia, importada para a Palestina, pela qual, em sentido bastante concreto, eles foram obrigados a pagar e a sofrer, esses esquecimentos sobre o sionismo são exatamente aquilo que importa.

Em suma, ideias políticas efetivas como o sionismo devem ser examinadas historicamente de duas maneiras: (1) *genealogicamente*, para que sua procedência, consanguinidade e descendência, sua associação tanto com outras ideias quanto com instituições políticas possam ser demonstradas; (2) como sistema prático de *acúmulo* (de poder, terras, legitimidade ideológica) e *deslocamento* (de pessoas, outras ideias, legitimidade prévia). Fatos políticos e culturais da atualidade tornam esse exame extremamente difícil, tanto porque o sionismo no Ocidente pós-industrial conquistou uma hegemonia quase inquestionável no discurso do *"establishment"* liberal quanto porque, ao preservar uma de suas características ideológicas centrais, o sionismo ocultou, ou fez desaparecer, o fundamento histórico literal de seu crescimento, seu custo político para os habitantes nativos da Palestina e suas opressivas discriminações entre judeus e não judeus.

Um exemplo alarmante do que pretendo dizer é o simbolismo de Menachem Begin, ex-chefe da organização terrorista Irgun, em cujo passado há inúmeros (e muitas vezes assumidos) atos de assassinato a sangue-frio, sendo homenageado como premiê israelense na Northwestern University em maio de 1978 com o título de doutor *honoris causa* em Direito; um líder cujo exército, apenas um mês antes, ocasionara 300 mil novos refugiados no sul do Líbano, que falava constantemente de "Judeia e Samaria" como partes "legítimas" do Estado judeu (pretensão baseada no Velho Testamento, sem nem sequer uma referência aos verdadeiros habitantes da terra); e tudo isso sem que houvesse – por parte da imprensa ou da comunidade intelectual – um sinal de compreensão de que o título honorífico de Menachem Begin foi concedido à custa do silêncio árabe-palestino no "mercado de ideias" ocidental, de que a duração histórica de um Estado judeu na Palestina antes de 1948 foi de 60 anos dois milênios atrás, de que a dispersão dos palestinos não era um fato da natureza, mas resultado de uma força e de estratégias específicas. Hoje, a dissimulação do sionismo de sua própria história tornou-se uma instituição, e não só em Israel. Divulgar sua história como se, de certo modo, tivesse sido extorquida da Palestina e dos palestinos, vítimas de cuja supressão dependem Israel e o sionismo, é uma tarefa intelectual/política específica no atual contexto de discussão sobre "uma paz abrangente" no Oriente Médio.

A posição especial – pode-se dizer até privilegiada – dos Estados Unidos nessa discussão é impressionante por todo tipo de razão. Em nenhum outro país, exceto em Israel, o sionismo é salvaguardado como um bem inquestionável e, em nenhum outro país, existe uma conjuntura tão vigorosa de instituições e interesses poderosos – a imprensa, a *intelligentsia* liberal, o complexo industrial militar, a comunidade acadêmica, os sindicatos – para os quais, como eu disse no Capítulo 1, o apoio acrítico a Israel e ao sionismo acentua sua reputação nacional e internacional. Embora tenha havido certa modulação nesse consenso extraordinário – por causa da influência do petróleo árabe, do surgimento de Estados conservadores que se aliaram aos Estados Unidos (Arábia Saudita, Egito) e da enorme visibilidade política e militar do povo palestino e seus representantes, como a OLP –, o viés pró-israelense persiste. O motivo é que não só ele tem profundas raízes no Ocidente em geral e nos Estados Unidos em particular, como seu caráter *negativo*, *proibitivo* em relação a *toda* a realidade histórica é sistemático.

No entanto, não há como contornar a formidável realidade histórica de que, quando tentamos tratar daquilo que o sionismo suprimiu do povo palestino, desembocamos, de um lado, no desastroso problema do antissemitismo e, de outro, na complexa inter-relação entre os palestinos e os Estados árabes. Quem assistiu à minissérie *Holocaust*, da NBC, na primavera de 1978, percebeu que o programa, no mínimo, visava justificar o sionismo, embora no Líbano, quase na mesma época, as tropas israelenses estivessem causando devastações, milhares de mortes de civis e um sofrimento inenarrável, semelhante ao que alguns corajosos repórteres presenciaram na devastação feita pelos Estados Unidos no Vietnã.[1] De maneira similar, o furor provocado pelo pacote de acordos do início de 1978, que permitiu a venda de aviões de guerra norte-americanos para Israel, Egito e Arábia Saudita, tornou ainda mais agudo o constrangimento da integração do movimento de libertação árabe com os regimes árabes de direita. A missão da crítica, ou melhor, o papel da consciência crítica nesses casos é ser capaz de fazer distinções, mostrar diferenças onde, no presente, não existe nenhuma. Escrever criticamente sobre o sionismo na Palestina nunca significou, e não significa agora, ser antissemita; ao contrário, a luta pelos direitos palestinos e pela autodeterminação não significa apoiar a família real saudita ou as estruturas de Estado antiquadas e opressivas da maioria das nações árabes.

Mas é preciso admitir que os liberais, e a maioria dos "radicais", foram incapazes de se livrar do costume sionista de

---

1 Ver, por exemplo, Greenway, "Vietnam-style Raids Gut South Lebanon".

A questão da Palestina

equiparar o antissionismo ao antissemitismo. Qualquer pessoa bem-intencionada pode condenar o racismo sul-africano ou norte-americano e, ao mesmo tempo, apoiar a discriminação racial de não judeus na Palestina. A ausência quase total de conhecimento histórico prontamente disponível em fontes não sionistas, a disseminação de simplificações ardilosas por intermédio da mídia (por exemplo, judeus *versus* árabes), o oportunismo cínico de vários grupos de pressão sionistas, a tendência endêmica entre acadêmicos de repetir acriticamente clichês e palavreados políticos (Gramsci atribuiu aos intelectuais tradicionais o papel de "especialistas em legitimação"), o receio de pisar no delicado terreno daquilo que os judeus fizeram a *suas* vítimas na era do genocídio dos judeus, tudo isso contribui para uma imposição estúpida e regulada de apoio quase unânime a Israel. Entretanto, como I. F. Stone observou, essa unanimidade ultrapassa até mesmo o sionismo da maioria dos israelenses.[2]

Por outro lado, seria injusto desprezar o poder do sionismo enquanto uma ideia para os judeus ou minimizar o complexo debate interno que caracteriza o sionismo, seu verdadeiro significado, seu destino messiânico etc. Apenas tratar desse assunto e, mais ainda, tentar "definir" o sionismo é uma questão muito difícil para um árabe, mas deve ser analisado com honestidade. Permito-me usar a mim mesmo como exemplo. A maior parte da educação que recebi, e certamente toda a base da minha formação intelectual, é ocidental; naquilo que leio, que escrevo e até mesmo naquilo que faço politicamente sou influenciado de maneira profunda pela atitude ocidental predominante em relação à história dos judeus, ao antissemitismo, à destruição dos judeus na Europa. Ao contrário da maioria dos intelectuais árabes, grande parte dos quais, obviamente, não viveu as experiências que vivi, fui exposto a aspectos da história e da experiência judaica que tiveram importância particular para

---

2 Stone, "Confessions of a Jewish Dissident".

judeus e não judeus ocidentais que liam e refletiam sobre a história judaica. Sei, tão bem quanto qualquer não judeu ocidental culto, o que o antissemitismo significa para os judeus, sobretudo no século XX. Consequentemente, sou capaz de compreender o misto de terror e júbilo que alimenta o sionismo, e acredito que posso ao menos captar o que Israel significa para os judeus ou mesmo para um liberal ocidental esclarecido. Mas, como sou um árabe-palestino, também posso ver e sentir outras coisas, e são essas coisas que complicam consideravelmente a questão e me levam a me concentrar nos *outros* aspectos do sionismo. O resultado, acredito eu, merece ser descrito, não porque o que penso é crucial, mas porque é útil ver o mesmo fenômeno de duas maneiras complementares, que normalmente não são associadas entre si.

Podemos começar com um exemplo da literatura: o último romance de George Eliot, *Daniel Deronda* (1876). O que é inusitado nesse livro é que o assunto principal é o sionismo, embora os temas principais do romance possam ser reconhecidos por qualquer um que tenha lido os outros livros de ficção de Eliot. Analisado no contexto do interesse geral de Eliot pelo idealismo e pelo anseio espiritual, o sionismo era, para ela, um de uma série de projetos mundanos para a mente do século XIX, ainda comprometida com a esperança de uma comunidade religiosa secular. Em suas obras anteriores, Eliot estuda uma variedade de arrebatamentos, todos substitutos da religião organizada, todos atraentes para pessoas que teriam sido santa Teresa, se vivessem em uma época de fé coerente. A referência a santa Teresa é feita em *Middlemarch*, um romance anterior de Eliot; ao empregá-la para descrever a protagonista do romance, Dorothea Brooke, Eliot procurou ser coerente com sua própria energia visionária e moral, sustentada a despeito da ausência, no mundo moderno, de certos compromissos com a fé e com o conhecimento. Dorothea aparece no fim de *Middlemarch* como uma mulher castigada, forçada a trocar a visão grandiosa de uma vida "realizada" por um sucesso relativamente modesto como esposa e mãe. É essa visão bastante diminuta das coisas que *Daniel Deronda* e o sionismo, em particular, reconsideram: como um projeto sociorreligioso genuinamente otimista, em que energias individuais podem ser misturadas e identificadas com uma visão nacional coletiva, com o todo que emana do judaísmo.

O enredo se alterna entre a apresentação de uma amarga comédia de costumes, envolvendo um segmento surpreendentemente desarraigado da alta burguesia britânica, e a descoberta gradual de Daniel Deronda – um exótico jovem cujos pais são desconhecidos, mas que é pupilo de sir Hugo Mallinger, um aristocrata britânico – de sua origem judaica e, quando se torna discípulo espiritual de Mordecai Ezra Cohen, de seu destino judaico. No fim do romance, Daniel casa-se com Mirah, irmã de Mordecai, e compromete-se em satisfazer as expectativas do cunhado em relação ao futuro dos judeus. Mordecai morre logo depois que o jovem casal se casa, mas bem antes de sua morte fica claro que suas ideias sionistas foram transmitidas a Daniel, tanto que, entre os "esplêndidos presentes de casamento", havia "um conjunto completo de apetrechos de viagem", dado por sir Hugo e lady Mallinger. Daniel e sua esposa viajariam à Palestina, supostamente para pôr em ação o grande plano sionista.

O que é crucial no modo como o sionismo é apresentado no romance é que o pano de fundo é uma condição generalizada de abandono. Não só os judeus, como os ingleses bem-nascidos são retratados como seres errantes e alienados. Se os mais pobres (por exemplo, a sra. Davilow e suas filhas) parecem estar sempre se mudando de uma casa alugada para outra, os ricos aristocratas não são menos carentes de um lar permanente. Eliot usa a saga dos judeus para fazer uma declaração universal sobre a necessidade de um lar no século XIX, dado o desarraigamento espiritual e psicológico refletido na agitação física quase ontológica de seus personagens. Seu interesse pelo sionismo pode ser visto nesta reflexão que faz no início do romance:

uma vida humana, penso eu, deve estar bem enraizada em alguma parte de uma terra nativa, onde possa ter o amor de terna afinidade com a face da terra, com a labuta para qual os homens partem, com os sons e sotaques que a preenchem, por tudo que dê a esse lar primitivo uma distinção familiar, inconfundível, em meio à futura ampliação do conhecimento.[3]

Encontrar o "lar primitivo" significa encontrar o lugar onde alguém se sente *em casa*, uma tarefa que deve ser garantida de modo mais ou menos intercambiável pelos indivíduos e pelo "povo". Portanto, torna-se historicamente apropriado que os indivíduos e o "povo" mais indicados para a tarefa são os judeus. Somente eles como povo (e, consequentemente, como indivíduos) preservaram tanto o sentido do lar original em Sião quanto o sentido agudo e sempre contemporâneo de perda. Apesar do predomínio do antissemitismo em todo o mundo, os judeus são uma vergonha para os gentios que há muito tempo abandonaram a "observância" de qualquer crença comunitária civilizadora. Mordecai afirma positivamente esses sentimentos como um programa definitivo para os judeus:

> Eles [os gentios] desprezam a observância ignorante de nosso povo; mas a ignorância mais execrada é a de qualquer não observância – subjugada pela ganância astuta da raposa, à qual toda lei não é mais que uma armadilha ou o latido de um cão de caça inquieto. Há uma degradação no fundo da memória que definhou em superstição. Nas turbas de ignorantes dos três continentes que observam nossos ritos e confessam a Unidade divina, a alma do judaísmo não está morta. Restabeleça-se o centro orgânico: que a unidade de Israel faça que o crescimento e a forma de sua religião sejam uma realidade extrínseca. Buscando uma terra e uma organização política, nosso povo disperso nos confins da terra pode

---

3 Eliot, *Daniel Deronda*, p.50.

A questão da Palestina

compartilhar a dignidade de uma vida nacional que tenha voz entre os povos do Oriente e do Ocidente – que cultivará a sabedoria e a habilidade de nossa raça para que possa ser, como antigamente, um meio de transmissão e compreensão. Que ela venha a suceder, e o calor da vida se espalhará pelas frágeis extremidades de Israel, e a superstição desaparecerá, não na anarquia dos renegados, mas na iluminação dos grandes fatos que engrandecem os sentimentos e transformam todo o conhecimento vivo em jovens frutos de amadas lembranças.[4]

"A iluminação dos grandes fatos que engrandecem os sentimentos" é uma frase característica de Eliot, e não há dúvida de que a aprovação que ela concede a seus sionistas resulta da crença de que se tratava de um grupo que expressava quase à perfeição suas próprias ideias grandiosas sobre uma vida de sentimentos expandida. Mas se há uma realidade perceptível entre "os povos do Ocidente", essa realidade não existe para os "povos do Oriente". Eles são citados, é verdade, mas não são mais substanciais do que uma frase. As poucas referências ao Oriente em *Daniel Deronda* são sempre às colônias britânicas na Índia, por cujo povo – como povo que tem desejos, valores, aspirações – Eliot expressa a total indiferença do absoluto silêncio. Do fato de que Sião será "plantado" no Oriente, Eliot não faz nenhuma descrição detalhada; é como se a frase "os povos do Oriente e do Ocidente" cobrisse o que será, ao menos territorialmente, uma realidade inaugural neutra. Essa realidade, por sua vez, será substituída por uma realização permanente quando o Estado recém-fundado se tornar um "meio de transmissão e compreensão". Pois como Eliot poderia imaginar que o povo oriental se oporia aos grandiosos benefícios a todos?

Mas há uma insistência perturbadora nessas questões no discurso de Mordecai. Para ele, o sionismo significa que "nossa

---

4 Ibid., p.592.

raça assume novamente o caráter de uma nacionalidade [...] uma obra que deve ser o fruto digno da longa angústia com que nossos pais mantiveram seu isolamento, recusando a facilidade da falsidade". O sionismo deve ser uma lição dramática para a humanidade. Mas o que deve chamar a atenção do leitor no modo como Mordecai ilustra sua tese é a descrição que ele faz da terra:

> [Os judeus] têm riqueza suficiente *para redimir o solo dos conquistadores devassos e depauperados*; têm a habilidade dos estadistas para planejar, a língua do orador para persuadir. E não há profeta ou poeta entre nós para fazer os ouvidos dos cristãos europeus zunirem de vergonha diante da horrenda calúnia da luta cristã *que os turcos contemplam* [referência à longa história das disputas europeias pela Terra Santa] *como a luta das feras às quais eles emprestaram a arena?* Há abundância de sabedoria entre nós *para fundar uma nova organização política judaica, grandiosa, simples, justa como a antiga* – uma república em que exista igualdade de proteção, uma igualdade que brilhou como uma estrela na fronte de nossa antiga comunidade, *e cedeu-lhe mais do que o esplendor da liberdade ocidental entre os despotismos do Oriente.* Então nossa raça terá um centro orgânico, um coração e um cérebro para vigiar e guiar e executar; *os judeus ultrajados terão defesa na corte das nações*, assim como os ingleses e os norte-americanos ultrajados. E o mundo ganhará como Israel ganha. Pois haverá uma comunidade à frente do Oriente que carregará a cultura e as simpatias de cada grande nação em seu seio; *haverá uma terra assentada como barreira para as inimizades, um solo neutro para o Oriente como a Bélgica para o Ocidente.* Dificuldades? Sei que há dificuldades. Mas permita que o espírito da sublime realização mova os grandes entre nosso povo e a obra começará.[5]

A terra em si é caracterizada de duas maneiras distintas. É associada, de um lado, a conquistadores devassos e depaupe-

---

5 Ibid., p.594-5. Grifo nosso.

A questão da Palestina

rados, a uma arena emprestada pelos turcos a feras em luta, a uma parte do Oriente despótico, e, por outro, ao "esplendor da liberdade ocidental", a nações como Inglaterra e Estados Unidos, à ideia de neutralidade (Bélgica). Em suma, a um Oriente degradado e indigno e a um Ocidente nobre e iluminado. A ponte entre esses dois representantes belicosos do Oriente e Ocidente será o sionismo.

É curioso que Eliot não consegue sustentar sua admiração pelo sionismo, exceto quando o encara como um método para transformar o Oriente no Ocidente. Isso não quer dizer que ela não tenha simpatia pelo sionismo e pelos próprios judeus; é evidente que tem. Mas há todo um campo da experiência judaica, que se situa entre desejar uma pátria (que todos, inclusive os gentios, sentem) e alcançá-la de fato, sobre a qual ela é vaga. Por outro lado, ela é capaz de perceber que o sionismo pode se acomodar facilmente à variedade de pensamentos ocidentais (em oposição ao oriental), sobretudo à ideia de que o Oriente se degradou e deve ser reconstruído segundo as iluminadas noções de política do Ocidente, e que qualquer mínima parte reconstruída do Oriente pode, com poucas restrições, tornar-se tão "inglesa quanto a Inglaterra" para seus novos habitantes. Por trás disso, contudo, está a total falta de consideração com os legítimos habitantes do Oriente e, em particular, da Palestina. Eles são irrelevantes tanto para os sionistas de *Daniel Deronda* quanto para os personagens ingleses. Esplendor, liberdade e redenção – questões essenciais para Eliot – devem se restringir aos europeus e aos judeus, eles próprios modelos europeus no que diz respeito à colonização do Oriente. Mas há uma falha digna de nota quando se trata de aspectos não europeus, embora curiosamente todas as descrições que Eliot faz dos judeus realcem seus aspectos exóticos, "orientais". Humanidade e compaixão, ao que parece, são dotes exclusivos da mentalidade ocidental; procurá-los no Oriente despótico e, mais ainda, encontrá-los é perda de tempo.

Dois pontos devem ser mencionados de imediato. O primeiro é que Eliot não é diferente de outros apóstolos europeus da compaixão, da humanidade e da compreensão, para quem os sentimentos nobres ou ficavam para trás ou se tornavam inaplicáveis fora da Europa. Há os exemplos instrutivos de John Stuart Mill e Karl Marx (ambos discutidos em *Orientalismo*),[6] dois pensadores conhecidos por se opor à injustiça e à opressão. No entanto, ambos parecem acreditar que ideias como liberdade, governo representativo e felicidade individual não se aplicavam ao Oriente por razões que hoje chamaríamos de racistas. O fato é que a cultura europeia do século XIX era racista em graus diversos de virulência, dependendo do indivíduo: o escritor francês Ernest Renan, por exemplo, era um antissemita declarado; Eliot era indiferente às raças que não pudessem ser assimiladas aos ideais europeus.

E chegamos ao segundo ponto. A descrição do sionismo que Eliot apresenta em *Daniel Deronda* pretendia ser uma espécie de aprovação dos gentios às correntes judaico-sionistas predominantes; portanto, o romance serve como indicação da legitimação, ou melhor, da valorização do sionismo pelo pensamento gentio europeu. Havia plena concordância entre as versões gentias e judaicas a respeito do sionismo numa questão importante: a visão da Terra Santa como essencialmente despovoada, não porque não existissem habitantes – eles não só existiam como foram descritos em inúmeros relatos de viagens, em romances como *Tancred*, de Benjamin Disraeli, e em vários guias Baedeker do século XIX –, mas porque seu *status* de habitantes humanos e soberanos era sistematicamente negado. Embora sionistas judeus e gentios se distinguissem nesse aspecto (eles ignoravam os habitantes árabes por razões distintas), o árabe-palestino era ignorado. E é isto que precisa ser enfatizado: até que ponto o sionismo judeu *e* gentio se enraízam na cultura do alto capita-

---

6 Said, *Orientalism*, p.153-7, 214, 228.

lismo liberal e como o trabalho de liberais vanguardistas como George Eliot reforçou ou talvez completou as tendências menos atraentes dessa cultura.

Nada do que eu disse até aqui aplica-se àquilo que o sionismo significava para os judeus ou representava para os não judeus entusiásticos como ideia avançada; aplica-se apenas àqueles seres menos afortunados que por coincidência viviam na terra, seres de quem não se tomava conhecimento. O que se esqueceu por um longo tempo é que, enquanto os grandes pensadores europeus refletiam sobre um destino desejável e provável para a Palestina, a terra era cultivada, vilarejos e cidades eram construídos e habitados por milhares de nativos que acreditavam que aquela era *sua* pátria. Sua presença física real foi ignorada e, mais tarde, tornou-se um detalhe incômodo. É impressionante como Eliot se parece com Moses Hess, um dos primeiros idealistas do sionismo; em *Rome and Jerusalem* (1862), ele usa a mesma linguagem teórica que foi dada a Mordecai:

> O que precisamos fazer no momento para recuperar a nação judaica é, em primeiro lugar, manter viva a esperança do renascimento de nosso povo e, em seguida, reavivar essa esperança onde ela possa sucumbir. Quando as condições políticas no Oriente se moldarem de modo a permitir o início da restauração do Estado judeu, esse início se expressará na fundação de colônias judaicas na terra de seus ancestrais, em cuja iniciativa a França indubitavelmente prestará auxílio. A França, amada amiga, é o salvador que reconduzirá nosso povo ao seu lugar na história universal. Assim como no passado buscamos no Ocidente uma rota para as Índias e descobrimos por acaso um novo mundo, nossa pátria perdida será redescoberta na rota para a Índia e para a China agora em construção no Oriente.[7]

---

7 Hess, *Moses and Jerusalem* apud Hertzberg (org.), *The Zionist Idea*, p.133.

Hess continua sua apologia à França (os sionistas viam uma ou outra das potências imperiais como patrono) citando com certa minúcia *The New Eastern Question* [A nova questão oriental], de Ernest Laharanne, da qual ele extrai o seguinte trecho para concluir seu discurso:

> Uma grande vocação está reservada para os judeus: ser um canal vivo de comunicação entre três continentes. Vocês serão o sustentáculo da civilização para povos ainda inexperientes, seus professores nas ciências europeias, para as quais sua raça tem contribuído tanto. Vocês serão os mediadores entre a Europa e a Ásia Oriental, abrindo as rotas que levam à Índia e à China – essas regiões desconhecidas que, em última instância, serão lançadas à civilização. Vocês chegarão à terra de seus antepassados condecorados com a coroa do antigo martírio e ali, finalmente, curar-se-ão de todos os seus males! Seu cabedal levará cada vez mais vastas extensões de terras áridas ao cultivo; seu trabalho e diligência transformarão mais uma vez o solo cansado em vales fecundos, recuperando-o das areias usurpadoras do deserto, e o mundo voltará a prestar tributo ao mais antigo dos povos.[8]

Hess e Eliot concordam que o sionismo deveria ser conduzido pelos judeus com o auxílio das principais potências europeias; que o sionismo recuperaria "uma pátria perdida" e, com isso, faria a mediação entre as diversas nações civilizadas; que a Palestina necessitava de desenvolvimento, civilização, reconstrução; que o sionismo traria, finalmente, conhecimento e progresso onde eles não existiam. As três ideias interdependentes em Hess e Eliot – e em quase todos os pensadores ou ideólogos sionistas depois deles – são (1) a inexistência de habitantes árabes; (2) a atitude complementar judaica-ocidental em relação a esse território "desocupado"; e (3) o projeto sionista de restauração, que

---

8 Ibid., p.134.

seria repetido pela reconstrução de um Estado judeu que havia desaparecido e por sua combinação com elementos modernos, como colônias distintas e disciplinadas, agências especiais para a compra de terras etc. É evidente que nenhuma dessas ideias teria força sem o fato adicional de que foram dirigidas a, moldadas para e extraídas de um contexto *internacional* (não oriental, logo, europeu). Esse contexto era a realidade, não só em razão da lógica etnocêntrica que regia todo o projeto, mas também do fato avassalador da realidade da diáspora e da hegemonia imperialista sobre toda a cultura europeia. Contudo, é preciso observar que o sionismo (assim como a visão dos puritanos de uma América despovoada) era uma visão colonial diferente daquela da maioria das outras potências europeias do século XIX, para as quais os nativos de territórios remotos estavam *incluídos* na redentora *mission civilisatrice*.

Desde o início de sua evolução moderna até culminar com a criação de Israel, o sionismo agradou a um público europeu para quem a classificação de territórios e de estrangeiros em classes desiguais era canônica e "natural". É por isso, por exemplo, que cada Estado ou movimento nos antigos territórios colonizados da África e da Ásia simpatiza com a luta palestina, apoiando-a e compreendendo-a plenamente. Em muitos casos, como espero demonstrar a seguir, há uma clara coincidência entre as experiências dos árabe-palestinos nas mãos do sionismo e as experiências de negros, amarelos e pardos que os imperialistas do século XIX descreveram como inferiores e subumanos. Embora tenha coincidido com uma época de virulento antissemitismo no Ocidente, o sionismo também coincidiu com um período em que os europeus mais adquiriram terras na África e Ásia, e foi como parte desse movimento geral de aquisição e ocupação que o sionismo foi lançado por Theodor Herzl. Na fase final do maior período de expansão colonial da Europa, o sionismo também deu os primeiros passos cruciais para conseguir o que acabou se tornando um território de tamanho considerável na

Ásia. E é importante lembrar que, ao se juntar ao entusiasmo generalizado no Ocidente por aquisição de terras no estrangeiro, o sionismo *nunca* se afirmou explicitamente como um movimento de libertação judaica, mas sim como um movimento colonial de assentamento no Oriente. Para aqueles palestinos que o sionismo desalojou, *não é de modo algum justificativa suficiente* que os judeus tenham sido vítimas do antissemitismo europeu e, diante da opressão constante de Israel, poucos palestinos conseguem ver além de sua realidade, isto é, depois de serem as vítimas, os judeus ocidentais tornaram-se os opressores em Israel (de árabe-palestinos e judeus orientais).

Essas observações não têm a intenção de ser uma retrospectiva histórica, porque, no fundo, elas explicam e até determinam o que acontece hoje no Oriente Médio. O fato de que nenhum grande segmento da população israelense tenha sido capaz de encarar a terrível injustiça social e política que foi cometida contra os nativos palestinos é um indício de quão arraigadas são as (agora) anômalas perspectivas imperialistas do sionismo, sua visão de mundo, sua percepção do outro como inferior. Além disso, o fato de que nenhum palestino, independentemente de sua orientação política, tenha sido capaz de fazer as pazes com o sionismo sugere a que ponto, para o palestino, o sionismo parece uma práxis colonialista inflexível, excludente, discriminatória. A distinção que os sionistas fazem entre judeus com privilégios e não judeus sem privilégios na Palestina é tão poderosa e estritamente aplicada que nada mais surgiu, nem mesmo a percepção da existência humana sofredora, nos dois segmentos que foram criados a partir daí.[9] O resultado é que, para os judeus, é impossível compreender a tragédia humana que o sionismo causou aos árabe-palestinos, assim como é impossível para os árabe-palestinos ver no sionismo algo além de uma ideologia

---

9 Jiryis, *The Arab in Israel*. Um caso poderoso é dado também em Deutscher, *The Non-Jew in the Jewish State*.

e de uma prática que mantêm a eles mesmos e aos judeus israelenses encarcerados. Mas, para romper o círculo férreo de desumanidade, é preciso saber como ele foi forjado e, aí, são as ideias e a própria cultura que representam o papel principal. Consideremos Herzl. Se o caso Dreyfus lhe deu consciência da situação judaica, a ideia dos assentamentos no estrangeiro para judeus lhe ocorreu mais ou menos na mesma época como um antídoto para o antissemitismo. A ideia em si era comum no fim do século XIX, mesmo entre os judeus. O primeiro contato importante de Herzl foi o barão Maurice de Hirsch, um rico filantropo que apoiou durante algum tempo a Associação de Colonização Judaica, que ajudava judeus orientais a emigrar para a Argentina e o Brasil. Mais tarde, Herzl chegou a cogitar a América do Sul e a África para estabelecer uma colônia judaica. Ambas eram amplamente aceitáveis para o colonialismo europeu, e não deixa de ser compreensível que a mente de Herzl seguisse o rasto imperialista ortodoxo da época. O que impressiona, contudo, é o grau em que Herzl absorveu e internalizou a visão imperialista a respeito dos "nativos" e de seu "território".[10]

Não poderia haver dúvida na mente de Herzl de que a Palestina era povoada no século XIX. Na verdade, ela estava sob domínio otomano (portanto já era uma colônia), mas havia sido tema de inúmeros relatos de viagem – muitos deles famosos, como de Lamartine, Chateaubriand, Flaubert e outros. Mesmo que Herzl não tenha lido esses autores, como jornalista ele certamente consultou um guia Baedeker e verificou que a Palestina era habitada (na década de 1880) por 650 mil pessoas, em sua maioria árabes. Isso não o impediu de considerar que sua presença podia ser administrada de uma maneira que, em seu diário,

---

10 Ver Curtin, *Imperialism: The Documentary History of Western Civilization*, que contém uma boa seleção da literatura imperialista dos últimos duzentos anos. Faço um levantamento do histórico intelectual e cultural do período em *Orientalism*, capítulos 2 e 3.

ele parece ter uma premonição um tanto assustadora do que aconteceu depois. A massa de nativos pobres seria expropriada e, acrescenta ele, "tanto a expropriação quanto a remoção dos pobres devem ser conduzidas com discrição e circunspecção". Isso seria feito "encoraja[ndo] a população miserável a cruzar a fronteira, procurando trabalho para ela nos países de trânsito e, ao mesmo tempo, negando-lhes trabalho em nosso próprio país". Com um cinismo sinistramente apurado, Herzl previu que a pequena classe de grandes proprietários de terras poderia ser "comprada" – como realmente foi. O esquema para desalojar a população nativa da Palestina superou em muito qualquer plano vigente na época para tomar vastas regiões da África. Como Desmond Stewart diz com muita competência:

> Herzl parece ter previsto que, indo além do que fora até então qualquer colonialista na África, ele alienaria temporariamente a opinião civilizada. "Em princípio, incidentalmente" – escreve ele nas páginas que descrevem a "expropriação involuntária" – "as pessoas nos evitarão. Cheiraremos mal. Quando a reformulação da opinião mundial estiver concluída, estaremos firmemente estabelecidos em nosso país, não mais temendo o afluxo de estrangeiros e recebendo nossos visitantes com aristocrática benevolência e orgulhosa amabilidade."
> Esta não era uma perspectiva que encantaria um peão na Argentina ou um felá na Palestina. Mas Herzl não tinha intenção de que seu diário fosse publicado imediatamente.[11]

Não é necessário admitir o tom conspiratório desses comentários (seja de Herzl, seja de Stewart) para reconhecer que até as décadas de 1960 e 1970, quando os Palestinos se impuseram na política mundial, a opinião pública não estava muito preocupada com a expropriação da Palestina. Eu disse anteriormente que a

---

11 Stewart, *Theodor Herzl*, p.192.

principal façanha dos sionistas foi ter conseguido legitimação internacional para suas próprias façanhas, fazendo o custo palestino dessas façanhas parecer irrelevante. Mas fica claro pelo pensamento de Herzl que isso só poderia acontecer se, *para começo de conversa*, houvesse uma prévia inclinação dos europeus a considerar os nativos irrelevantes. Isto é, esses nativos já se encaixavam em uma classificação mais ou menos aceitável, e que os tornava inferiores de modo *sui generis* aos homens ocidentais ou brancos – e foi dessa classificação que sionistas como Herzl se apoderaram, retirando-a da cultura da época e aclimatando-a às necessidades únicas de um nacionalismo judeu em desenvolvimento. É preciso repetir que aquilo que no sionismo servia aos fins justificáveis da tradição judaica, salvando os judeus como povo do abandono e do antissemitismo e restabelecendo sua nacionalidade, também colaborava com aspectos da cultura ocidental dominante (na qual o sionismo existia como instituição) que permitiam aos europeus ver os não europeus como seres inferiores, marginais e insignificantes. Consequentemente, o que importa para o árabe-palestino é a colaboração, e não o bem que se fez aos judeus. Os árabes estão na mira não do sionismo benéfico – que foi limitado aos judeus –, mas de uma cultura essencialmente forte e discriminatória, cujo agente na Palestina é o sionismo.

Devo fazer uma digressão aqui para mostrar que a grande dificuldade de escrever hoje sobre o que aconteceu com os árabe-palestinos em consequência do sionismo é que este alcançou inúmeros êxitos. Não duvido, por exemplo, que a maioria dos judeus considera realmente o sionismo e Israel fatos importantes para a vida judaica, sobretudo por causa do que aconteceu com os judeus no século passado. Israel também tem a seu favor algumas realizações políticas e culturais extraordinárias, até recentemente muito distintas de suas espetaculares vitórias militares. Mais importante, porém, é que Israel é um tema que, de modo geral, inspira confiança – e dá menos margem a reservas do que quando se pensa nos árabes, que, afinal de contas, são orientais bizarros, estranhos e hostis; isso certamente é óbvio para qualquer um que viva no Ocidente. Em conjunto, os êxitos do sionismo levaram a uma visão predominante da questão da Palestina que favorece quase totalmente o vitorioso e mal toma conhecimento da vítima.

No entanto, o que a vítima sentiu quando os sionistas chegaram à Palestina? O que ela pensa quando vê como o sionismo é descrito hoje? Onde ela pode procurar na história do sionismo as raízes deste e as origens de suas práticas em relação a ela? Essas são perguntas que nunca são feitas – e são precisamente elas que tento fazer e, ao mesmo tempo, responder neste exame das ligações entre o sionismo e o imperialismo europeu. Meu interesse é registrar os efeitos do sionismo sobre suas vítimas, e esses efeitos só podem ser estudados genealogicamente no contexto fornecido pelo imperialismo, inclusive no século XIX, quando o sionismo ainda era uma ideia e não um Estado chamado Israel. Para o palestino contemporâneo que escreve de maneira crítica para saber o que sua história significou e que tenta – como eu tento agora – saber o que o sionismo representa para os palestinos, é relevante a observação de Antonio Gramsci de que "a consciência daquilo que alguém realmente é [...] é 'conhecer a si mesmo' como produto do processo histórico que até o momento depositou nele uma infinidade de vestígios, sem deixar um inventário". A tarefa de produzir um inventário é uma necessidade básica, prossegue Gramsci, e deve ser satisfeita agora, quando o "inventário" daquilo que as vítimas do sionismo (e *não* seus beneficiários) suportaram é raramente exposto à visão pública.[12]

Se temos o costume de fazer exaustivas distinções entre ideologia (ou teoria) e prática, devemos ser ainda mais historicamente rigorosos, se não o fazemos habitualmente no caso do imperialismo europeu, que tomou a maior parte do mundo

---

12 Gramsci, *The Prison Notebooks*, p.324. O texto completo pode ser encontrado em Gramsci, *Quaderni del Carcere*, v.2, p.1363.

A questão da Palestina

ao longo do século XIX. O imperialismo foi e continua sendo uma filosofia política cujo objetivo e razão de ser é expansão territorial e legitimação. Subestimar o imperialismo, porém, seria considerar "território" de modo muito literal. Conquistar e manter um *império* significa conquistar e manter um domínio, o que implica diversas operações, entre elas constituir uma área, reunir seus habitantes, ter poder sobre ideias, povos e, é claro, terras, converter povos, terras e ideias para os propósitos e os usos de um desígnio imperial hegemônico, e tudo isso como resultado da capacidade de tratar a realidade de modo apropriador. Portanto, a distinção entre uma ideia que alguém *sente* como própria e um pedaço de terra que alguém reivindica por direito como próprio (apesar da presença de habitantes nativos ativos) é inexistente, ao menos no mundo cultural do século XIX, a partir do qual o imperialismo se desenvolveu. Requerer direitos sobre uma ideia e requerer direitos sobre um território – considerando-se a ideia extraordinariamente comum de que o mundo não europeu estava lá para ser reivindicado, ocupado e governado pela Europa – eram vistos como os dois lados da mesma atividade – essencialmente constitutiva –, que possuía a força, o prestígio e a autoridade de uma *ciência*. Além disso, visto que em campos como a Biologia, a Filologia e a Geologia a consciência científica era sobretudo uma atividade de reconstituição, recuperação e transformação, que transformava domínios antigos em novos, o vínculo entre uma atitude inteiramente imperialista em relação às terras longínquas do Oriente e uma atitude científica em relação às "desigualdades" raciais era que ambas dependiam da *vontade* europeia, da força necessária para transformar realidades confusas ou inúteis em um conjunto ordenado, disciplinado de novas classificações úteis à Europa. Assim, nas obras de Carolus Linnaeus, Georges Buffon e Georges Cuvier, os brancos diferenciavam-se cientificamente de vermelhos, amarelos, negros e pardos; consequentemente, os territórios ocupados por essas raças tornaram-se vagos, abertos às colônias, ao desenvolvimento, às plantações e aos colonizadores ocidentais. Além disso, as raças menos semelhantes tornavam-se úteis quando se transformava naquilo que a raça branca estudara e compreendera como parte de sua hegemonia racial e cultural (como em Joseph de Gobineau e Oswald Spengler); ou, seguindo o impulso do colonialismo desbragado, essas raças inferiores tiveram uso imediato no império. Em 1918, quando Georges Clemenceau declarou que acreditava ter "direito ilimitado de recrutar tropas negras para ajudar na defesa do território francês na Europa, se no futuro a França fosse atacada pela Alemanha", ele estava dizendo que, por certa prerrogativa científica, a França possuía o conhecimento e o poder de transformar os negros, em benefício dos franceses, naquilo que Raymond Poincaré chamou sucintamente de bucha de canhão.[13] É evidente que o imperialismo não pode ser imputado à ciência, mas o que é preciso considerar é a relativa facilidade com que a ciência pode ser deformada em racionalização a favor do domínio imperial.

Na base da taxonomia de uma história natural transformada em uma antropologia social cujo propósito real era o controle social estava a classificação linguística. Com a descoberta de uma afinidade estrutural entre grupos ou famílias de línguas por linguistas como Franz Bopp, William Jones e Friedrich von Schlegel, iniciou-se uma ampliação injustificada da noção de famílias de línguas para teorias de tipos humanos com determinadas características etnoculturais e raciais. Em 1808, por exemplo, Schlegel identificou uma clara ruptura entre as línguas indo-germânicas (ou arianas), por um lado, e as línguas semítico-africanas, por outro. Segundo ele, as primeiras eram criativas, regenerativas, vivas e esteticamente atraentes; as segundas eram mecânicas em suas operações, não regenerativas e passivas. A partir desse tipo de distinção, Schlegel e, mais tarde, Renan continuaram a generalizar a grande distância que

---

13 Ver Arendt, *The Origins of Totalitarianism*, p.29.

separava a mentalidade, a cultura e a sociedade superior ariana da inferior não ariana.

Talvez a deformação ou tradução mais efetiva da ciência em algo mais fielmente parecido com a administração política tenha ocorrido no campo amorfo em que se encontram a jurisprudência, a filosofia social e a teoria política. Em primeiro lugar, uma tradição razoavelmente influente no empirismo filosófico (estudado por Harry Bracken)[14] defendia uma distinção racial que dividia a humanidade em espécies inferiores e superiores de homens. O verdadeiro problema (da Inglaterra, sobretudo) de lidar com um império indiano de 300 anos, assim como com inúmeras viagens de descoberta, é que foi possível demonstrar "cientificamente" que algumas culturas eram avançadas e civilizadas e outras eram atrasadas e incivilizadas; essas ideias, associadas ao velho senso social transmitido à cor (portanto à raça) por filósofos como John Locke e David Hume, tornaram axiomática, em meados do século XIX, a crença de que os europeus deveriam sempre dominar os não europeus.

Essa doutrina foi corroborada de outras maneiras, e acredito que algumas tinham relação direta com a prática e a visão sionista na Palestina. Uma das supostas distinções jurídicas entre povos civilizados e incivilizados era a atitude em relação à terra, quase uma doxologia da terra, que os povos incivilizados supostamente não possuíam. Acreditava-se que um homem civilizado podia cultivar a terra porque esta tinha um significado para ele; por conseguinte, ele produzia nela artes e ofícios úteis, criava, realizava, construía. No caso do povo incivilizado, a terra era mal cultivada (isto é, de maneira ineficiente para os padrões ocidentais) ou abandonada. Desse encadeamento de ideias – pelo qual sociedades que havia séculos viviam em territórios americanos, africanos e asiáticos perderam de repente o direito de viver naquelas terras – resultaram os grandes movimentos de

---

14 Bracken, "Essence, Accident and Race", p.81-96.

desapropriação do moderno colonialismo europeu e, com eles, todos os planos de recuperar a terra, deslocando e civilizando os nativos, educando seus costumes selvagens, transformando-os em seres úteis para o domínio europeu. As terras da Ásia, da África e das Américas estavam lá apenas à espera da exploração europeia, porque a Europa entendia o valor da terra de um modo inacessível aos nativos. No fim do século, Joseph Conrad dramatizou essa filosofia em *Coração das trevas* e incorporou-a na figura de Kurtz, um homem cujo sonho de colonizar os "lugares negros" da terra era realizado por "toda a Europa". Mas Conrad, assim como os sionistas, inspirou-se na filosofia apresentada por Robert Knox em seu livro *The Races of Man* [As raças do homem],[15] em que os homens são divididos em brancos e desenvolvidos (os produtores) e negros devastadores e inferiores. De modo semelhante, pensadores como John Westlake e, antes dele, Emer de Vattel dividiram o mundo em territórios vagos (embora habitados por nômades e sociedades de tipo inferior) e civilizados – então os primeiros foram "revistos" como territórios prontos para a ocupação, tomando como base um direito civilizado, superior a eles.

Simplifico muito a transformação pela qual milhões de acres fora da região metropolitana da Europa foram declarados vazios, seus povos e suas sociedades foram dados como obstáculos ao progresso e ao desenvolvimento e seu espaço foi declarado tão peremptoriamente aberto aos colonizadores europeus brancos e a sua exploração civilizadora. Na década de 1870, em particular, novas sociedades europeias eclodiram como sinal de que a Geografia se tornara, segundo lorde Curzon, "a mais cosmopolita de todas as ciências".[16] Não é por acaso que, em *Coração das trevas*, Marlow admitiu sua

---

15 Ver Curtin, *Imperialism*, p.93-105, que contém um trecho importante do livro de Knox.
16 Curzon, *Subjects of the Day*, p.155-6.

A questão da Palestina

paixão por mapas. Eu ficava horas olhando a América do Sul, a África ou a Austrália, e perdia-me em todas as glórias da exploração. Naquela época, havia muitos espaços vagos [ou melhor, povoados por nativos] na terra, e quando eu via um que parecia particularmente interessante num mapa (embora todos pareçam assim), eu apontava para ele e dizia: "Quando eu crescer, vou lá".[17]

A geografia e a paixão por mapas tornaram-se uma questão organizada e, sobretudo, dedicada a tomar vastos territórios além-mar. E Conrad também disse que essa

conquista da terra, que em grande parte significa tomá-la daqueles que têm uma compleição diferente ou um nariz ligeiramente mais achatado do que o nosso, não é algo agradável quando visto de perto. O que o redime é apenas a ideia. Uma ideia de fundo; não uma pretensão sentimental, mas uma ideia – algo que se pode estabelecer, reverenciar, oferecer em sacrifício...[18]

Em minha opinião, Conrad defende a questão melhor do que ninguém. O poder de conquistar um território é apenas em parte uma questão de força física: existe um forte componente moral e intelectual que torna a conquista em si secundária em relação a uma ideia, que dignifica (e, na verdade, acelera) a força pura com argumentos extraídos da ciência, da moral, da ética e da filosofia em geral. Tudo que na cultura ocidental é potencialmente capaz de dignificar a ocupação de novos domínios – como quando uma nova ciência, por exemplo, toma um novo território intelectual para ela – *poderia* ser posto a serviço das aventuras coloniais. E *foi* posto, e enquanto a "ideia" informava a conquista, tornava-a palatável. Um exemplo dessa ideia, citada claramente como justificativa normal para aquilo que hoje chamaríamos de agressão

---

17 Conrad, *Heart of Darkness*, p.52.
18 Ibid., p.50-1.

colonial, encontra-se neste trecho de Paul Leroy-Beaulieu, um importante geógrafo francês na década de 1870:

> Uma sociedade coloniza, quando ela mesma atingiu um alto grau de força e maturidade, procria, protege, cria boas condições de desenvolvimento e dá vigor a uma nova sociedade à qual deu à luz. A colonização é um dos fenômenos mais complexos e delicados da psicologia social.

Não há a hipótese de consultar os nativos sobre o território onde a nova sociedade nascerá. O que importa é que uma moderna sociedade europeia tem vitalidade e intelecto suficiente para ser "engrandecida por essa expressão de sua exuberante atividade externa". Essa atividade deve ser boa, já que é crível e carrega o fluxo saudável da civilização avançada. Por isso, Leroy-Beaulieu acrescenta: "A colonização é a força expansiva de um povo; é seu poder de reprodução; é sua ampliação e sua multiplicação no espaço; é a submissão do universo ou grande parte dele à língua, aos costumes, às ideias e às leis desse povo".[19]

O imperialismo era a teoria, o colonialismo era a prática de transformar os territórios vagos e sem utilidade do mundo em versões úteis da sociedade metropolitana europeia. Tudo que sugerisse desperdício, desordem, recursos não contados deveria ser transformado em produtividade, ordem, riqueza tributável, potencialmente desenvolvida. Livra-se de grande parte do ofensivo flagelo humano e animal – seja porque simplesmente se esparrama de maneira desordenada por toda a parte, seja porque perambula por aí sem produzir ou contabilizar nada – e o resto é confinado em campos, reservas, pátrias nativas, onde é possível contar, taxar, usar com lucro, e construir uma nova sociedade

---

19 Leroy-Beaulieu apud Murphy, *The Ideology of French Imperialism, 1871-1881*, p.110, 136, 189.

no espaço vago. Assim, a Europa foi reproduzida no exterior, sua "multiplicação no espaço" foi planejada e administrada com sucesso. O resultado foi um conjunto extremamente variado de pequenas europas espalhadas pela Ásia, África e pelas Américas, cada qual refletindo as circunstâncias, a instrumentalidade específica da cultura de origem, os pioneiros, os colonizadores da vanguarda.[20] Apesar das diferenças, que eram consideráveis, todas se pareciam em outro aspecto importante: a vida era levada com um ar de *normalidade*. As reproduções mais grotescas da Europa (África do Sul, Rodésia etc.) eram consideradas apropriadas; a pior discriminação e exclusão dos nativos eram consideradas normais, porque eram "cientificamente" legítimas; a clara contradição de levar uma vida estrangeira em um enclave a léguas de distância física e cultural da Europa, entre nativos hostis e incompreensíveis, deu margem a um sentido de história, a uma espécie de lógica irredutível, a um estado social e político que decretava a aventura colonial *normal*, justificada, boa.

Com referência específica à Palestina, o que deveriam ser atitudes sionistas institucionais em relação aos nativos e a sua suposta exigência de uma vida "normal" foi mais do que preparado pelas práticas e atitudes dos estudiosos, dos administradores e dos especialistas britânicos que estavam oficialmente envolvidos na exploração e no governo da Palestina desde a metade do século XIX. Em 1903, o bispo de Salisbury disse a membros do Fundo de Exploração Palestina:

---

20 Amos Oz, um grande romancista israelense (considerado um "mensageiro da paz"), expressa bem isso: "Enquanto eu viver, devo vibrar com aqueles que vieram para a terra prometida para transformá-la ou em paraíso pastoral, ou em comunidades igualitárias tolstoianas, ou em bem-educado enclave de classe média centro-europeia, uma réplica da Áustria e da Baváría. Ou com aqueles que quiseram erguer um paraíso marxista, construíram os kibutzim em locais bíblicos e secretamente ansiavam que Stálin surgisse um dia para admitir: 'Malditos judeus, vocês fizeram melhor do que nós'" (*Time*, 15 maio 1978, p.61).

Penso que nada do que foi descoberto nos faz sentir arrependimento pela supressão da civilização cananeia [eufemismo para árabe-palestinos] pela civilização israelita. [...] [As escavações mostram que] a Bíblia não interpretou mal toda a abominação da cultura cananeia que foi substituída pela cultura israelense.

Miriam Rosen, uma jovem acadêmica norte-americana, reuniu uma coleção arrepiante de ações britânicas características em relação aos palestinos, ações que, espantosamente, prepararam a visão sionista *oficial* do palestino nativo, desde Weizmann até Begin. Seguem-se algumas citações extraídas do importante trabalho de Rosen.

Tyrwhitt Drake escreveu em um levantamento sobre a Palestina ocidental:

> O temor dos *fellahin* de que temos o projeto secreto de reconquistar o país é fonte fecunda de dificuldades. Isso superado, permanece a crassa estupidez, que é incapaz de dar uma resposta direta a uma pergunta simples, o objeto preciso que ele não compreende; por que um europeu desejaria saber o nome de um insignificante rio ou colina em suas terras?
>
> Os *fellahin* são o pior tipo de humanidade que já encontrei no Oriente [...]. O *fellah* é totalmente desprovido de qualquer senso moral [...].

Sobre os "obstáculos" que a pesquisa do Fundo de Exploração Palestina enfrentaria, o decano de Westminster escreveu:

> E esses trabalhos tiveram de ser executados não com a assistência daqueles que viviam no local, mas a despeito dos obstáculos absurdos que foram erguidos durante o trabalho pela singular união de astúcia, ignorância e estupidez que só se encontra nos orientais.

Lorde Kitchener, sobre a pesquisa da Galileia:

Esperamos resgatar das mãos daquele destruidor impiedoso, o árabe inculto, uma das mais interessantes ruínas da Palestina, consagrada pelas pegadas de nosso Senhor. Refiro-me à sinagoga de Cafarnaum, que está desaparecendo rapidamente por causa das pedras queimadas para fazer cal.

C. R. Conder, em seu "Present Condition of Palestine" [Condição atual da Palestina]:

Os camponeses nativos merecem algumas palavras. São brutalmente ignorantes, fanáticos e, acima de tudo, mentirosos inveterados; no entanto, possuem qualidades que, se desenvolvidas, os transformariam numa população útil. [Ele cita a engenhosidade, a energia e a tolerância à dor, ao calor etc.]

Sir Flinders Petrie:

O árabe tem um amplo saldo de romances inutilmente lançado a seu favor. Ele é tão desagradavelmente incapaz quanto a maioria dos outros selvagens, e não mais digno de ser romanceado do que os peles-vermelhas ou os maoris. Ficarei satisfeito em voltar aos perspicazes e sensatos egípcios.

Reflexões de Charles Clermont-Ganneau sobre "The Arabs in Palestine" [Os árabes na Palestina]:

A civilização árabe é mero engodo – existem apenas os horrores da conquista árabe. Não é mais do que último vislumbre das civilizações grega e romana, que morrem pouco a pouco nas mãos impotentes, porém respeitáveis, do Islã.

Ou a visão de Stanley Cook sobre o país:

rápida deterioração, que (ao que parece) foi interrompida apenas temporariamente pelos vigorosos cruzados. Viajantes modernos comentaram muitas vezes a inerente fraqueza de caráter dos habitantes e, como Robinson, perceberam que, para voltar a prosperar, "nada se deseja, exceto a mão do homem para arar a terra".

Ou, por fim, R. A. S. Macalister:

> Não é exagero dizer que, durante todos esses longos séculos, os habitantes nativos da Palestina não parecem ter feito uma única contribuição de qualquer espécie que fosse para a civilização material. Foi talvez o país menos progressista na face da terra. Toda sua cultura era derivada [...].[21]

Esses são, portanto, alguns dos principais pontos que devem ser observados quando consideramos os antecedentes do sionismo nas atitudes europeias imperialistas ou colonialistas. Independentemente do que o sionismo tenha feito pelos judeus, ele vislumbrava a Palestina do mesmo modo que o imperialista europeu: um território vazio, paradoxalmente "repleto" de nativos ignóbeis ou talvez até dispensáveis. O sionismo como Chaim Weizmann disse de maneira muito clara após a Primeira Guerra Mundial, se aliou aos poderes imperiais para levar adiante seu plano de estabelecer um novo Estado judeu na Palestina e, salvo em termos negativos, não pensou nos "nativos", que deveriam aceitar passivamente os projetos para sua terra. Como até mesmo historiadores sionistas como Yehoshua Porath e Neville Mandel demonstraram de maneira empírica, as ideias dos colonizadores judeus na Palestina (muito antes da Primeira Guerra Mundial) sempre encontraram uma inquestionável resistência nativa, não porque os nativos pensassem que os judeus eram maus, mas porque a maioria não aceita de bom grado que seu território fosse colonizado por estrangeiros;[22] além disso,

---

21 Todas essas citações foram extraídas da excelente e valiosa tese de mestrado de Miriam Rosen, apresentada em 1976 na Hunter College, *The Last Crusade: British Archeology in Palestine, 1865-1920*, p.18-21.

22 Ver Mandel, *The Arabs and Zionism before World War I*, e Porath, *The Emergence of the Palestinian-Arab National Movement, 1918-1929*.

A questão da Palestina

ao formular um conceito de nação judaica que "reclamava" seu próprio território, o sionismo não somente aceitava os conceitos raciais genéricos da cultura europeia, como também contava com o fato de que a Palestina era habitada não por um povo avançado, mas atrasado, que *deveria* ser dominado. Assim, a *presunção* implícita de dominação levou, no caso específico do sionismo, à prática de ignorar os nativos, porque em sua maioria não eram dignos de consideração.[23] O sionismo, portanto, desenvolveu-se com uma singular consciência de si mesmo, mas pouca ou nenhuma dos desafortunados nativos. Maxime Rodinson está certo quando afirma que a indiferença do sionismo em relação aos nativos palestinos era

> uma indiferença ligada à supremacia europeia, que beneficiava até mesmo os proletários e as minorias oprimidas da Europa. Na realidade, não resta dúvida de que, se a pátria ancestral tivesse sido ocupada por uma das bem-estabelecidas nações industrializadas que dominavam o mundo na época, uma nação que tivesse se instalado plenamente em um território a que transmitisse uma poderosa consciência nacional, então o problema do deslocamento de alemães, franceses ou ingleses e da introdução de um novo elemento nacionalmente coerente no meio dessa terra natal estaria na vanguarda consciência até dos sionistas mais ignorantes e miseráveis.[24]

Em suma, todas as energias constitutivas do sionismo se fundamentaram na presença excluída, isto é, na ausência funcional de um "povo nativo" na Palestina; instituições foram construídas com a exclusão deliberada dos nativos, leis foram criadas quando Israel surgiu para assegurar que os nativos permaneceriam em seu "não lugar", os judeus no deles, e assim por

---

23 Ver o relato histórico em Elon, *The Israelis*, p.218-24.
24 Rodinson, *Israel*, p.39.

·diante. Não surpreende que, hoje, a única questão que eletrize Israel como sociedade seja o problema dos palestinos, cuja negação é a linha mais consistente que atravessa o sionismo. E talvez seja esse aspecto infeliz do sionismo que o vincule inelutavelmente ao imperialismo – ao menos no que se refere aos palestinos. Como diz Rodinson:

> O elemento que tornou possível unir essas aspirações de lojistas, mascates, artesãos e intelectuais na Rússia e em outros lugares à esfera conceitual do imperialismo foi um pequeno detalhe que parecia não ter nenhuma importância: a Palestina era habitada por outro povo.[25]

II. Povoamento sionista, despovoamento palestino

Discorri em termos conceituais sobre a espantosa desigualdade que existe no sionismo entre a proteção dispensada aos judeus e a quase total desconsideração dos não judeus ou da população árabe nativa. O sionismo e o imperialismo europeu têm visões epistemologicamente, portanto histórica e politicamente, correspondentes a respeito dos residentes nativos, mas é a forma como essa visão irredutivelmente imperialista funcionava no mundo da política e na vida de pessoas para quem a epistemologia era irrelevante que justifica que esta seja levada em consideração. Nesse mundo e nessa vida, como a de milhões de palestinos, os resultados podem ser detalhados, não como mera visão teórica, mas como uma eficácia sionista imensamente traumática. A reação geral dos árabe-palestinos ao sionismo é perfeitamente captada, penso eu, pela seguinte frase da delegação árabe, escrita em 1922 em resposta ao *White Paper* [Relatório branco] de Winston Churchill: "A intenção de criar a

---

25 Ibid., p.38.

A questão da Palestina

pátria judaica é provocar o desaparecimento ou a subordinação da população, da cultura e da língua árabe".[26] O que gerações de árabe-palestinos testemunharam, portanto, foi o desdobramento de um projeto, cujas raízes mais profundas na história e na terrível experiência judaicas foram necessariamente obscurecidas pelo que estava acontecendo diante dos seus olhos e com os palestinos. Ali, os árabes puderam ver encarnada

> uma doutrina cruel, que exigia uma disciplina monástica e um frio distanciamento do ambiente. Os judeus que se vangloriavam em nome do trabalhador socialista interpretavam a fraternidade em termos estritamente nacionalistas ou raciais, pois se referiam à fraternidade com os judeus e não com os árabes. Ao insistir em cultivar a terra com as próprias mãos, uma vez que a exploração alheia era um anátema, eles excluíram os árabes de seu regime de governo [...]. Eles acreditavam na igualdade, mas para eles mesmos. Viviam do pão judeu, criavam-se em solo judeu protegido por um fuzil judeu.[27]

O "inventário" da experiência palestina que estou tentando fazer aqui baseia-se na verdade simples de que os exultantes ou (mais tarde) assustados judeus que chegaram à Palestina eram vistos em essência como estrangeiros cujo destino anunciado era criar um Estado para os judeus. "O que seria dos árabes que viviam lá?" era a pergunta que devemos fazer agora. O que descobriremos é que tudo que era positivo do ponto de vista sionista parecia absolutamente negativo da perspectiva dos árabe-palestinos.

Eles nunca poderiam ser incluídos na grande visão. Não que a "visão" fosse uma simples questão teórica; ela era isso e era também, como depois mostraram a natureza e até os

---

26 Apud Waines, "The Failure of the Nationalist Resistance", p.220.
27 Ibid., p.213.

detalhes da política governamental israelense em relação aos árabe-palestinos, a forma como os líderes sionistas encaravam os árabes para mais tarde (e certamente naquele momento) lidar com eles. Portanto, como eu disse anteriormente, tenho em mente toda a dialética entre a teoria e a real eficácia do dia a dia. Parto da premissa de que Israel desenvolveu uma política social a partir da tese sionista de que a colonização da Palestina deveria ser realizada simultaneamente para e pelos judeus *e* com o deslocamento dos palestinos; além disso, em suas ideias conscientes e declaradas a respeito da Palestina, o sionismo tentou primeiro minimizar, em seguida eliminar e, por último, como tudo falhou, subjugar os nativos como meio de garantir que Israel não seria simplesmente o Estado de seus cidadãos (o que incluía os árabes, é claro), mas sim o Estado de "todo o povo judeu", tendo uma soberania sobre a terra e as pessoas que nenhum outro Estado tinha ou tem. É a essa anomalia que, desde então, os palestinos têm tentado resistir e fornecer uma alternativa.

Podemos aprender muito com os pronunciamentos de líderes sionistas estrategicamente importantes, cuja função era, após Herzl, pôr o plano em ação. O primeiro que nos vem à mente é Chaim Weizmann, tanto por sua extraordinária personalidade quanto pelo enorme êxito de ter transformado o sionismo de ideia em instituição política vitoriosa. Sua tese a respeito da terra da Palestina é reveladora na medida em que repete Herzl: "Ao que parece, Deus cobriu o solo da Palestina com pedras, pântanos e areia, de modo que sua beleza somente possa ser revelada por aqueles que a amam e dedicarão a própria vida a curar suas feridas".[28]

O contexto dessa observação, contudo, é a transação de um pântano pouco promissor entre os sionistas e um rico proprietário (a família libanesa dos Sursuk). Weizmann reconhece que

---

28 Weizmann, *Trial and Error*, p.371.

A questão da Palestina

essa transação em particular era de *uma pequena parte* da Palestina, mas dá a impressão de que *todo* o território estava abandonado, desapreciado, incompreendido (se é que se pode usar essa palavra aqui). Apesar do povo que a habitava, a Palestina deveria *ser tornada* útil, apreciada, compreendida. Curiosamente, acredita-se que os nativos estavam fora da história e, como pareceu acontecer, não estavam realmente presentes. No trecho a seguir, em que Weizmann descreve a Palestina em sua primeira visita, em 1907, observa-se que o contraste entre o abandono e a miséria do passado e "o tom e o espírito progressista" do presente (ele escreveu isso em 1941) pretende justificar a introdução de colônias e assentamentos estrangeiros.

> Era um país doloroso no todo, um dos rincões mais abandonados do miseravelmente abandonado Império Turco. [Weizmann usa "abandonado" para descrever os habitantes nativos da Palestina, o fato de residirem ali não é razão suficiente para caracterizar a Palestina como algo mais do que um território essencialmente vazio e resignado, à espera de pessoas que demonstrem o devido cuidado com ele.] Sua população passava um pouco de 600 mil pessoas, das quais cerca de 80 mil eram judeus. Estes viviam, em sua maioria, nas cidades [...]. Mas nem as colônias nem os assentamentos urbanos se comparavam, no que se refere ao vigor, ao tom e ao espírito progressista, às colônias e aos assentamentos atuais.[29]

O ganho imediato foi que o sionismo "elevou o valor da [...] terra", e com isto os árabes poderiam se beneficiar, ainda que politicamente a terra estivesse sendo ceifada debaixo de seus pés.

Em contraste com o abandono e a decrepitude nativa, Weizmann pregava a necessidade de vontade, energia e organização para reclamar, "redimir" a terra. Sua linguagem é lançada com

---

29 Ibid., p.125.

a retórica do voluntarismo, com a ideologia da vontade e do sangue novo que tomou para o sionismo grande parte da língua (e posteriormente das políticas) dos colonialistas europeus para tentar lidar com o atraso dos nativos. "Um sangue novo tinha de ser trazido para o país; um novo espírito empreendedor tinha de ser introduzido." Os judeus seriam importadores de colônias e colonizadores cujo papel era não apenas tomar um território, mas também ser uma escola de renovação nacional. Portanto, se "havia grandes possibilidades" na Palestina, a questão era como remediar o fato de que "faltava vontade": "Como despertá-la? Como pôr em movimento um processo cumulativo?". Segundo Weizmann, os sionistas foram salvos do derradeiro desânimo somente por causa de "nosso sentimento de que uma grande fonte de energia estava à espera de ser explorada – o impulso nacional de um povo mantido sob controle temporário pela interpretação equivocada de um método histórico".[30] O "método" em questão era a tendência sionista de depender de grandes benfeitores estrangeiros, como os Rothschild, e "negligenciar" o desenvolvimento de instituições coloniais que se sustentassem na própria terra.

Para isso, era necessário conceber e então implantar um esquema para criar um conjunto de realidades – uma língua, uma rede de colônias, uma série de organizações – e transformar a Palestina de sua condição de "abandono" em um Estado judeu. Esse conjunto não só não atacaria as "realidades" existentes, como as ignoraria, cresceria ao lado delas e então as destruiria, do mesmo modo que uma floresta de grandes árvores destrói um pequeno amontoado de ervas daninhas. Uma necessidade ideológica essencial para esse programa era conseguir legitimidade, era dar a ele uma arqueologia e uma teleologia que o envolvesse completamente e, em certo sentido, tornasse obsoleta a cultura nativa, que continuava firmemente encravada na Palestina.

---

30 Ibid., p.128-9, 253.

A questão da Palestina

Uma das razões por que Weizmann alterou a concepção da Declaração de Balfour de favorecimento ao estabelecimento de uma pátria judaica para favorecimento a um "restabelecimento" foi precisamente para cercar o território com a mais antiga e extrema abrangência de "realidades" possíveis. A colonização da Palestina sempre ocorreu como uma repetição: os judeus não suplantaram, destruíram ou desmantelaram uma sociedade nativa. Essa sociedade era ela própria a excentricidade que rompera uma soberania de sessenta anos dos judeus sobre a Palestina que ficara sem efeito durante dois milênios. Mas Israel sempre esteve presente no coração dos judeus, e esse era um fato difícil de compreender para os nativos. Portanto, o sionismo reclamava, resgatava, repetia, replantava, realizava a Palestina e a hegemonia dos judeus sobre ela. Israel era o retorno a um antigo estado de coisas, embora os novos fatos tivessem muito mais semelhanças com os métodos e os êxitos do colonialismo europeu do século XIX do que com uns poucos e misteriosos antepassados do século I.

É necessário fazer um esclarecimento aqui. Em todos os projetos para "restabelecer" a soberania judaica na Palestina, havia sempre dois componentes fundamentais. O primeiro era a cuidadosa determinação de implantar o aprimoramento judeu. É claro que o mundo ouviu muitas coisas a esse respeito. Grandes medidas foram tomadas para dar um novo senso de identidade aos judeus, defendendo e concedendo direitos de cidadãos, revivendo uma língua "natal" (por obra de Eliezer Ben Yehudah), dando ao mundo judeu um senso vital de expansão e destino histórico. "Havia um instrumento [no sionismo] a que se podia recorrer, um instrumento capaz de absorvê-los na nova vida."[31] Para os judeus, o sionismo era uma escola – e sua filosofia pedagógica era sempre clara, dramática, inteligente. Entretanto, o outro componente do sionismo, dialeticamente oposto, que

---

31 Ibid., p.128.

existia dentro dele e nunca era *visto* (embora fosse diretamente experimentado pelos palestinos) era uma fronteira igualmente firme e inteligente entre os benefícios para os judeus e nenhum (ou, mais tarde, o castigo) para os não judeus na Palestina.

As consequências da bifurcação do programa sionista para a Palestina foram imensas, em especial para os árabes que tentaram negociar seriamente com Israel. As ideias sionistas a respeito da Palestina foram tão eficazes para os judeus – no sentido de cuidar destes e ignorar os não judeus – que o que essas mesmas ideias expressavam para os árabes era *apenas* rejeição dos árabes. Desse modo, Israel tendeu a parecer uma entidade negativa, construída para nós com o único intuito de manter os árabes a distância ou dominá-los. A coesão e a solidez interna de Israel e dos israelitas como povo e como sociedade escapavam em geral à compreensão dos árabes. Portanto, aos muros erguidos pelo sionismo somaram-se os muros erguidos pelo estigma dogmático e quase teológico do arabismo. Israel parecia essencialmente uma ferramenta retórica fornecida pelo Ocidente para hostilizar os árabes. O que essa percepção ocasionou nos Estados árabes foi uma política de repressão e uma espécie de controle do pensamento. Durante anos, a imprensa foi proibida de se referir a Israel; naturalmente, esse tipo de censura levou à consolidação de Estados policiais, à ausência de liberdade de expressão e a abusos contra os direitos humanos, tudo supostamente em nome da "luta contra a agressão sionista", o que significava que qualquer forma de opressão interna era aceitável, porque servia à "causa sagrada" da "segurança nacional".

Os resultados da segregação sionista também foram desastrosos para Israel e para os sionistas em todo o mundo. Os árabes eram sinônimo de degradação, medo, irracionalidade e brutalidade. Instituições cuja inspiração humanista e social (ou mesmo socialista) era evidente para os judeus – os kibutzim, a Lei do Retorno, diversos auxílios à aculturação dos imigrantes – eram precisa e definitivamente desumanas para os árabes. Em seu corpo e em sua alma, nas supostas emoções e psicologia atribuídas ao sionismo, o árabe expressava tudo que por definição estava *fora, além*.

Penso que a negação de Israel por parte dos árabes era bem menos sofisticada e complexa do que a negação e, mais tarde, a minimização dos árabes por parte de Israel. O sionismo não era apenas uma reprodução do colonialismo europeu do século XIX, apesar de toda a comunidade de ideias que compartilhava com ele. O sionismo visava criar uma sociedade que não fosse nada além de "nativa" (com um mínimo de vínculos com um centro metropolitano) e, ao mesmo tempo, estava determinado a não entrar em acordo com os verdadeiros nativos, que ele estava substituindo por novos (mas essencialmente europeus). Essa substituição seria absolutamente econômica; não ocorreria nenhum resvalo de árabe-palestino em israelense, e os árabes, se não fugissem, seriam apenas objetos dóceis, subservientes. E tudo que restasse para desafiar Israel era visto não como algo de *lá*, mas como um sinal de algo de *fora* de Israel e do sionismo que pendia para a sua destruição – de fora. Aqui, o sionismo adotou literalmente a tipologia empregada pela cultura europeia (um Oriente terrível que se confrontava com o Ocidente), exceto que o sionismo, como movimento ocidental vanguardista e redentor, confrontava-se com o Oriente *no* Oriente. Analisar o que o sionismo "concretizado" tinha a dizer sobre os árabes em geral e os palestinos em particular consiste em observar coisas como a que se segue, extraída de um artigo publicado no *Ma'ariv*, em 7 de outubro de 1955. Seu autor, o dr. A. Carlebach, era um distinto cidadão e não um demagogo tosco. Ele defende que o *islamismo* se opõe ao sionismo, embora encontre espaço para os palestinos em seus argumentos.

> Esses países islâmicos não padecem de pobreza, doença, analfabetismo ou exploração; sua doença é a pior das pragas: o islamismo. Onde quer que a psicologia islâmica domine, há o inevitável

domínio do despotismo e da agressão criminosa. O perigo está na psicologia islâmica, que não pode se unir ao mundo da eficiência e do progresso, que vive num mundo de ilusão, perturbada por complexos de inferioridade e surtos de megalomania, perdida nos sonhos da espada sagrada. O perigo vem da concepção totalitária do mundo, do desejo de morte profundamente arraigado em seu sangue, da falta de lógica, das mentes facilmente inflamáveis, da jactância e, acima de tudo, da desconsideração mundana por tudo que é sagrado ao mundo civilizado [...] suas reações – a tudo – nada têm a ver com o bom-senso. São todas emocionais, desequilibradas, súbitas, insensatas. É sempre o lunático que fala por sua garganta. Pode-se tratar de "negócios" com todos, até com o diabo, mas não com Alá. [...] Todos – até os cruzados – deixaram marcas de cultura e prosperidade. Mas, no caminho do islamismo, até as árvores morreram. [Essas palavras são perfeitamente compatíveis com as observações de Weizmann sobre o "abandono" na Palestina; suponho que, se Weizmann tivesse escrito mais tarde, teria dito algo semelhante ao que diz Carlebach.]

Somamos pecado ao crime quando deturpamos a cena e reduzimos a discussão a um conflito de fronteiras entre Israel e seus vizinhos. Em primeiro lugar, isso não é verdade. O cerne do conflito não é uma questão de fronteira; é a questão da psicologia muçulmana. [...] Além do mais, apresentar o problema como um conflito entre duas partes iguais é dar arma aos árabes para uma luta que não é deles. Se a discussão com eles for genuinamente política, então poderá ser vista de ambos os lados. Seremos aqueles que vieram para um país que era árabe, conquistaram e estabeleceram-se como um corpo estranho no meio deles, cobriram-nos de refugiados, constituíram-se em um risco militar etc. [...] é possível justificar um lado ou outro – e essa apresentação do problema, sofisticada e política, é compreensível para as mentes europeias – a nossa custa. Os árabes suscitam reivindicações que fazem sentido para a compreensão ocidental como uma simples disputa legal. Mas, na realidade, quem sabe melhor do que nós que essa não é a fonte de

A questão da Palestina

sua hostilidade? Todos esses conceitos políticos e sociais nunca são deles. Ocupação pelo poder de armas, aos seus próprios olhos, aos olhos do islamismo, não é de todo associada à injustiça. Ao contrário, é um atestado e uma demonstração de posse legítima. O pesar pelos refugiados, pelos irmãos expropriados, não tem lugar em seu pensamento. Alá expulsou, Alá cuidará. Um político muçulmano nunca é movido por essas coisas (a menos, é verdade, que a catástrofe ponha em risco seu *status* pessoal). Se não houvesse refugiados ou conquista, eles se oporiam a nós do mesmo jeito. Quando discutimos com eles com base em conceitos ocidentais, vestimos selvagens com um manto europeu de justiça.

Estudos israelenses sobre "atitudes árabes" – como o estudo canônico do general Harkabi[32] – não tomam conhecimento de análises como essa, que é mais fantasiosa e racista do que qualquer coisa que se encontre de autoria de um palestino. Mas a desumanização do árabe, que começou com a visão de que os palestinos não estavam lá, eram selvagens ou ambos, impregna tudo na sociedade israelense. Não se considerou muito incomum que, durante a guerra de 1973, o Exército publicasse um livrinho escrito pelo rabino do Comando Central, Abraham Avidan (com prefácio do general Yona Efrati, também do Comando Central), em que se lê o seguinte trecho-chave:

Quando nossas forças encontram civis durante a guerra, no curso de uma perseguição ou em um ataque, os civis encontrados

---

32 Harkabi, *Arab Attitudes to Israel*. Harkabi foi chefe da inteligência militar até ser demitido por Ben Gurion em 1959. Mais tarde, tornou-se professor da Hebrew University e arabista, ou melhor, o principal propagandista em Israel contra tudo que fosse árabe e/ou palestino, em especial. Ver, por exemplo, seu virulento livro antipalestino, *Palestinians and Israel*, distribuído gratuitamente nos Estados Unidos pela embaixada israelense. Surpreendentemente, o general Harkabi tornou-se um "mensageiro da paz" e defensor do movimento Paz Agora.

103

poderão ser mortos, e, pelos padrões da halaca, até deveriam, sempre que não for possível garantir que eles são incapazes de revidar. Em nenhuma circunstância deve-se confiar em um árabe, mesmo que ele dê a impressão de ser civilizado.[33]

A literatura infantil está repleta de judeus corajosos que sempre acabam matando árabes traiçoeiros e inferiores, batizados de Mastoul (Louco), Bandura (Tomate) ou Bukra (Amanhã). Como disse um jornalista do *Ha-aretz*, em 20 de setembro de 1974, os livros infantis "tratam do nosso tema: o árabe que assassina judeus por prazer, e o garoto judeu puro que derrota 'o canalha covarde'!". Não são essas ideias entusiasmadas, limitadas a certos autores, que produzem livros para consumo em massa; como mostrarei mais adiante, essas ideias são consequência mais ou menos lógica das próprias instituições do Estado, e cabe ao seu outro lado, o benevolente, a tarefa de regular a vida judaica de um modo humanista.

Há excelentes exemplos dessa dualidade em Weizmann, para quem essas questões encontraram imediatamente seu caminho em políticas, ações e resultados circunstanciados. Ele admira Samuel Pevsner, "um homem de grande habilidade, enérgico, prático, desembaraçado e, como sua esposa, extremamente educado". Talvez não haja nenhum problema nisso, mas logo em seguida vem a continuação, sem nem ao menos uma transição: "Para essas pessoas, ir para a Palestina era ir de fato para o deserto social – que é uma coisa que deve ser lembrada por aqueles que, retornando à Palestina hoje, encontram recursos intelectuais, culturais e sociais que não deixam nada a desejar aos

---

33 Reproduzido no *Haolam Hazeh*, 15 maio 1974. O editor, Uri Avnery, escreveu um livro interessante, um tanto demagógico, que merece ser lido pela luz que lança sobre a política israelense: *Israel Without Zionism: A Plea for Peace in the Middle East*. Faz ataques mordazes a pessoas como Moshe Dayan, a quem Avnery descreve essencialmente como "um combatente árabe" (ver combatentes índios no Oeste americano).

do mundo ocidental".[34] O sionismo estava em primeiro plano; o resto era atrasado e deveria ser subjugado, suprimido, rebaixado, para que a vanguarda cultural pudesse surgir como uma "obra civilizadora pioneira".[35] Acima de tudo, o nativo árabe tinha de ser visto como um oposto irremediável, uma combinação de selvagem com sobre-humano, mas, em todo caso, um ser com quem é impossível (e inútil) chegar a um acordo.

> O árabe é um debatedor e um polemista muito sutil – muito mais do que o europeu culto médio – e, até assimilarmos a técnica, ficamos em desvantagem. Em particular, o árabe tem um imenso talento para expressar visões diametralmente opostas às nossas, com tanta delicadeza e rodeios que nos faz acreditar que concorda totalmente conosco e está pronto a nos estender a mão. Conversações e negociações com os árabes é como perseguir uma miragem no deserto: cheia de promessas e agradável de olhar, mas possivelmente levará à morte por sede.
>
> Perguntas diretas são perigosas: provocam no árabe um recuo habilidoso e uma mudança total de assunto. O problema deve ser abordado por vias tortuosas, e leva-se um tempo interminável para chegar ao cerne da questão.[36]

Em outra ocasião, ele relata uma experiência que, na realidade, foi o embrião de Tel-Aviv, cuja importância como centro judeu deriva em grande parte do fato de ter suplantado a cidade árabe vizinha (e muito mais antiga) de Jafa. No que Weizmann conta ao leitor, porém, há somente uma leve alusão à vida árabe que já existia ali, no local onde em breve seria erguida a cidade de Tel-Aviv. O que importava era a presença judaica, cujo valor parece ser mais ou menos axiomático.

---

34 Weizmann, *Trial and Error*, p.130.
35 Ibid., p.188.
36 Ibid., p.215-6.

Eu estava em Jafa quando Ruppin veio me visitar e me levou para um passeio pelas dunas ao norte da cidade. Quando saímos da areia – lembro-me de que chegava aos nossos tornozelos –, ele parou e disse, muito solenemente: "Aqui, devemos criar uma cidade judaica!". Fitei-o com certo desânimo. Por que as pessoas morariam naquele deserto, onde nada crescia? Comecei a assediá-lo com perguntas técnicas, às quais ele me respondia com atenção e precisão. "Tecnicamente", ele retrucou, "tudo é possível." Mesmo que nos primeiros anos a comunicação com o novo assentamento fosse difícil, os moradores logo se tornariam autossuficientes. Os judeus de Jafa se mudariam para uma cidade nova e moderna, e as colônias judaicas da vizinhança teriam mercado para seus produtos. O colégio ficaria no centro e atrairia muitos estudantes de outras partes da Palestina e judeus do exterior, que desejavam que seus filhos estudassem em uma escola judaica em uma cidade judaica.

Portanto, foi Ruppin quem teve a primeira visão de Tel-Aviv, que estava destinada a superar, em tamanho e em importância econômica, a antiga cidade de Jafa, e a se tornar um dos grandes centros metropolitanos ao leste do Mediterrâneo.[37]

É claro que, com o tempo, a primazia de Tel-Aviv seria fortalecida pela ocupação militar de Jafa. Mais tarde, o projeto visionário tornou-se o primeiro passo da conquista militar, da ideia de uma colônia que depois seria desenvolvida à imagem e semelhança de uma colônia, com colonizadores e colonizados.

Weizmann e Ruppin falavam e agiam com o idealismo apaixonado dos pioneiros; também falavam e agiam com a autoridade de ocidentais que analisavam territórios e nativos não ocidentais fundamentalmente atrasados e planejavam um futuro *para eles*. O próprio Weizmann não pensava apenas que, como europeu, ele estava mais bem preparado para decidir pelos nativos o que condizia com seus interesses (por exemplo, que

---

37 Ibid., p.130.

A questão da Palestina

Jafa *deveria ser* suplantada por uma cidade judaica moderna), mas também acreditava que "compreendia" o árabe *como ele realmente era*. Quando afirma que o "imenso talento" árabe era "na verdade" nunca dizer a verdade, ele declara o que outros europeus haviam observado sobre nativos não europeus em outras partes do mundo, e para os quais, assim como para os sionistas, tratava-se de controlar uma maioria nativa com um punhado de intrépidos pioneiros:

> Pode-se muito bem indagar como somos capazes de controlar, com forças absurdamente inadequadas, raças tão viris e aptas, com tantos dotes mentais e físicos. A resposta é, em minha opinião, que há duas falhas que devem ser identificadas: o equipamento mental e moral do africano médio [...]. Digo que a inerente falta de honestidade é a primeira grande falha [...]. É comparativamente raro que um africano possa confiar que o outro manterá sua palavra [...]. Exceto em casos muito raros, é um fato lastimável que essa falha aumente, ao invés de diminuir, com o contato com a civilização europeia. A menos que seja impelido por forças externas, o nativo raramente altera uma rotina conhecida, e essa letargia mental é característica de seu modo de pensar.[38]

Esse trecho foi extraído do livro de C. L. Temple, *Native Races and Their Rulers* [Raças nativas e seus líderes] (1918). O autor era assessor de Frederik Lugard no governo da Nigéria e, assim como Weizmann, era menos um racista protonazista do que um liberal fabiano,* de seu ponto de vista.

Para Temple, assim como para Weizmann, a verdade era que os nativos pertenciam a uma cultura imutável, estagnada. Incapazes de valorizar a terra da qual viviam, tinham de ser estimu-

---

38 Temple, *The Native Races and Their Rulers*, p.41.
* Referência ao chefe militar romano Fábio Máximo, "o contemporizador". (N. E.)

lados, talvez até forçados, pela iniciativa de uma cultura europeia avançada. Weizmann tinha decerto outras racionalizações para a reconstituição do Estado judeu, a salvação dos judeus do antissemitismo etc. Mas, do ponto de vista dos nativos, pouco importava se os europeus que eles enfrentavam na colônia eram ingleses ou judeus europeus. Naquele momento, no que se referia ao sionista na Palestina ou ao inglês na África, ele era realista, via os fatos e lidava com eles, conhecia o valor da verdade. Mas, apesar do "fato" da longa residência em um território nativo, o não europeu sempre se esquivava da verdade. A visão europeia significava a capacidade de enxergar não só o que havia, mas o que *poderia* haver: daí a troca entre Weizmann e Ruppin sobre Jafa e Tel-Aviv. A tentação específica sionista antes de se instalar na Palestina era acreditar na possibilidade – e prever a possibilidade – de que os nativos árabes não estivessem *realmente* lá, o que foi, sem dúvida, uma eventualidade comprovada quando (a) os nativos se recusaram a reconhecer a soberania judaica sobre a Palestina e (b) eles se tornaram legalmente estrangeiros em sua terra após 1948.

Mas o êxito do sionismo não resultou apenas do ousado projeto de um futuro Estado ou da capacidade de ver os nativos como um número desprezível que eles eram ou poderiam ser. Acredito, ao contrário, que a eficácia do sionismo de abrir caminho contra a resistência árabe-palestina reside no fato de ele *ser uma política de detalhe*, e não simplesmente uma visão colonial geral. A Palestina não era apenas a terra prometida, um conceito tão vago e abstrato quanto poderia ser. Ela era um território específico, com características específicas, que foi estudado até o último milímetro, colonizado, planejado e construído *em detalhe*. Desde o início da colonização sionista, os árabes não encontraram nenhuma resposta ou contraproposta igualmente detalhada. Supunham, talvez com razão, que, já que viviam e possuíam a terra legalmente, ela lhes pertencia. Não compreenderam que estavam diante de uma disciplina do detalhe – na verdade, uma verdadeira cultura da disciplina pelo detalhe – pela qual um mundo até então imaginário poderia ser construído na Palestina, polegada a polegada, passo a passo ou, como disse Weizmann, "um acre, uma cabra". Os árabe-palestinos sempre se opuseram a uma política *geral*, baseada em princípios gerais: diziam que o sionismo era um colonialismo estrangeiro (e, estritamente falando, era, como admitiram os primeiros sionistas), injusto com os nativos (como também admitiram alguns dos primeiros sionistas, como Ahad Ha'am) e estava fadado ao fracasso por suas várias deficiências teóricas. Até hoje, a posição política palestina gira, em geral, em torno desses pontos negativos e continua a não se esforçar para chegar ao nível de detalhe da empreitada sionista. Por exemplo, existem hoje 77 colônias sionistas "ilegais" na Cisjordânia, e Israel confiscou cerca de 27% das terras de propriedade de árabes na Cisjordânia, entretanto os palestinos parecem fisicamente incapazes de impedir o crescimento ou o "espessamento" dessa nova colonização israelense.

Os palestinos não entenderam que o sionismo é mais do que um senhor injusto, contra o qual se poderia apelar, em vão, para toda espécie de corte suprema. Não entenderam o desafio sionista como uma política do detalhe, de instituições, de organização, pela qual as pessoas (até agora) entram ilegalmente no território, constroem casas, fixam residência e chamam a terra de sua – enquanto o mundo todo as condena. A força desse impulso para se estabelecer – em certo sentido, *produzir* – em uma terra judaica pode ser encontrada em um documento que, segundo Weizmann, "parecia antecipar a forma das coisas por vir", como realmente aconteceu. Trata-se do "Esboço do programa de reassentamento judeu na Palestina, de acordo com as aspirações do movimento sionista", que surgiu no início de 1917 e do qual vale a pena citar um trecho:

> O governo suserano [isto é, o governo, Aliado ou não, no comando do território] deve sancionar a criação de uma companhia judaica para a colonização da Palestina pelos judeus. A referida com-

panhia deve estar sob a proteção direta do governo suserano [isto é, o que quer que aconteça na Palestina deve ser legitimado não pelos nativos, mas por uma força externa]. Os objetivos da companhia devem ser: a) apoiar e fomentar de todas as maneiras possíveis o assentamento judeu existente na Palestina; b) ajudar, apoiar e encorajar judeus de outros países que desejem e estejam habilitados a se estabelecer na Palestina por meio da organização da imigração, do fornecimento de informações e de qualquer outra forma de assistência material e moral. Os poderes da companhia devem ser tais que a capacitem a desenvolver o país em todas as frentes, agrícola, cultural, comercial e industrial, e devem incluir plenos poderes de compra e desenvolvimento de terras e, em especial, facilidades de aquisição de terras da Coroa, estabelecendo concessões para estradas, ferrovias, portos, transporte de bens e passageiros para a Palestina e qualquer outro poder considerado necessário à abertura do país.[39]

Por trás desse trecho extraordinário encontra-se uma visão de uma matriz organizacional cuja função imita a de um exército. É o exército que "abre" o país para a colonização, organiza assentamentos em território estrangeiro, auxilia e desenvolve "de todas as maneiras possíveis" questões como imigração, transporte e abastecimento, e, acima de tudo, transforma simples cidadãos em "adequados" agentes disciplinadores, cujo papel é estar na terra e ali investir suas estruturas, sua organização e suas instituições.[40] Assim como o exército assimila os cidadãos comuns para seus propósitos – vestindo-os com uniformes, treinando-os em táticas e manobras, disciplinando-os para seus fins –, o sionismo preparava os colonizadores judeus no sistema de trabalho judeu e na terra judaica, e seu uniforme exigia que somente judeus fossem aceitáveis. O poder do exército sionista

---

39 Weizmann, *Trail and Error*, p.156-7.
40 Sobre o exército como matriz da organização da sociedade, ver Foucault, "Questions à Michel Foucault sur la géographie", p.85. Ver também Lacoste, *La géographie, ça sert d'abord à faire la guerre*.

A questão da Palestina

não estava em seus líderes ou nas armas que angariava para sua defesa e suas conquistas, mas antes no funcionamento de um sistema, de uma série de posições tomadas e mantidas, como diz Weizmann, na agricultura, na cultura, no comércio e na indústria. Em suma, a "companhia" do sionismo era a tradução de uma teoria e uma visão dentro de um conjunto de instrumentos para ocupar e desenvolver um território colonial judeu bem no centro de um território árabe mediocremente estudado e desenvolvido.

Não podemos nos deter aqui na fascinante história do aparato colonial sionista – sua "companhia" –, mas devemos analisar ao menos alguns aspectos de seu funcionamento. O Segundo Congresso Sionista, realizado em agosto de 1898 na Basileia, na Suíça, fundou o Crédito Colonial Judaico Ltda., do qual foi criada uma subsidiária em Jafa, em 1903, denominada Companhia Anglo-Palestina. Nascia assim uma agência cujo papel na transformação da Palestina foi crucial. A partir do Crédito Colonial, foi criado em 1901 o Fundo Nacional Judeu (FNJ), que tinha autorização para comprar terras e mantê-las sob sua guarda para "o povo judeu"; a proposta original dizia que o FNJ seria "um crédito para o povo judeu, que [...] [poderia] ser usado exclusivamente para a aquisição de terras na Palestina e na Síria". O FNJ sempre foi controlado pela Organização Mundial Sionista, e as primeiras aquisições de terra ocorreram em 1905.

Desde que surgiu como órgão funcional, o FNJ dedicou-se a desenvolver, comprar ou arrendar terras – somente para judeus. Como Walter Lehn mostra de maneira muito convincente (em uma pesquisa sobre o FNJ da qual extraí alguns detalhes mencionados aqui),[41] o objetivo dos sionistas era adquirir terras para

---

41 Lehn, "The Jewish National Fund", p.74-96. Vale notar que, no ano acadêmico de 1977-1978, Lehn, então professor aposentado de Linguística, era professor visitante na Bir Zeit University, a única instituição árabe de ensino superior na Cisjordânia. Durante aquele ano, ele prosseguiu a pesquisa sobre o FNJ e, em 6 de janeiro, assinou uma carta aberta para protestar (como testemunha ocular) contra o selvagem espancamento de

fixar colonizadores; por isso, em 1920, após a fundação da Companhia de Desenvolvimento das Terras Palestinas como órgão do FNJ, foi criado um Fundo para a Fundação Palestina com o intuito de organizar a imigração e a colonização. Ao mesmo tempo, houve ênfase institucional na aquisição e na ocupação de terras para "o povo judeu". A expressão deixa claro que o Estado sionista seria diferente de qualquer outro, no sentido de que não seria o Estado de seus cidadãos, mas o Estado de um povo que, em sua maioria, encontra-se na Diáspora. Além de considerar os não judeus do Estado cidadãos de segunda classe, ela deu às organizações sionistas e, mais tarde, ao Estado um grande poder extraterritorial, além da possessão territorial vital sobre a qual o Estado teria soberania. Mesmo as terras compradas pelo FNJ eram "extraterritorializadas", segundo disse John Hope Simpson em 1930: "Ela deixa de ser uma terra com a qual o árabe pode obter vantagem seja agora, seja em qualquer momento no futuro". Não houve nenhum esforço dos árabes para institucionalizar a posse das terras na Palestina, nenhuma ideia de que poderia ser necessário criar uma organização para conservar "perpetuamente" as terras para o "povo árabe" e, acima de tudo, nenhum trabalho de informação, arrecadação de fundos ou *lobby* – como os sionistas fizeram na Europa e nos Estados Unidos para expandir o território "judeu" e, paradoxalmente, dar a ele uma presença judaica e um *status* internacional, quase metafísico. Os árabes acreditaram que bastava possuir a terra e estar nela.

Mesmo com todo esse esforço sofisticado e previdente, o FNJ conseguiu apenas 936 mil dunams* de terra em quase meio século de existência antes da criação de Israel como Es-

---

dois jovens estudantes palestinos por soldados israelenses (um deles foi hospitalizado, após desmaiar). No início de maio de 1978, as autoridades militares na Cisjordânia negaram a autorização de trabalho a Lehn e outros seis professores. Nenhum jornal norte-americano divulgou essa notícia. Ver também Davis; Lehn, "And the Fund Still Lives", p.3-33.

* Um dunam equivale a cerca de 4 mil metros quadrados. (N. E.)

A questão da Palestina

tado; a área total do mandato palestino era de 26,323 milhões de dunams. Somada à pequena quantidade de terras nas mãos de particulares judeus, a possessão sionista na Palestina no fim de 1947 equivalia a 1,734 milhões de dunams, isto é, 6,59% da área total. Após 1940, quando o mandatário restringiu a posse de terras por judeus a zonas específicas dentro da Palestina, a compra (e a venda) ilegal continuou nos 65% da área limitada aos árabes. Assim, quando o plano de divisão foi anunciado em 1947, ele incluía terras compradas ilegalmente por judeus, que foram agregadas como um *fait accompli* às fronteiras do Estado judeu. E, após Israel se anunciar como Estado, uma série impressionante de leis passou legalmente ao FNJ vastas extensões de terras (cujos donos se tornaram refugiados e declarados "proprietários ausentes"; o objetivo era expropriar suas terras e impedir seu retorno em qualquer circunstância). O processo de alienação de terras (do ponto de vista árabe) se completou.

O significado ideológico e profundamente político da conquista territorial da "companhia" elucida a controvérsia que ocorreu após 1967 sobre o destino das terras árabes ocupadas por Israel. Um amplo segmento da população israelense parece acreditar que as terras árabes podem ser transformadas em judaicas porque (a) as terras pertenciam aos judeus 2 mil anos atrás (uma parte da Terra de Israel) e (b) o FNJ pode transformar legalmente as terras "abandonadas" em propriedade do povo judeu.[42] Depois que são construídos e povoados, e depois que são

---

42 Consideremos como exemplo o destino de Umm al-Fahm, uma vila árabe dada a Israel pelo rei Abdulah da Jordânia em 1949, conforme o acordo de Rodes. Antes de 1948, a vila possuía 140 mil dunams e 5 mil habitantes. Em 1978, havia cerca de 20 mil habitantes árabes em Umm al-Fahm, mas suas terras somavam apenas 15 mil dunams, quase todas rochosas e inapropriadas para cultivo. A melhor parte das terras foi confiscada por vários decretos "legais", entre eles a Lei da Terra, Seguro e Indenização de 1953. A maior ironia talvez seja que os dois kibutzim socialistas – Megiddo e Givat Oz – foram construídos em terras árabes confiscadas. O que sobrou foi transformado em um moshav, isto é, uma cooperativa agrícola.

113

incorporados à rede estatal, os assentamentos judeus tornam-se propriamente extraterritoriais e enfaticamente judeus e não árabes. A essa nova terra é acrescida também uma justificativa estratégica: ela é necessária à segurança israelense. Se fosse simplesmente uma preocupação interna, ou se fossem argumentos sofísticos que visassem apenas agradar ao eleitorado israelense, essas medidas poderiam ser analisadas imparcialmente apenas como uma curiosidade. Mas o fato é que, como sempre, elas afetam os residentes árabes dos territórios e, portanto, têm um significado distinto para eles. Tanto na teoria quanto na prática, sua eficácia está em como eles judaízam o território, ao mesmo tempo que o desarabizam.

Há provas privilegiadas desse fato, penso eu, no que diz Joseph Weitz. A partir de 1932, ele foi diretor do Fundo Judaico do Território Nacional; em 1965, seus diários e anotações foram publicados em Israel. Em 19 de dezembro de 1940, ele escreveu:

> após a guerra [Segunda Guerra Mundial], a questão das terras de Israel e a questão dos judeus foram levadas para além do contexto do "desenvolvimento" – entre nós mesmos. *É preciso que fique claro que não há espaço para os dois povos neste país.* Nenhum "desenvolvimento" nos aproximará de nosso objetivo, que é ser um povo independente neste pequeno país. Se os árabes deixarem o país, ele será grande e vasto para nós. Se os árabes ficarem, o país continuará acanhado e miserável. Quando a guerra acabar e os ingleses tiverem vencido, quando os juízes estiverem sentados no trono da lei, nosso povo levará até eles suas petições e reivindicações; e a única solução é a Terra de Israel, ou ao menos a Terra de Israel ocidental, *sem árabes. Não há margem para concessões nessa questão!* Até aqui, no que diz respeito à preparação do terreno e à pavimentação do caminho para a criação do Estado hebreu na terra de Israel, a iniciativa sionista foi boa e correta em seu ritmo e poderia se contentar em "comprar terras" – mas isso não conduzirá ao Estado de Israel; tudo isso deve acontecer ao mesmo tempo, à maneira de uma

salvação (esse é o segredo da ideia messiânica); e não há outro meio, senão transferir os árabes daqui para os países vizinhos, *transferir todos*; exceto talvez Belém, Nazaré e a Cidade Velha de Jerusalém, *não devemos deixar uma única vila, uma única tribo*. E a transferência deve ser direcionada para o Iraque, a Síria e até a Transjordânia. Para isso, vamos buscar dinheiro, muito dinheiro. Somente com essa transferência o país será capaz de absorver nossos milhões de irmãos, e a questão dos judeus será resolvida de uma vez por todas. Não há outra saída.[43]

Essas observações não são apenas uma profecia do que estava para acontecer; são também asseverações políticas, e Weitz fala com a voz do consenso sionista. Houve literalmente centenas dessas asseverações por parte dos sionistas, a começar por Herzl, e quando aconteceu a "salvação" foi com essas ideias em mente que a conquista da Palestina e a expulsão dos árabes foram conduzidas. Escreveu-se muito sobre a turbulência na Palestina desde o fim da Segunda Guerra Mundial até o fim de 1948. Apesar da complexidade daquilo que pode ou não ter acontecido, o pensamento de Weitz lança um feixe de luz sobre esses acontecimentos, apontando para um Estado judeu em que a maioria dos habitantes árabes originais é transformada em refugiada. É verdade que acontecimentos relevantes como o nascimento de um Estado – que surgiu de uma luta inacreditavelmente complexa e cheia de facetas e de uma guerra mundial – não pode ser facilmente reduzida a uma simples conceituação. Não pretendo fazer isso, assim como não pretendo me esquivar do resultado da luta, dos elementos determinantes que se incorporaram à luta ou mesmo das políticas concebidas em Israel desde então. O que importa para os palestinos – e para os sionistas – é que um território outrora repleto de árabes emergiu de uma guerra (a) essencialmente esvaziado de seus

---

43 Weitz, *My Diary and Letters to the Children*, p.181-2.

residentes originais e (b) os palestinos foram impossibilitados de retornar. A preparação ideológica e organizacional do esforço dos sionistas para conquistar a Palestina, assim como a estratégia militar adotada, visavam tomar o território e povoá-lo com novos habitantes. Desse modo, o Plano Dalet, como foi descrito pelos historiadores sionistas Jon e David Kimche, era "conquistar os picos estratégicos, dominando as linhas mais prováveis de avanço dos exércitos árabes, e preencher o vácuo deixado pela retirada das forças britânicas, de modo a criar uma área contígua que seria mantida pelos judeus e se estenderia de norte a sul".[44] Na Galileia, no litoral de Jafa até Acre, em partes de Jerusalém, nas cidades de Lydda e Ramlah, sem mencionar as partes árabes de Haifa, os sionistas não só assumiram as posições britânicas, como também ocuparam o espaço onde os residentes árabes viviam, os quais, nas palavras de Weitz, seriam "transferidos".

Contra a frequente afirmação de que os palestinos partiram porque obedeceram às ordens de seus líderes e os exércitos árabes foram uma resposta indevida à declaração de independência de Israel em maio de 1948, devo dizer categoricamente que *ninguém conseguiu provar que houve ordens suficientes para gerar um êxodo tão amplo e definitivo.*[45] Em outras palavras, se quisermos entender por que 780 mil palestinos partiram em 1948, devemos olhar além dos acontecimentos imediatos de 1948: devemos ver o êxodo como um fato gerado por uma relativa falta de resposta

---

44 Kimche, J.; Kimche, D., *A Clash of Destinies*, p.92. Ver também os dois importantes artigos de Khalidi: "The Fall of Haifa", p.22-32, e "Plan Dalet", p.22-8.

45 O mais completo estudo já realizado sobre o êxodo palestino, após esquadrinhar todos os jornais e programas de rádio e TV árabes da época, não revelou absolutamente nenhum sinal de que houve "ordens para partir" ou nada desse tipo, a não ser apelos para que os palestinos permanecessem em seu país. Infelizmente, o terror era grande demais para uma população desarmada em sua maioria. Ver Childers, "The Wordless Wish", p.165-202. Childers, que é irlandês, era jornalista *free-lancer* quando realizou sua pesquisa; suas descobertas são catastróficas para o caso sionista.

política e organizacional dos palestinos à eficácia sionista e, além disso, uma propensão psicológica para o fracasso e o terror. É claro que atrocidades como o massacre de 250 civis árabes em Deir Yassin por Menachem Begin e pelos terroristas do Irgun em abril de 1948 produziram certo efeito. Mas, apesar de todo o horror, Deir Yassin foi apenas um dos muitos massacres que começaram logo após a Primeira Guerra Mundial e produziram equivalentes sionistas deliberados dos matadores de índios nos Estados Unidos.[46] O que mais contou foi provavelmente o mecanismo para manter longe os civis palestinos, depois que se mudaram (na maioria dos casos) para escapar das brutalidades da guerra. Tanto antes quanto depois que eles partiram, os sionistas tomaram medidas específicas para apagar sua presença. Já citei o que Weitz disse em 1940. Agora, em 18 de maio de 1948, ele narra uma conversa que teve com Moshe Shertok (mais tarde Sharett), do Ministério de Relações Exteriores:

> Transferência – *post factum*; devemos fazer alguma coisa para transformar o êxodo dos árabes em fato, para que eles não voltem mais? [...] Sua resposta [de Shertok]: ele abençoa qualquer iniciativa nesse sentido. Sua opinião é também que devemos agir de modo a transformar o êxodo dos árabes em fato consumado.[47]

Mais tarde, naquele mesmo ano, Weitz visitou uma vila árabe que havia sido evacuada. Ele refletiu da seguinte maneira:

> Fui visitar a vila de Mu'ar. Três tratores estão terminando a destruição. Fiquei surpreso; nada em mim se comoveu diante da visão da destruição. Nenhum arrependimento e nenhum ódio, como se esse fosse o curso do mundo. Queremos nos sentir bem neste mundo, e não em um mundo por vir. Queremos simplesmente

---

46 Ver Avnery, *Israel Without Zionism*.
47 Weitz, *My Diary*, v.3, p.293.

viver, e os moradores daquelas casas de barro não queriam que vivêssemos aqui. Eles não só desejam nos dominar, como também queriam nos exterminar. E, o que é interessante, essa é a opinião de todos os nossos meninos, de uma ponta a outra.[48]

Ele descreve algo que ocorreu em toda a Palestina, mas parece totalmente incapaz de compreender que as vidas humanas – muito modestas e humildes, é verdade – que habitavam aquela vila miserável significavam alguma coisa para o povo a que pertenciam. Weitz não tenta negar a realidade dos aldeões, simplesmente admite que a destruição deles significa que agora "nós" podemos viver ali. Ele não se sente nem um pouco perturbado pela ideia de que, para os palestinos, ele, Weitz, é apenas um estrangeiro que pretende desalojá-los, ou de que é mais do que natural que eles se oponham a essa pretensão. Ao contrário, Weitz e "os meninos" assumem que os palestinos queriam "exterminá-los" – e isso os autoriza a destruir casas e vilas. Depois de décadas tratando os árabes como se eles não estivessem ali, o sionismo chega ao seu auge, destruindo tantos vestígios de árabes quanto for possível. De uma entidade negada em teoria para uma entidade negada de fato legalmente, o árabe-palestino passou pela terrível mudança de uma triste condição para outra, plenamente capaz de testemunhar, mas não de comunicar, sua própria extinção na Palestina.

Primeiro ele era um nativo sem importância; em seguida, tornou-se um nativo ausente; e então, em Israel, após 1948, ganhou o *status* jurídico de um indivíduo menos real do que qualquer um que pertencesse ao "povo judeu", estivesse ele em Israel ou não. Os que fugiram apavorados tornaram-se "refugiados", uma abstração fielmente levada em consideração nas resoluções anuais das Nações Unidas que solicitavam a Israel que, conforme prometera, recebesse-os de volta ou os compen-

---

48 Ibid., p.302.

A questão da Palestina

sasse por suas perdas. A lista de indignidades humanas e, sob qualquer critério imparcial, de subjugação imoral praticada por Israel contra os árabe-palestinos que permaneceram no país é horripilante, sobretudo se comparada ao coro de louvor que se nota à democracia israelense. Para punir os 120 mil miseráveis (cerca de 650 mil agora) pela audácia de permanecer em uma terra à qual eles não pertenciam mais, Israel adotou as Leis Emergenciais de Defesa, usadas pelos britânicos para controlar judeus e árabes durante seu mandato (de 1922 a 1948). Essas leis foram o alvo preferido da agitação política sionista, mas, após 1948, foram usadas por Israel, *inalteradas*, contra os árabes.

Por exemplo, nas regiões que ainda são ocupadas por uma maioria árabe, políticas de "judaização" anacrônicas, porém não menos eficazes e pormenorizadas, seguem em ritmo acelerado. Assim como Ruppin e Weizmann previram que Tel-Aviv "suplantaria" a Jafa árabe, o governo israelense está criando uma nova Nazaré judaica para suplantar a antiga cidade árabe. Eis o projeto, descrito por um israelense em 1975:

> A Alta Nazaré, que foi criada há cerca de quinze anos "para ser um contrapeso à Nazaré árabe", é a pedra angular da política de "judaização da Galileia". A Alta Nazaré foi erguida sobre as colinas que circundam Nazaré como um cinturão de segurança, rodeando-a praticamente por todos os lados. Foi construída em milhares de acres de terras expropriados de povoados árabes, em particular Nazaré e Rana, de maneira arbitrária, pura e simplesmente à força. A própria escolha do nome "Alta" Nazaré, ao mesmo tempo que reforça sua "superioridade", é um indicador da atitude das autoridades, que concedem privilégios especiais à nova cidade conforme sua política de discriminação e descaso com a cidade de Nazaré, que, a nosso ver, está na base da escala. O visitante de Nazaré pode ver com os próprios olhos a negligência e a falta de desenvolvimento na cidade e se dali "subir" para a Alta Nazaré, verá construções novas, ruas largas,

iluminação pública, degraus, prédios de vários andares, indústrias e artes, e será capaz de perceber o contraste: o desenvolvimento na parte de cima e o descaso na parte de baixo; obras incessantes do governo na parte de cima e nem uma obra sequer na parte de baixo. Desde 1966, o ministro da Habitação [de Israel] não ergueu um único conjunto habitacional na antiga Nazaré.[49]

O drama de uma minoria dominante é vividamente representado em Nazaré. Com todas as suas vantagens, a Alta Nazaré – isto é, a judaica – possui 16 mil moradores; abaixo dela, a cidade árabe tem 45 mil habitantes. Manifestamente, a cidade judaica se beneficia da rede de recursos destinados aos judeus. Os não judeus são excluídos de maneira cirúrgica. Com essa fratura entre eles e os judeus, o sionismo pretende mostrar um estado de distinção absoluta entre os dois grupos, e não apenas de grau. Se cada judeu em Israel representa "todo o povo judeu" – uma população composta não somente dos judeus de Israel, mas também das gerações de judeus que existiram no passado (das quais os israelenses são os remanescentes) e existirão no futuro, assim como os judeus que vivem em outras partes do mundo –, cada não judeu em Israel representa o banimento permanente dos benefícios passados, presentes e futuros dele e dos *outros* na Palestina. O não judeu leva uma vida de privação nas vilas, sem bibliotecas, centros de juventude, teatros ou centros culturais; a maioria das vilas árabes, segundo o prefeito árabe de Nazaré, que fala com a autoridade única de um não judeu em Israel, carece de eletricidade, redes de comunicação e centros de saúde; nenhuma vila possui rede de esgoto, exceto Nazaré, que é servida apenas parcialmente; nenhuma vila possui estradas ou ruas. Enquanto o judeu tem direito ao máximo, ao não judeu é concedido o mínimo indispensável. De uma força de trabalho de 80 mil árabes, 60 mil trabalham em negócios administrados

---

49 Yoseph Elgazi, *Zo Hadareth*, 30 jul. 1975.

A questão da Palestina

por judeus. "Esses trabalhadores veem suas cidade e suas vilas apenas como locais de residência, em que a única 'atividade' próspera é a geração e o fornecimento de mão de obra."[50] Mão de obra sem importância política, sem base territorial, sem continuidade cultural; se ousasse permanecer após a criação do Estado de Israel em 1948, o não judeu teria somente o parco sustento de estar *lá*, praticamente sem nenhum poder, exceto o de reproduzir a si mesmo e a sua miséria de modo mais ou menos infinito.

Até 1966, os cidadãos árabes de Israel eram comandados por um governo militar que se dedicava exclusivamente a controlar, oprimir, manipular, aterrorizar e intrometer-se em cada faceta de sua vida, desde o nascimento até praticamente a morte. Após 1966, a situação não melhorou, como comprova uma série incontrolável de revoltas e manifestações populares; as Leis Emergenciais de Defesa foram usadas para expropriar milhares de acres de terras árabes, seja sob alegação de que a propriedade estava em zona de segurança, seja sob pretexto de que estava abandonada (ainda que, em muitos casos, os proprietários declarados ausentes estivessem presentes – uma ficção jurídica com requintes kafkianos). Qualquer palestino conhece o significado da Lei de Propriedade de Ausente de 1950, da Lei de Aquisição de Terras de 1953, da Lei de Confisco de Propriedade em Tempos de Emergência de 1949, da Lei de Prescrição de 1958. Além do mais, os árabes eram e ainda são proibidos de viajar livremente, arrendar terras de judeus ou mesmo falar, debater ou estudar livremente. Houve casos de toques de recolher impostos de uma hora para outra nos vilarejos e, embora fosse claramente impossível que os trabalhadores tomassem conhecimento da medida, os "culpados" eram sumariamente fuzilados; o episódio mais brutal ocorreu em outubro de 1956, em Kafr Kassim: 49 camponeses desarmados foram fuzilados por um guarda de fronteira, um setor do Exército

---

50 Zayyad, "Fate of the Arabs in Israel", p.98-9.

israelense particularmente eficiente. Diante de certa indignação, o oficial que comandou a operação foi julgado, declarado culpado e punido com uma multa de uma piastra (menos de um centavo de dólar).

Desde a ocupação da Cisjordânia e da Faixa de Gaza em 1967, Israel conseguiu cerca de um milhão a mais de súditos árabes. Sua reputação pouco melhorou, mas isso não causa surpresa.[51] Na realidade, a melhor introdução ao que acontece nos territórios ocupados é o testemunho de árabe-israelenses que sofreram a brutalidade das leis israelenses antes de 1967. Por exemplo, *The Arabs in Israel* [Os árabes em Israel], de Sabri Jiryis, *To Be an Arab in Israel* [Ser árabe em Israel], de Fouzi al--Asmar, ou *The Palestinians in Israel: A Study in Internal Colonialism* [Os palestinos em Israel: um estudo do colonialismo interno], de Elia T. Zwrayk. O objetivo político de Israel tem sido manter os árabes pacificados, incapazes de impedir a duradoura dominação de Israel. Sempre que um líder nacionalista ganha evidência, ele é deportado, preso (sem julgamento) ou desaparece; casas árabes (cerca de 17 mil) foram explodidas pelo Exército para servir de exemplo aos transgressores nacionalistas; a censura a *tudo que é escrito por ou sobre árabes* persiste; todo árabe está diretamente sujeito às leis militares. Para encobrir a repressão e evitar que ela tire o sossego da consciência israelense, foi criado um grupo

---

51 Entretanto, no editorial de 19 de maio de 1976, o *The New York Times* qualificou a ocupação israelense da Cisjordânia e da Faixa de Gaza de "modelo de futura cooperação" entre os dois povos. A destruição das casas dos árabes, além da tortura, da deportação, do assassinato e da detenção administrativa, tudo foi denunciado pela Anistia Internacional, pela Cruz Vermelha e até pelo relatório sobre abusos contra os direitos humanos de 1978 do Departamento de Estado. Ainda assim, a repressão continua, tanto as graves e brutais que mencionei quanto as outras. As punições coletivas são comuns: em 1969, o governo militar proibiu a venda de carne de carneiro como forma de castigar a cidade de Ramallah; em 1970, em plena época de uva, a venda, a colheita e as atividades afins foram proibidas, a não ser que pessoas ilustres condenassem publicamente a OLP. Em abril de 1978, impôs-se um toque de recolher de sete dias em Nablus, porque "os habitantes não colaboraram com a polícia".

de especialistas árabes – judeus israelenses que compreendem a "mentalidade" árabe. Um deles, Amnon Lin, escreveu em 1968 que "o povo confiou em nós e deu-nos uma liberdade de ação que não foi desfrutada por nenhum outro grupo no país, em nenhum campo". Consequentemente:

> Com o tempo, alcançamos uma posição única no Estado como especialistas, e ninguém ousa contestar nossas opiniões ou nossas ações. Somos representados em cada departamento de governo, na Histadrut* e nos partidos políticos; todos os departamentos e gabinetes têm seu "arabista", que atua sozinho em nome do ministro·entre os árabes.[52]

Esse quase governo interpreta e governa os árabes por trás de uma fachada de conhecimento privilegiado. Como observei no Capítulo 1, quando desejam informações sobre "os árabes", visitantes liberais obtêm um retrato convenientemente cosmético.[53] Enquanto isso, é claro, as colônias israelenses em territórios ocupados se multiplicam (foram mais de noventa desde 1967); a lógica da colonização pós-1967 segue o mesmo padrão, resultando no mesmo deslocamento de árabes do período pré-1948.[54]

---

* Federação dos trabalhadores judeus, organização sionista responsável pelos primeiros passos da organização do Estado de Israel. (N. T.)

52 Lin apud Jiryis, *The Arab in Israel*, p.70.

53 Ver Bellow, *To Jerusalem and Back*, p.152-61 et seq.

54 No artigo "Settlement Drive Lies Behind Latest Israeli 'No'", John Cooley deixa claro que Israel planeja oficialmente povoar a Cisjordânia com uma maioria judaica (1,25 milhão) até o ano 2000, e que Yamit (na passagem de Rafah, no Sinai) está sendo concebida como uma importante cidade israelense, ainda em construção. Segundo Arye Duzin, presidente da Agência Judaica, Yamit "deve permanecer sob domínio judaico", conforme previsto em 1903 pelo Executivo sionista. Muitos dos assentamentos serão ocupados por judeus sul-africanos (daí a cooperação militar – na verdade, nuclear – entre Israel e a África do Sul, e as relações particularmente cordiais com o primeiro-ministro John Vorster, um nazista confesso), norte-americanos e, é claro, russos.

Há um sionismo e uma Israel para os judeus e um sionismo e uma Israel para os não judeus. O sionismo traçou uma linha clara entre os judeus e os não judeus; Israel construiu todo um sistema para mantê-los separados, inclusive os tão admirados (e segregacionistas) kibutzim, dos quais os árabes nunca fizeram parte. De fato, os árabes são governados por um governo à parte, que se baseia na impossibilidade de isonomia para ambos, judeus e não judeus. A partir dessa premissa radical, tornou-se natural para o arquipélago gulag árabe desenvolver sua própria vida, criar sua própria precisão, seu próprio detalhe. Uri Avneri disse o seguinte no Knesset [Parlamento]:

> Um governo completo [...] foi criado no setor árabe, um governo secreto, não sancionado pela lei [...] cujos membros e métodos não são conhecidos [...] para ninguém. Seus agentes estão espalhados pelos ministérios do governo, desde a Administração Israelense de Terras até os Ministérios da Educação e das Religiões. Ele toma decisões fatídicas, que afetam vidas [árabes] em lugares desconhecidos, sem documentação, e comunica-as em conversas secretas ou pelo telefone. É assim que se decide quem vai ao seminário dos professores, quem terá um trator, quem será indicado a um cargo de governo, quem receberá subsídios financeiros, quem será eleito para o Knesset, quem será eleito para o conselho local – se houver – e assim por diante, por mil e uma razões.[55]

De tempos em tempos, porém, surgem revelações inadvertidas sobre o governo para os árabes em Israel, dadas a observadores atentos. O exemplo menos guardado foi o relatório secreto de Israel Koenig, comissário ministerial do distrito norte (Galileia), escrito para o então primeiro-ministro Yitzhak Rabin, sobre o "tratamento dos árabes em Israel". (O texto integral vazou para o *Al-Hamishmar* em 7 de setembro de 1976.) Seu teor provoca

---

55 Avneri apud Jiryis, *The Arab in Israel*, p.70.

arrepios, mas cumpre as hipóteses do sionismo em relação a suas vítimas, os não judeus. Koenig admite francamente que os árabes são um problema demográfico, uma vez que, ao contrário dos judeus, cujo crescimento é de 1,5% ao ano, os árabes crescem a uma taxa de 5,9% ao ano. Além disso, reconhece que é política nacional para os árabes mantê-los subordinados, embora sejam naturalmente suscetíveis à agitação nacionalista. O principal, porém, é assegurar que, em áreas como a Galileia, a densidade populacional árabe e, consequentemente, seu potencial conflitivo sejam reduzidos, contidos, enfraquecidos. Por conseguinte, sugere que é necessário

> expandir e aprofundar a colonização judaica em áreas onde a contiguidade com a população árabe seja preeminente, e onde esta seja consideravelmente maior do que a população judaica; examinar a possibilidade de diluir as concentrações populacionais árabes existentes. Deve-se dar atenção especial às áreas fronteiriças a noroeste do país e à região de Nazaré. Deve-se desviar da rotina adotada até aqui quanto a abordagem e a exigência de desempenho. Ao mesmo tempo, deve-se impor a lei de Estado a fim de limitar a "abertura de novos caminhos" pelos assentamentos árabes em várias regiões do país.

A estratégia quase militar dessas sugestões é evidente. O que se deve notar também é a visão inquestionável de Koenig sobre os imperativos sionistas que ele tentava implantar. Nada em seu relatório sugere apreensão em relação aos fins francamente raciais que suas sugestões promovem; ele não duvida de que aquilo que diz é plenamente coerente com a história da política sionista em relação aos não judeus que tiveram a má sorte de residir em território judeu, ainda que em número preocupantemente maior. Ele ainda argumenta – logicamente – que qualquer líder árabe que pareça causar problema deve ser substituído, o governo deve se propor a "criar" (a palavra tem um tom quase teológico, bastante compatível com a política judaica para os árabes) "novas figuras [árabes] de alto padrão intelectual, figuras que sejam justas e carismáticas" e totalmente aceitas pelos governantes israelenses. Além disso, ao "dissipar" os agitadores nacionalistas, cujo grande pecado parece ser o de encorajar outros nativos a se opor a sua inferioridade forçada, o governo deve formar "uma equipe especial [...] para examinar os hábitos pessoais de [...] líderes e outros indivíduos negativos, e essa informação deve ser disponibilizada ao eleitorado".

Não satisfeito com a "diluição" e a manipulação dos cidadãos árabes de Israel, Koenig sugere meios de "neutralizá-los" e "obstruí-los" economicamente. No entanto, poucas dessas sugestões poderiam ser eficazes, a menos que houvesse algum meio de eliminar a "grande população da elite intelectual frustrada, forçada por uma necessidade mental a buscar alívio. Manifestações desse tipo são direcionadas contra o *establishment* israelense do Estado". Koenig parece pensar que é muito natural manter os árabes frustrados, pois, quando lemos suas sugestões, pouco nos lembra que os árabes são pessoas, ou que seu relatório não foi escrito por um nazista durante a Segunda Guerra Mundial sobre os judeus, mas por um judeu em 1976 sobre seus concidadãos árabes. O golpe de mestre do plano de Koenig aparece quando ele discute a engenharia social necessária para usar o "caráter levantino" retrógrado do árabe contra ele mesmo. Como os árabes formam uma comunidade em desvantagem em Israel, essa realidade deve ser realçada da seguinte maneira:

a) Os critérios de admissão de estudantes universitários árabes devem ser os mesmos dos estudantes judeus e isso deve se aplicar também à concessão de bolsas de estudo.

Uma implementação meticulosa dessas regras produzirá uma seleção natural [a terminologia darwiniana fala por isso só] e reduzirá consideravelmente o número de alunos árabes. Em consequência, o número de graduados de baixo nível também diminuirá, um fato que facilitará sua absorção no mercado de trabalho após os estudos [o plano é garantir que os jovens árabes sejam facilmente assimilados em empregos subalternos e, desse modo, garantir sua castração intelectual].

b) Estimular o direcionamento dos estudantes para profissões técnicas, ciências físicas e naturais. Esses estudos deixam menos tempo para que eles se metam com o nacionalismo, e a taxa de evasão é mais alta. [As ideias de Koenig sobre a incompatibilidade entre valores científicos e humanos superam as de C. P. Snow. Certamente, trata-se de um exemplo sinistro do uso da ciência como punição política; é inusitado até para a história do colonialismo.]

c) Facilitar as viagens de estudo ao exterior e, ao mesmo tempo, dificultar o retorno e o emprego – essa política é capaz de encorajar a emigração.

d) Adotar medidas rigorosas em todos os níveis contra vários agitadores entre colegiais e universitários.

e) Preparar com antecedência a possibilidade de absorção para a maioria dos graduados, de acordo com suas qualificações. Essa política pode ser implementada graças ao tempo disponível (alguns anos) para que as autoridades planejem seus passos.

Se essas ideias fossem formuladas por stalinistas, por socialistas orwellianos ou mesmo por nacionalistas árabes, o clamor dos liberais seria ensurdecedor. As sugestões de Koenig, no entanto, parecem universalmente justificáveis pela lógica dos acontecimentos, que opõe uma pequena e valente população ocidental de judeus a uma vasta e amorfa população de árabes que se espalha por metástase e arruína-se por negligência. Nada no relato de Koenig contradiz a dicotomia básica do sionismo, isto é, benevolência com os judeus e hostilidade essencial, porém paternalista, com os árabes. Além do mais, o próprio Koenig escreve tanto do ponto de vista do ideólogo, ou do teórico, quanto de uma posição de autoridade e poder dentro da sociedade israelense. Como governador dos árabes em Israel, Koenig manifesta tanto uma atenção oficial ao bem-estar dos judeus, cujos interesses ele mantém e protege, quanto um domínio paternalista e gerencial sobre os nativos inferiores. Sua posição é consagrada, portanto, pelas instituições do Estado judeu; autorizado por elas, ele pensa em termos de um futuro máximo para os judeus e outro mínimo para os não judeus. Todas essas ideias são perfeitamente expressas no seguinte parágrafo extraído de seu relatório:

> A aplicação da lei em um país com uma sociedade em desenvolvimento como a de Israel é um problema que deve ser resolvido com flexibilidade, cuidado e muita sabedoria. Ao mesmo tempo, porém, a autoridade administrativa e executiva no setor árabe deve estar ciente da existência da lei e de sua imposição de modo a evitar desgaste.[56]

Entre Weizmann e Koenig, há um intervalo de várias décadas. O que era uma projeção visionária para o primeiro tornou-se um contexto de lei vigente para o segundo. Da época de Weizmann para a de Koenig, o sionismo para os árabes nativos na Palestina passou de uma crescente invasão de suas vidas a uma realidade estabelecida – uma nação-Estado – que os encerrou dentro dela. Para os judeus, após 1948, Israel não só realizou suas aspirações políticas e espirituais, como continuou a ser o farol que atraía os que ainda viviam na Diáspora e mantinha os que viviam na antiga Palestina na fronteira do desenvolvimento e da autorrealização judaica. Para os árabe-palestinos, Israel era um fato essencialmente hostil e vários corolários desagradáveis. Após 1948, os palestinos desapareceram da nação e da lei. Alguns reapareceram juridicamente como "não judeus" em Israel; os que partiram tornaram-se "refugiados" e, mais tarde, alguns obtiveram novas identidades árabes, europeias ou norte-americanas. Nenhum palestino, porém, perdeu sua "antiga" identidade palestina. Apesar de ficções jurídicas como

---

56 A íntegra do relatório Koenig foi publicada em inglês na *SW ASIA*.

A questão da Palestina

a inexistência de palestinos em Israel e em qualquer outra parte do mundo, o palestino ressurgiu finalmente e, com uma grande atenção internacional voltada para ele, preparou-se para tomar conhecimento crítico da teoria e da prática sionista.

O clamor no Ocidente após a aprovação nas Nações Unidas da resolução de 1975, segundo a qual "o sionismo é racismo", foi genuíno, sem dúvida. As conquistas de Israel – ou melhor, as conquistas em favor dos judeus europeus, não tanto para a maioria judaica sefardita (oriental) – despontam ante o mundo ocidental; em comparação com a maioria dos padrões, são conquistas consideráveis, e é direito que não sejam manchadas por acusações retóricas de longo alcance associadas ao "racismo". Para o árabe-palestino, que viveu e estudou os procedimentos do sionismo em relação a ele e a sua terra, o dilema é complicado, mas não obscuro. Ele sabe que a Lei do Retorno, que permite entrada imediata em Israel a um judeu é exatamente a mesma que o impede de retornar ao seu lar; também sabe que os ataques israelenses mataram milhares de civis, todos sob pretexto aceitável de combater o terrorismo,[57] mas, na realidade, porque os palestinos como raça se tornaram sinônimos de terrorismo degenerado e sem fundamento; ele compreende, sem talvez ser capaz de dominar, o processo intelectual pelo qual sua humanidade violada foi transformada, ignorada e despercebida, em elogio à ideologia que só faltou destruí-lo. *Racismo* é um termo muito vago: sionismo é sionismo. Para o árabe-palestino, essa tautologia tem um sentido que corresponde à perfeição, mas opõe-se diretamente àquilo que ele diz aos judeus.

---

57 Tomemos como exemplo o ataque de palestinos a Maalot em maio de 1974. Esse episódio passou a ser sinônimo de terrorismo palestino, mas nenhum jornal norte-americano informou o fato de que, antes do incidente, durante duas semanas consecutivas, a artilharia e a força aérea israelense foram usadas para bombardear sem piedade o sul do Líbano. Mais de 200 civis foram mortos por bombas de napalm e no mínimo 10 mil ficaram desabrigados. Ainda assim, Maalot é lembrada.

Onerado por um orçamento militar que consome 35% de seu produto interno bruto, isolado, exceto por alguns e cada vez mais críticos amigos do Atlântico, perseguido por questões sociais, políticas e ideológicas com as quais só consegue lidar esquivando-se completamente, Israel encara hoje um triste futuro. A missão de paz do presidente Sadat produziu afinal certa oposição à loucura teológica fossilizada de Begin, mas é questionável se, na ausência de um aparato conceitual e, mais ainda, institucional para chegar a um acordo humano com a realidade palestina, ocorrerá alguma mudança decisiva desse lado. A poderosa e influente comunidade judaica norte-americana ainda faz valer sua ajuda financeira e sua visão reducionista das coisas sobre a vontade israelense. Também não devemos deixar passar a temível política de defesa dos Estados Unidos, que é mais do que uma resposta à avidez do setor empresarial pelos ricos mercados árabes de petróleo, enquanto continua a amontoar armas modernas em uma Israel, e também em um Egito, que se armam dia após dia para combater o "radicalismo", a União Soviética ou qualquer outro pesadelo geopolítico dos Estados Unidos. O claro impacto no irrestrito militarismo israelense é indicado fielmente em um artigo do *Ha-aretz*, de 24 de março de 1978, que celebra a aventura libanesa nos seguintes termos:

> O que aconteceu na semana passada mostrou a todos que têm olhos na cara que a força de defesa israelense é atualmente um Exército norte-americano, tanto na quantidade quanto na qualidade de seu armamento: os fuzis, os veículos blindados, os caças F-15 e até os aviões KFIR, com seus motores norte-americanos, são provas que convencerão qualquer um.

Entretanto, até esse panegírico que o próprio autor chama de "equipamento militar exuberante" de Israel é tratado como uma influência perniciosa por intelectuais ocidentais e israelenses, que há trinta anos não hesitam em aplaudir Israel e o sionismo.

Eles desempenharam à perfeição o papel de "especialistas em legitimação" definido por Gramsci, desonestos e irracionais, apesar de seus protestos a favor da sensatez e do humanismo. Se examinarmos os infames registros, encontraremos somente um punhado de gente – como Noam Chomsky, Israel Shahak, I. F. Stone, Elmer Berger, Judah Magnes – que tentou ver o que o sionismo fez aos palestinos não apenas uma vez em 1948, mas ao longo de anos. Esse silêncio quase total sobre as doutrinas do sionismo e o tratamento dado aos palestinos é um dos episódios culturais mais assustadores do século XX. Hoje, qualquer intelectual com respeito próprio tem algo a dizer sobre os abusos aos direitos humanos na Argentina, no Chile ou na África do Sul; entretanto, quando são apresentadas provas irrefutáveis de prisão preventiva, tortura, remoção de população e deportação de árabe-palestinos por parte de Israel, nada é dito. Simples declarações de que a democracia é respeitada em Israel são suficientes para convencer um Daniel Moynihan ou um Saul Bellow, por exemplo, de que tudo vai bem no *front* moral. Talvez a verdadeira extensão desse culto ao Estado possa ser apreciada quando se lê a respeito da reunião que ocorreu em 1962 entre Martin Buber e Avraham Aderet e foi publicada na edição de dezembro do *Petahim*, uma revista religiosa israelense trimestral. Aderet enaltece o Exército como a experiência de quem forja o caráter da juventude, usando como exemplo um episódio ocorrido durante a guerra de 1956 com o Egito, quando um oficial ordenou a um grupo de soldados que matasse "qualquer prisioneiro de guerra egípcio [...] que caia em nossas mãos". Alguns voluntários se apresentaram e os prisioneiros foram devidamente fuzilados, embora um dos voluntários tenha dito que "fechou os olhos quando atirou". Nesse ponto, Aderet diz: "Não há dúvida de que esse teste pode gerar confusão em qualquer homem de consciência e experiência de vida, mais ainda em jovens que estão no início da vida. O mal não foi a confusão que esses jovens sentiram no momento da ação, mas o abalo interno depois". A essa interpretação edificante, Buber – filósofo moral, pensador humanista, ex-binacionalista – só conseguiu dizer: "Essa é uma grande e verdadeira história, você deveria escrever sobre ela". Nenhuma palavra sobre o horror da história ou da situação que a provocou.

Mas assim como nenhum judeu nos últimos cem anos foi indiferente ao sionismo, nenhum palestino passou ileso por ele. No entanto, não devemos esquecer que o palestino não existia apenas em função do sionismo. Sua vida, sua cultura e sua política têm sua própria dinâmica e, em última análise, sua própria autenticidade, à qual nos dedicaremos agora.

3
Rumo à autodeterminação palestina

I. Os remanescentes, os exilados, os reféns da ocupação

Hoje, há entre 3,5 milhões e 4 milhões de árabe-palestinos espalhados pelo mundo. Cerca de 650 mil são o que conhecemos como árabe-israelenses; 1 milhão vive na Cisjordânia e na Faixa de Gaza, sob ocupação militar israelense; aproximadamente 1 milhão vive na Jordânia e cerca de 450 mil moram no Líbano; o restante divide-se entre os Estados do Golfo Pérsico, Síria, Egito, Líbia, Iraque e, em número menor, na Europa e na América do Norte e do Sul. Estou certo de que qualquer um deles se julga em exílio, embora saibam perfeitamente bem que o tipo e as condições de exílio variam muito. Todavia, por trás de cada palestino, existe um grande fato genérico: até pouco tempo atrás, ele vivia em sua própria terra, chamada Palestina, que não é mais sua pátria. Não é necessária nenhuma nuance para um palestino fazer essa constatação; parece que há bem poucas condições ou ressalvas atreladas a ela. No entanto, como Tolstói afirmou a respeito das famílias – as felizes são todas iguais, as infelizes se distinguem por sua infelicidade –, o trauma palestino parece uma das 3,5 milhões de variações sobre o tema. Esta é uma variação, ocorrida em uma pequena vila árabe na Galileia ocidental quando foi tomada pelas forças sionistas na primavera de 1948. O relato é de uma camponesa idosa que vive em um campo de refugiados no Líbano. Sua história foi registrada em 1973.

> Dormimos nos pomares da vila naquela noite. Na manhã seguinte, Umm Hussein e eu fomos até a vila. As galinhas estavam nas ruas, e Umm Hussein sugeriu que eu fosse buscar água. Avistei Umm Taha a caminho da praça. Ela gritou: "É melhor você ir ver seu marido, ele morreu". Encontrei-o. Com um tiro na nuca. Puxei-o para a sombra e fui buscar Umm Hussein para me ajudar a enterrá-lo. Eu não sabia o que fazer. Eu não podia cavar uma sepultura para ele. Nós o carregamos em um pedaço de madeira até o cemitério e o enterramos ao lado do túmulo da mãe [...]. Até hoje eu me preocupo e rezo para que eu o tenha enterrado do modo certo, na posição adequada. Fiquei em Kabri seis dias, sem comer nada. Decidi partir e ficar com a minha irmã, que tinha fugido antes com a família para a Síria. Pedi a Abu Ismail 'Arkeh, um velho, para me acompanhar até Tarshiha, e ele fez isso. Deixamos os outros na vila. Não sei o que aconteceu com eles. Abu Ismail ficou com o filho em Tarshiha, e eu segui para a Síria.[1]

Ninguém poderia encontrar esse tipo de relato em inglês antes de meados ou fim da década de 1960. Nos vinte anos após o surgimento de Israel, o mundo soube de modo muito vago dos "refugiados palestinos" ou, mais comumente, ouviu falar de "refugiados árabes". Um livro clássico em Ciências Sociais sobre o Oriente Médio, escrito na década de 1950,[2] trata dos palestinos

---

1 Citado em Nazzal, "The Zionist Occupation of Western Galilee, 1948", p.70.
2 Fisher, *Social Forces in the Middle East*.

em um capítulo à parte, mas não dá nenhuma indicação ao leitor de que esse povo existia, exceto como um irritante obstáculo ao "progresso" na região ou como estatística na agenda das Nações Unidas para os refugiados em geral. (Há um erro acadêmico e de "inteligência" semelhante em relação à oposição iraniana ao xá: quando a oposição irrompeu em 1979, pegou todo mundo de surpresa, não porque não existisse, mas porque ninguém a considerava uma ameaça à estabilidade do xá!)

Outro problema, que de certo modo afastava o palestino dele mesmo e do mundo, era a divisão da comunidade, que já durava vinte anos: havia palestinos que estavam manifestamente no exílio e havia aqueles que viviam um exílio interno em Israel. Os primeiros tendiam a ver a si mesmos à luz da política árabe ou a se adaptar ao novo local de residência; os últimos eram excluídos do mundo árabe e, tanto quanto podiam, tentavam moldar sua vida ao pequeno espaço que lhes era oferecido pelo governo israelense. Em ambos os casos, o que faltou durante muito tempo foi uma força política aglutinadora capaz de transformar a experiência palestina em algo mais do que um pesadelo inerte, situado em um lugar qualquer de uma história irrecuperável.

É claro que o que mais faltava era um país, que, até a Palestina ser suplantada por Israel, tinha uma natureza predominantemente árabe (muçulmana e cristã). A atitude sionista e ocidental em relação a esse fato foi descrita nos capítulos 1 e 2, mas, para qualquer palestino, não havia dúvida de que seu país possuía identidade e características próprias. É verdade que a Palestina foi parte do Império Otomano até o fim da Primeira Guerra Mundial, e é verdade também que, em qualquer sentido aceitável, não era um país independente. Seus habitantes se referiam a si mesmos como palestinos, mas faziam distinção entre eles mesmos, os sírios, os libaneses e os transjordanos. Muito do que chamamos de autoafirmação palestina surgiu como resposta ao fluxo de imigrantes judeus para a Palestina a partir da década de 1880, assim como aos pronunciamentos ideológicos de organizações sionistas a respeito da Palestina. Sob a sensação constante de invasão estrangeira, os árabe-palestinos cresceram juntos como comunidade durante o período entreguerras. Tudo que era fato – a estrutura da sociedade, a identidade da vila e da família, os costumes, a culinária, o folclore, o dialeto, os costumes distintos e a história – era citado como prova, de palestinos para palestinos, de que, mesmo sendo colônia, o território sempre foi sua terra natal e eles formavam um povo: 60% da população vivia da agricultura; o restante dividia-se entre citadinos e, em número relativamente pequeno, nômades. Todos eles acreditavam pertencer a uma terra chamada Palestina, apesar do sentimento de que também faziam parte de uma grande nação árabe; durante todo o século XX, eles se referiram ao seu país como *Filastinuna* (nossa Palestina).

Hoje, o truísmo é que, por estar no centro da "crise do Oriente Médio", os palestinos devem participar da resolução dessa crise. Embora seja evidente que este livro sustenta esse truísmo, pretendo fazer mais do que apresentar uma justificativa convincente para ele. Meu argumento é que, justamente porque há uma aceitação corrente e *geral* (recente) da identidade política palestina, há também uma série de riscos de que uma solução geral possa não perceber – ou mesmo possa até *destruir* – a realidade *específica* e circunstanciada dos palestinos. O que tenho tentado ressaltar neste ensaio, portanto, é a riqueza da "questão palestina", uma riqueza comumente obscurecida, ignorada ou deliberadamente malrepresentada. Parto da premissa de que grupos de seres humanos – sobretudo os que estão diretamente envolvidos no conflito entre palestinos e sionistas – agem baseados em uma convicção apaixonada, ou ao menos empenhada. Isso se aplica ao que tanto os judeus quanto os palestinos sentem em relação ao sionismo e a Israel. Contudo, a discrepância entre o entendimento comum do sionismo e dos palestinos tem anulado em geral os valores e a história dos conflitos que animaram os palestinos no século XX, já que a maioria dos norte-americanos parece ignorar que os palestinos viveram de fato na Palestina antes do surgimento de Israel. Mas só começaremos a vislumbrar as bases de um compromisso, de um acordo e, por fim, da paz, se esses valores e essa história forem levados em consideração. Minha tarefa é apresentar a história palestina; a sionista é muito mais conhecida e apreciada.

Não considero exagero afirmar que, apesar da súbita atenção destinada a eles, os palestinos ainda são percebidos – às vezes até por eles próprios – a partir de um conjunto de atributos basicamente negativos. Sendo esse o caso, o processo em direção à plena autodeterminação [*self-determination*] palestina será extremamente difícil, uma vez que a autodeterminação só seria possível se existe um "*self*" claramente discernível a ser determinado. O exílio e a dispersão tornam o problema evidente; durante boa parte do século XX, os palestinos se manifestaram, no mundo e na história, na maioria das vezes como recusa e rejeição. Eles foram associados à oposição ao sionismo, ao "cerne" do problema do Oriente Médio, ao terrorismo, à intransigência – e a lista é longa e pouco lisonjeira. Eles tiveram a extraordinária má sorte de ter uma boa justificativa para resistir à invasão de sua terra natal, combinada – no plano internacional e moral – com o oponente mais moralmente complexo de todos, os judeus, que têm uma longa história de terror e vitimização. O mal absoluto do colono-colonialismo dilui-se e talvez até se dissipe quando se trata de uma sobrevivência judaica que recorre ao colono-colonialismo para corrigir seu destino e na qual se crê piamente. Não tenho dúvida de que todo palestino pensante, ou aqueles que, como eu, foram poupados pela sorte e pelo privilégio, sabe que qualquer paralelo real entre Israel e a África do Sul fica gravemente abalado em sua consciência quando ele reflete sobre a diferença entre os colonizadores brancos que desembarcaram na África e os judeus que fugiram do antissemitismo na Europa. Mas as vítimas na África e na Palestina têm feridas e cicatrizes muito parecidas, ainda que seus algozes sejam diferentes. Contudo, o vínculo entre os povos oprimidos não europeus marginalizou os judeus que, na Palestina, escolheram incondicionalmente o Ocidente e seus métodos.

Até agora, as dificuldades foram descomunais. O curioso é que a própria existência dessas dificuldades deu aos palestinos parte de sua longevidade e capacidade de sobrevivência – embora a maioria delas tenha sido manipulada por forças ansiosas por ver o fim dos palestinos. Mas ainda mais curioso é o total desconhecimento da psicologia humana básica nos sionistas e em outros (muitos árabes também) que têm de lidar com os palestinos. Nesse sentido, a cegueira da política e a rudeza do poder opressivo aparecem na forma quase de um texto escolar. Tanto no nível teórico quanto no prático, os colonizadores judeu-sionistas na Palestina esperavam, talvez, que os árabes partissem ou não os incomodassem, se *eles*, os palestinos, fossem ignorados, isolados e escamoteados. Mais tarde, acreditaram que punir os palestinos que tinham as mãos manchadas de sangue e terrorismo poderia incliná-los a aceitar o sionismo. Após 1948, o Estado de Israel usou a população nativa para apagar sua própria humanidade, tentando reduzi-la a uma classe de objetos irracionais, pouco versáteis, completamente submissos. Após 1967, houve mais violência contra os árabes sitiados na Cisjordânia, nas Colinas de Golã, no Sinai e na Faixa de Gaza. Nada foi poupado aos árabes, da tortura aos campos de concentração, passando por deportação, vilas arrasadas, campos devastados (por exemplo, a destruição dos campos de trigo com substâncias químicas lançadas de um Piper Cub, em 28 de abril de 1972, na vila de Akraba, na Cisjordânia, como noticiou *Le Nouvel Observateur*, em 3 de julho de 1972), casas destruídas, terras confiscadas, populações "transferidas" aos milhares. Mas os palestinos não acabaram, ainda que sobrevivam aos olhos do mundo apenas como uma frase – "a questão palestina" – simbolizando, como se diz, a última lacuna instransponível entre Israel e os Estados árabes.

A questão da Palestina

O que me preocupa é a forma da sobrevivência palestina. Tomemos, em primeiro lugar, as dificuldades principais: uma comunidade dividida, dispersa, sem soberania territorial própria, enfrentando a constante opressão sionista e a indiferença mundial, selecionada (sem ter sido consultada) para o papel de interlocutor ausente ou totalmente negativo, representando uma parte relutante na dinâmica interárabe, na rivalidade entre as grandes potências e na miscelânea de lutas de poder ideológicas. Os palestinos são ameaçados de subordinação e supressão por todos os lados; entretanto, nas lamentáveis circunstâncias atuais, não pode haver uma autoafirmação palestina completamente unificada – exceto pela retórica, por atos de vontade ou desespero individual em geral desconexo, por confronto aberto, deliberado e, em última instância, arriscado com um ou outro país anfitrião. Com exceção da calamidade histórica coletiva que mencionei anteriormente, não existe uma situação palestina abrangente, embora eu acredite que se possa falar de uma posição palestina coletiva. No Líbano, por exemplo, há uma forte presença armada de palestinos, simbolizada pela autoridade da OLP. Mas o Líbano é controlado (e ameaçado) pela Síria. Na Jordânia, os palestinos têm direito à cidadania jordaniana, mas, também nesse caso, a necessária mediação da Jordânia (que tem a prerrogativa de Estado soberano sobre a população residente) incomoda a consciência dos palestinos em virtude da guerra da Jordânia contra a Palestina em 1970-1971. Os palestinos que vivem no Iraque e nos Estados do Golfo Pérsico, por mais importantes que sejam, estão sujeitos às mesmas leis que tornam impossível a plena liberdade civil mesmo para os cidadãos nativos. Os habitantes da Cisjordânia, da Faixa de Gaza e os árabe-israelenses vivem sob um sistema de leis e dominação que torna difícil compatibilizar sua situação coletiva com a de seus irmãos palestinos na Jordânia ou no Líbano.

Cada comunidade palestina precisa lutar para manter sua identidade em ao menos dois níveis: em primeiro lugar, como palestino diante do encontro histórico com o sionismo e a perda precipitada de sua pátria; em segundo lugar, como palestino no cenário da vida cotidiana, respondendo às pressões em seu Estado de residência. Nenhum palestino tem um Estado como palestino, embora seja "de" um Estado, sem pertencer a ele, no qual ele reside no momento. Há palestinos libaneses e palestinos norte-americanos, assim como há palestinos jordanianos, sírios e cisjordanos; proporcionalmente, eles crescem mais do que os judeus israelenses e outros árabes, como se a multiplicação das complicações se estendesse à multiplicação dos corpos. Hoje, crianças palestinas nascem tanto em Nova York quanto em Amã; elas ainda se identificam como "originárias de" Shafa'Amr, Jerusalém ou Tiberíades. Essas reivindicações são quase inexpressivas, exceto pelo fato de que se somam a uma presença genealógica paradoxalmente palestina, que se estabelece contra a lógica da história e da geografia. Os palestinos extraem seu senso de detalhe e realidade do uso dos padrões de uma fusão concreta de tempo e espaço. O padrão começa na Palestina, com um pedaço de terra real, embora parcialmente mitificado, uma casa, uma região, uma vila ou talvez apenas um empregador; então, desloca-se para assumir o fim de uma identidade nacional coletiva (mesmo permanecendo na antiga Palestina), o início de um exílio concreto que sempre colide (depois, de maneira mais sutil) com leis destinadas especificamente aos palestinos e, por fim, um sentido de esperança e de orgulho pelas realizações palestinas. E há hostilidade em toda parte. As crianças nascidas depois de 1948 afirmam a conexão original com a Palestina perdida como uma pequena evidência simbólica de que os palestinos seguiram em frente, apesar de tudo: *ele* ou *ela* teriam nascido na Palestina, não fosse 1948. Esse é o aspecto sentimental. Outro aspecto é que essas crianças pós-1948 registram todas as peregrinações e aflições de seus pais, mas ainda são indivíduos capazes de expressar tanto o nosso movimento rumo ao futuro, como também sua própria maneira de *ser* esse futuro.

Salvo os mais óbvios, nenhum outro povo expropriado se compara ao palestino do século XX. Não se trata de quem sofreu ou perdeu mais – essas comparações são indecentes. O que quero dizer é que nenhum povo, para o bem ou para o mal, possui um significado tão múltiplo e, no entanto, tão inalcançável ou indigesto quanto os palestinos. A relação com o sionismo e, em última instância, com o judaísmo político e espiritual impõe aos palestinos um fardo terrível como interlocutores dos judeus. A relação com o Islã, com o nacionalismo árabe, com a luta anticolonialista e anti-imperialista do Terceiro Mundo, com o mundo cristão (e sua ligação histórica e cultural única com a Palestina), com os marxistas e com o mundo socialista, tudo isso põe sobre os palestinos um fardo de interpretação e uma multiplicação de identidades [*selves*] talvez sem paralelo na história política ou cultural moderna – um fato que se torna ainda mais oneroso na medida em que passa por negações e ressalvas. Nós, palestinos, lutamos claramente por nossa autodeterminação, apesar de não termos um lugar, um terreno físico consensual e disponível onde possamos conduzir nossa luta. Somos claramente anticolonialistas e antirracistas em nossa luta, apesar de nossos adversários serem as maiores vítimas de racismo da história e, talvez, nossa luta se travar em um momento pós-colonial inconveniente na história do mundo moderno. Lutamos claramente por um futuro melhor, apesar de que o Estado que nos priva de um futuro próprio já providenciou um futuro para seu povo desafortunado. Somos árabes e, no entanto, não somos simplesmente árabes. Somos exilados e, no entanto, somos hóspedes tolerados em certos países de nosso exílio. Podemos falar de nossos problemas nas Nações Unidas, mas apenas como observadores. De nenhum outro povo inegavelmente expropriado um presidente norte-americano poderia dizer com tanta cautela (em uma era interessada nos direitos humanos e na autodeterminação wilsoniana) que *deveríamos participar da determinação de nosso futuro* (o desajeitado passo de balé para evitar o termo *autodeterminação* é grotesco), e ao mesmo tempo nunca ter conhecido ou falado ao vivo com um palestino legítimo ou seu governo seguir políticas que impedem que vozes palestinas se manifestem diretamente sobre a questão da autodeterminação palestina. Nenhum grupo nacional teve um opressor que falasse tanto tempo e tão ruidosamente sobre sua não existência política e cultural, embora esse "não povo" demonstre, fustigue e lute contra seu opressor dia após dia. Para o palestino, as categorias "demais", "de jeito nenhum" e "exceto por" extinguem-se imperceptivelmente umas nas outras, à sua custa.

Essas dificuldades não são principalmente *psicológicas*. Elas têm consequências psicológicas, mas refiro-me aqui às dificuldades *históricas* de fato, materiais. É isso que torna os palestinos oprimidos tão incomuns. Sua história e sua contemporaneidade são cubistas, todos os planos subitamente invadindo um ou outro campo, seja ele da cultura, esfera política, formação ideológica, sistema de governo nacional. Cada um assume uma identidade problemática própria – todas reais, todas querendo atenção, todas suplicantes, todas exigindo responsabilidade. Hoje, essa realidade palestina freneticamente múltipla tem uma agenda cheia, em que cada item talvez faça sentido, mas a totalidade é o pesadelo dos cientistas políticos. Se deixarmos de lado por alguns instantes os incipientes, porém distintos problemas dos palestinos na Cisjordânia, na Faixa de Gaza e em Israel, há ainda as decisões diárias que devem ser tomadas sobre as relações da OLP com a Arábia Saudita, a China e a União Soviética; há as decisões sobre as relações com cada país árabe, entre eles Síria e Egito, nas quais estão em jogo interesses políticos consideráveis; há a questão da OLP nas Nações Unidas e as organizações ligadas a ela. No Líbano, por exemplo, todos os dias milhares de pessoas devem ser alimentadas, treinadas, armadas, instruídas e informadas, e isso envolve discussões com o Exército sírio, com a direita libanesa, com os aliados locais; de

A questão da Palestina

certo modo, as várias comunidades palestinas, cada qual com suas próprias prioridades, devem manter o contato entre si, tensões devem ser amenizadas ou eliminadas, alianças devem ser promovidas. Além de tudo isso, há sempre o objetivo de pressionar Israel, cujas fronteiras parecem distantes e inalcançáveis para os exilados palestinos. Portanto, em minha opinião, qualquer problema psicológico que se queira descobrir na psique palestina – um novo objeto de investigação entre palestinos e "especialistas" na análise do caráter nacional – parecerá relativamente efêmero diante dessa sequência de imperativos materiais que concorrem entre si.

Desde 1948, o dilema palestino é literalmente o fato de que ser palestino significa viver em uma utopia, em um *lugar inexistente*. Portanto, também literalmente, a luta palestina é profundamente local, e isso ilustra o que direi adiante sobre a mudança da fantasia para a realidade na política palestina. Um traço redentor do cubismo da vida palestina é o foco no objetivo de conquistar um lugar, um território, para se situar nacionalmente. O mero fato passado de já ter tido esse lugar, ou o fato contemporâneo de não ser ninguém nesse lugar, não dão mais aos palestinos a retidão ou a raiva suficiente para continuar a luta. A guerra de 1967 e, ironicamente, a aquisição de mais território palestino pelo sionismo pôs os palestinos exilados e dispersos em contato com o seu *lugar*. De 1967 em diante, o sionismo israelense passou a difundir-se a partir da esotérica política de tratar os palestinos como se não estivessem lá, como seres utópicos cuja presença material se poderia distribuir e fazer desaparecer em um emaranhado de leis que proíbem sua presença no país. Eram centenas de milhares de palestinos e, sobre eles, dominando-os militarmente diante de um mundo que compreendeu de imediato o significado de ocupação militar, estava Israel. A busca de paz pelos palestinos adquiriu um significado concreto: acabar com a ocupação israelense, tirá-la de lá. Do leque de soluções para todo o imbróglio regional, a autodeterminação palestina acabou por

143

se apoiar, de modo geral, na necessidade de um Estado independente em uma parte liberada do território original da Palestina.

Se essa fosse a questão palestina atual, seria bem mais fácil resolvê-la. Há uma dimensão mais ampla interárabe e internacional (sem mencionar a interpalestina) da Palestina como grito de guerra. Ninguém que tenha investido sua energia em defendê-la jamais duvidou que a "Palestina" desencadeou uma série de outras questões. Essa palavra se tornou um símbolo da luta contra a injustiça social: um *slogan* frequente nas manifestações dos estudantes egípcios no início da década de 1970 era: "Somos todos palestinos". Os iranianos que se manifestaram contra o xá em 1978 identificavam-se com os palestinos. O mundo não branco tem consciência de que a tendência da política moderna de governar grupos de pessoas como populações removíveis, silenciosas e politicamente neutras tem uma ilustração específica naquilo que aconteceu com os palestinos – e naquilo que está acontecendo com os cidadãos de colônias que se independentizaram recentemente e agora são dominadas por regimes militares antidemocráticos.[3] A ideia de resistência ganha conteúdo e força a partir da Palestina; mais útil, porém, é que a resistência ganha detalhes e abordagens positivamente novas da microfísica da opressão a partir da Palestina. Se pensarmos na Palestina como um lugar para onde *retornar* e, ao mesmo tempo, como um lugar *inteiramente novo*, como uma visão parcial de um passado restaurado e um futuro inusitado, talvez até como um desastre histórico transformado em esperança em um futuro diferente, compreenderemos melhor o significado da palavra.

Para os próprios palestinos, a oscilação em sua luta política entre o retorno (a sua terra, ao contato com sua herança, sua história, sua cultura ou sua realidade política) e o novo (o nascimento de uma nova sociedade pluralista e democrática, o fim

---

3 Uma visão europeia um tanto hostil a respeito desse assunto pode ser encontrada em Chaliand, *Revolution in the Third World*.

da discriminação religiosa e/ou racial como base de governo, a conquista não somente da independência política, mas também de um governo representativo, responsável) atende perfeitamente ao padrão básico de sua atual localização geográfica. Os palestinos em exílio querem retornar; os palestinos que estão em exílio interno (em Israel ou sob ocupação militar) querem independência, liberdade e governo autônomo onde estão. Um refugiado da Galileia ou de Jafa que vive no Líbano ou no Kuwait pensa, em primeiro lugar, naquilo que ele perdeu quando partiu em 1948 ou depois; ele quer ser levado de volta ou lutar pelo caminho de volta à Palestina. Ele quer retornar. Por outro lado, o palestino que mora em Gaza, Nazaré ou Nablus enfrenta ou, de certo modo, esbarra todos os dias com um poder de ocupação, com seus símbolos de autoridade, com seu domínio incontrolado; ele quer que esse poder seja removido ou, no caso do cidadão árabe-israelense, ele não quer mais ser reconhecido e tratado como um "não judeu". Ele quer o novo. Um palestino quer mudar, o outro quer permanecer, mas ambos querem uma mudança radical. Esses desejos, que estão arraigados em circunstâncias insistentemente materiais, são complementares? Há uma convergência implícita nas aspirações políticas dos palestinos?

Um "sim" imediato seria uma resposta retórica e genérica demais. Os vestígios de uma história vivida – cujo inventário eu estou tentando fazer – racharam profundamente a comunidade palestina. Basta considerar alguns fatos básicos da geração passada na história palestina para descobrir diferenças notáveis entre os que partiram e os que permaneceram. Ainda que admitamos que 1948 tivesse o mesmo significado para todos nós, a questão merece ser analisada. Na Israel pós-1948, o horizonte dos palestinos era dado pela legalidade sionista. Eles se definiam da melhor forma que podiam dentro do contexto dos partidos políticos israelenses, como o Mapai, nos debates do Knesset, nos tribunais, em terras cujo título de posse estava quase sempre em debate, mas cuja solidez e presença identificável nunca se discutiam. As oportunidades de estudo em Israel eram (e ainda são) poucas em comparação com as dos judeus. O ensino obrigatório para crianças árabes em idade escolar não é cumprido com rigor pelo Estado; a taxa de evasão é alta. Faltam professores, e a maioria dos que estão empregados não tem diploma; somente em 1956 o Estado abriu um centro de formação de professores em Jafa e, mesmo assim, o problema do nível de estudo dos árabes não foi seriamente solucionado. Essa política de abandono benigno pode parecer justificável, já que Israel é uma nação para os judeus, não para os não judeus, mas o dano inegável que foi impingido aos árabes em Israel teve o efeito político evidente de isolar e aviltar os cidadãos árabes de Israel.

Em Israel, o árabe é tradicionalmente considerado alguém que deve ser impedido de adquirir consciência nacional. O currículo escolar é mudado de repente, as escolas e os centros educacionais estão em péssimo estado e o árabe é ensinado de todas as maneiras possíveis a conviver com sua inferioridade e sua vil dependência do Estado. No início da década de 1970, havia somente 500 universitários formados entre os mais de 400 mil árabes que viviam em Israel. Esse número deve ser comparado com o fato de que, na mesma época, o número de estudantes universitários palestinos *fora* de Israel era de onze para cada mil refugiados. Os palestinos que se formavam em escolas profissionalizantes eram numerosos, mas, também nesse caso, a desproporção entre judeus e não judeus era deliberada, como observa Sabri Jiryis: "19 escolas profissionalizantes com 1.048 alunos no setor árabe e 250 escolas com 53.847 alunos no setor judeu". O sistema escolar e universitário favorece o hebraico em detrimento do árabe, dá bem mais atenção à história judaica do que à árabe ("32 horas, das 416 horas determinadas para o curso de quatro anos da seção de artes [na universidade] [...] são dedicadas à história árabe, mas não se ensina a Espanha mourisca [...] [já] a história judaica é amplamente ensinada em cada estágio". Quando são dadas, as matérias são sempre apresentadas de uma perspectiva que enfatiza o declínio árabe, a corrupção ou a violência; uma pesquisa sobre as perguntas feitas recentemente em exames releva que não se perguntou nada sobre Maomé, Harun al-Rashid ou Saladino. Jiryis dá mais detalhes sobre as políticas de ensino do governo israelense para os árabes que visavam produzir "lealdade ao Estado" e uma consciência que "realçava o isolamento dos árabes em Israel" – como o comitê governamental criado para modificar o currículo árabe afirma em um artigo publicado no *Ha-aretz* em 19 de março de 1971. Jiryis diz:

> Temas políticos amplos se entrelaçam, em especial nos cursos de História e Língua árabe e hebraica. Um estudo ainda que superficial do curso de História revela que ele é feito para enaltecer a história dos judeus e apresentá-la sob a melhor luz possível, ao passo que a visão da história árabe é a tal ponto deturpada que beira a mentira. A história árabe é apresentada como uma série de revoluções, massacres e disputas intermináveis, de modo a obscurecer as conquistas árabes. Do mesmo modo, o tempo dedicado à história árabe é curto. No quinto ano, por exemplo, alunos de dez anos passam dez horas (ou períodos) estudando os "hebreus" e somente cinco a "Península Arábica". E, mesmo quando estudam a Península Arábica, sua atenção é atraída para as comunidades judaicas, como estipulado no programa. No sexto ano, 30 dos 64 períodos de história são dedicados à "história islâmica", desde o seu início até o seu fim no século XIII, o que inclui o estudo de Moisés, de Maimônides e do poeta judeu espanhol Ibn Gabirol. Não há menção à história árabe no sétimo ano, mas um sexto dos períodos de história é dedicado ao estudo das relações entre os judeus da Diáspora e Israel. No oitavo ano, há trinta horas para o estudo do "Estado de Israel" e somente dez para a história dos árabes desde o século XIX até o presente. Isso deixa uma lacuna de cinco séculos na história árabe. Entre as matérias do oitavo

ano estão as crises religiosas na Síria e no Líbano e a disputa entre drusos e maronitas em 1860.[4]

Até recentemente, essa política serviu não só para isolar os cidadãos árabe-israelenses dos árabes e dos palestinos, como tornou muito mais difícil para os árabes e os palestinos aceitarem os árabe-palestinos que vivem em Israel. Um efeito político flagrante é o sentimento de incerteza em ambos os lados. Cidadãos árabe-israelenses têm passaportes israelenses, o que dificulta as visitas ao mundo árabe. Quando ocorre um encontro entre um exilado e um árabe-israelense, há uma desconfiança considerável que deve ser dissipada antes para que a confiança possa se tornar a base do intercâmbio. É inevitável que um exilado alimentado com uma dieta de anseio pela pátria, combinada com uma alta dose de ideologia nacionalista, queira saber se seu compatriota de Nazaré se transformou em um agente israelense, se sua contrapartida em Israel recorreu à literatura hebraica ou às leis israelenses em sua solidão, ou se sentiu a genuína alienação que o separa dos desenvolvimentos da cultura árabe nativa.

Nessas circunstâncias, então, os caminhos abertos para os palestinos em Israel para se aprimorar e lutar contra os abusos cometidos contra eles pelo Estado foram sempre cerceados pela legalidade israelense, que é profundamente desfavorável aos não judeus. Como Israel não tem constituição (a base jurídica da autoridade estatal é um conjunto de "leis básicas"), a oposição palestina em Israel dependia, em primeiro lugar, das corajosas iniciativas do Partido Comunista (com membros judeus e árabes) e, em segundo lugar, de grupos nacionalistas cujo horizonte era definido pela legalidade israelense. Entre meados e o fim da década de 1950, surgiram grupos, como a Frente Popular, com o objetivo de protestar contra as mais inaceitáveis usurpações cometidas pelo Estado contra os palestinos. Mas talvez a força

---

4 Jiryis, *The Arab in Israel*, p.210-2.

A questão da Palestina

política nacionalista mais significativa que surgiu nessa época seja o Usrat al-Ard. Foi fundado por um grupo de jovens nacionalistas palestinos em 1958; embora tenha tido uma história breve, o Usrat al-Ard catalisou o descontentamento da comunidade nativa que vivia em Israel. (Devemos ter em mente aqui a resposta política da comunidade exilada a sua sina, a Organização para a Libertação da Palestina.) Usrat al-Ard significa "família da terra" em árabe, um nome que capturava perfeitamente as preocupações da comunidade remanescente. A *raison d'être* do grupo era o direito do palestino de estar na Palestina; desde o início, procurou realizar seu trabalho não enfatizando a libertação, mas tentando criar uma presença política árabe-palestina *dentro* da hegemonia israelense. Sua principal conquista, a meu ver, foi negativa. O Usrat al-Ard demonstrou a impossibilidade de igualdade para não judeus em Israel: no início da década de 1960, embora sempre tenha procurado cumprir seu papel dentro da legalidade, o Usrat al-Ard foi vítima de leis que proibiam a publicação de seus jornais, o funcionamento de suas prensas e até seu registro como partido político legal. O Usrat al-Ard foi o primeiro grupo político árabe-palestino a exigir um Estado palestino separado.

Voltarei mais adiante à questão da evolução dos palestinos em Israel. Aqui, o que eu gostaria de enfatizar é a estrutura especial de sua identidade, na medida em que essa identidade atua politicamente pela independência e pela liberdade diante da opressão. A realidade irredutível desses palestinos era a sua presença precária em um Estado que os considerava indesejáveis, incômodos, porém temporariamente inevitáveis. A estabilidade fundamental de sua vida provém da terra ou, paradoxalmente, da ausência de qualquer legitimidade viável para sua ligação com a terra na qualidade de não judeus residentes em Israel. (Os palestinos que vivem nos territórios ocupados por Israel em 1967 têm em grau considerável um tipo semelhante de identidade, embora tenham uma longa história de ligação com o mundo árabe ex-

149

terno.) Um dos poemas mais impressionantes escritos por um membro da comunidade remanescente é "Baqun" (Devemos permanecer), de Tawfiq Zayyad, em que a ideia de permanência pura e básica tenta lembrar aos israelenses que os palestinos são como "vidro e o cacto/ Em suas gargantas". Por um lado, a consciência palestina é expressa como um conjunto de "vinte impossíveis"; por outro, Zayyad vê sua indignidade (lavar pratos em hotéis, servir "drinques aos senhores") como enobrecedora:

> Aqui – temos um passado
> um presente
> e um futuro.

> Nossas raízes são arraigadas
> Profundas na terra.
> Como vinte impossíveis,
> Devemos permanecer.[5]

Um sentimento exatamente oposto é experimentado pelos palestinos no exílio. Sua vida se tornou insuportável porque eles *não* têm raízes onde estão. Seu horizonte são os órgãos internacionais, como a Agência das Nações Unidas de Assistência aos Refugiados da Palestina no Oriente Próximo (em inglês, UNRWA), os campos de refugiados em algum país árabe, as circunstâncias imediatas (e amplamente distintas). Descrever ou caracterizar de maneira sucinta a comunidade exilada, conhecida como *ghurba*, é quase impossível, porque ela reflete e contribui para a consciência sociopolítica – em toda a sua diversidade – da vida árabe moderna.[6] Entre os moradores dos campos palestinos, há intelectuais, engenheiros, operários e camponeses sem terra na maioria dos países árabes; a divisão de classes obedece

---

5 Zayyad apud Arari; Ghareeb, *Enemy of the Sun*, p.66.
6 Ver Sayigh, *Palestinians*.

A questão da Palestina

à estrutura principal do país anfitrião, mas é inevitável que haja interferência (em particular desde 1967) de algum conceito primordial de políticos palestinos. Acredito que podemos falar legitimamente de nasseristas palestinos, baathistas palestinos, marxistas palestinos, burguesia palestina; cada um a seu modo próprio e, às vezes, peculiar formulou uma teoria, mas nem sempre concebeu um plano prático de retorno. Devo retornar mais adiante às ideias e aos partidos políticos.

É óbvio que o funcionamento cotidiano da vida no exílio, ao contrário daquela em Israel, é distribuída de modo desigual entre o país anfitrião, o aparato internacional de assistência aos refugiados e os próprios palestinos. O ano de 1967 foi um divisor de águas. Simbolizou o fracasso da organização árabe convencional e, de certo modo, a afirmação da ajuda, da responsabilidade e da identidade dos palestinos para os palestinos, na forma de organizações políticas de consenso. Até então, cada país árabe apoiava os palestinos de modo congruente não tanto com as aspirações palestinas, mas com as razões do Estado e, é preciso dizer também, com a intenção de satisfazer o senso genuinamente popular de envolvimento nacionalista na tragédia palestina. Órgãos internacionais como a UNRWA foram criados para auxiliar no problema específico dos refugiados palestinos em seus principais locais de exílio, embora seu principal objetivo sempre foi manter os palestinos a um passo da independência política; a política da UNRWA estava em harmonia com a resolução anual da Assembleia Geral da ONU que exigia que Israel aceitasse de volta os refugiados, mas a exigência foi feita em bases humanitárias um tanto neutras, a um passo do reconhecimento de que palestinos e israelenses se opõem em questões nacionais e políticas.

A ambivalência do sentimento palestino em relação à UNRWA é um assunto complexo, e não pretendo analisá-lo aqui. O que me preocupa, porém, é a insatisfação latente com o papel da UNRWA. Devemos lembrar, em primeiro lugar, que não demorou muito para que os refugiados se tornassem (e assim permanecessem) um grupo altamente politizado. Em contraposição à consciência nacional explícita na ala palestina, a UNRAW simbolizava um paternalismo apolítico, representado por doações de alimentos e roupas, assim como equipamentos médicos e escolares. O interesse caridoso do órgão pelo desastre político dos palestinos parecia redutível a números estéreis – quantas bocas para alimentar, quantos corpos para vestir e tratar etc. Creio que é correto afirmar que o palestino que vivia no casulo político que a UNRWA deveria fornecer não podia saber se algum dia conseguiria abrir caminho para a genuína autodeterminação. Como a visão da UNRWA era que os refugiados estavam entre a expulsão e o reassentamento em algum lugar e em algum momento, a transitoriedade da existência, combinada com o evidente temor de que a transição levaria a alternativas piores, tornava inevitável a inquietação dos palestinos em relação ao órgão. Além disso, visto que as escolas da UNRWA eram administradas por palestinos, outro tipo de tensão surgiu a partir do que era ensinado nas escolas sobre o sionismo e a Palestina. À medida que passavam pelas escolas, mais e mais crianças conheciam a desagradável disparidade entre sua história e sua realidade; para seu pesar, a UNRWA absorveu descontentamento e até hostilidade.

Alguns membros da UNRWA eram funcionários públicos internacionais, muitos deles palestinos. Embora esse fenômeno não tenha sido estudado, é provável que esses palestinos tenham sido importantes para a mudança ocorrida no Líbano e na Jordânia, países com o maior número de campos de refugiados. Em ambos, os palestinos assumiram pouco a pouco a responsabilidade pelos serviços sociais, uma transição que foi formalmente concluída (embora a UNRWA continue seu trabalho) no nível político com o surgimento da OLP, uma organização *nacional* que assumiu a supervisão paragovernamental dos palestinos tanto dentro quanto fora dos acampamentos. No entanto, a substitui-

A questão da Palestina

ção parcial da UNRWA pela OLP não pode ser separada de outro fenômeno, isto é, a relação cada vez mais áspera dos palestinos com seus países anfitriões, sobretudo a Jordânia e o Líbano.

Afirmei que a guerra de 1967 foi um evento de extrema gravidade. Não só ela pôs em dúvida a abordagem convencional dos árabes em relação a Israel, como também deixou claro para a maioria dos palestinos que sua disputa com o sionismo não poderia ser resolvida por exércitos e Estados que agiam em seu nome. O fato crucial do grande número de palestinos no Líbano e na Jordânia é que quase todos eram refugiados da Israel pré-1967. Assim que Israel ocupou a Cisjordânia e a Faixa de Gaza, o esforço para pôr fim à ocupação elegeu como foco os territórios sobre os quais os palestinos que se encontravam na Jordânia e no Líbano não tinham nenhuma reivindicação especial. Eles não podiam pedir o repatriamento para territórios de onde não provinham; foi por isso que os chamados "rejeicionistas" se opuseram à ideia de um Estado palestino na Cisjordânia. Além disso, seu dilema, em dois países contíguos a Israel, cristalizava o problema da dispersão palestina e a necessidade do retorno dos palestinos, ou para um Estado na Cisjordânia, ou para toda a Palestina. Com o apoio cada vez maior das comunidades exiladas, a presença palestina na Jordânia e no Líbano parecia desafiar a autoridade dos regimes em cada um desses países, sobretudo porque o surgimento de uma força palestina confiável e armada preenchia o vazio deixado pelos exércitos árabes derrotados. Então, no fim da década de 1960, os palestinos se depararam com o triplo problema causado pela dispersão: a aspiração pela autodeterminação, a ausência de bases territoriais seguras e viáveis e a necessidade de estabelecer uma autoridade palestina que, se possível, não se envolvesse em disputas com a autoridade local. Cada uma das dificuldades dos palestinos, desde 1967 até o presente, pode ser remetida a esses três desafios.

E muito da aparente excentricidade da Organização para a Libertação da Palestina pode ser explicado quando esses três desafios são levados em consideração. Sem dúvida é verdade que a OLP foi fundada originalmente pela Liga Árabe, em 1964, como meio de institucionalizar (e talvez até conter) a energia palestina. Mas creio que é errado afirmar que os palestinos não tiveram participação nessa questão. Eles tiveram, mas no início a organização era menos um aparato político do que retórico e atraiu servidores, não formuladores de política. Com o tempo, como tento demonstrar mais adiante, a OLP atraiu militantes para os quais essa organização, ao contrário da UNRWA, poderia se tornar genuinamente nacional, responsável *e* governamental. Mas, ao contrário de outras organizações de libertação nacional ou governos provisórios, a OLP não possuía um território nativo onde pudesse atuar; talvez essa seja a falha trágica em sua constituição como movimento de libertação de exilados, e não de nativos que combatiam seus opressores *in situ*. Em certo sentido, a OLP era um grupo nacional-internacional. Logo obteve legitimidade nacional *internacional*, mesmo que na prática enfrentasse problemas com os governos soberanos. Até hoje, ela não decidiu se é um movimento de independência nacional ou de libertação nacional. Mas conseguiu criar serviços sociais bastante avançados para o seu eleitorado, organizou e mobilizou os palestinos exilados com enorme sucesso e, ao longo dos anos, conquistou o comprometimento da maioria absoluta de palestinos exilados, sitiados ou residentes em Israel.

Uma das mais importantes contribuições para a OLP veio da forte tradição nacionalista mantida viva no exílio. Em 1956, pequenos grupos palestinos haviam se formado para atacar israelenses após a ocupação da Faixa de Gaza. Em 1960 ou 1961, havia cerca de quarenta organizações palestinas no exílio, todas movidas pela ideia de retorno e hostilidade a Israel. Uma enorme quantidade de literatura – poemas, tratados políticos, história, jornalismo – apareceu quase em seguida ao primeiro refugiado deixar a Palestina. Muito dessa produção foi estimulado pelos Estados árabes, mas parte substancial foi iniciativa dos pales-

A questão da Palestina

tinos. O mundo árabe atravessava um momento importante de afirmação nacional, e os palestinos exilados ofereceram seu talento característico, bem como seu testemunho único. Se as décadas de 1950 e 1960 foram dominadas por Gamal Abdel Nasser, devemos lembrar que as ideias de Nasser sobre a unidade, o anti-imperialismo e a luta revolucionária árabe deviam muito à experiência palestina.

Em dificuldade e no exílio, grupos nacionais *in nuce* tornaram--se grupos nacionais de fato. As circunstâncias da dispersão em tantos países diferentes impediram os palestinos de se tornar um povo socialmente hegemônico. Até os moradores dos acampamentos se introduziram pouco a pouco nas sociedades em torno deles; os mais afortunados frequentaram universidades, abriram negócios, profissionalizaram-se. Mas o fato da perda – até o comumente suprimido fato da perda – criou uma comunidade isolada da sociedade que a acolheu. Minha própria experiência é típica de alguns exílios, no sentido de que durante muito tempo o anteparo árabe protegeu minha história, como aparentemente convinha; mas em algum momento, assim como cada vez mais palestinos, vi nossa vida e nossas circunstâncias presentes distinguirem-se do resto do mundo árabe. Aquilo a que os palestinos se referem hoje como a Revolução Palestina não é uma distinção negativa de ser diferente dos outros, mas um sentimento positivo em relação à toda a experiência palestina como uma tragédia que deve ser remediada, e à identidade palestina como algo compreensível não só com respeito ao que perdemos, mas como algo que estávamos criando – a libertação da não existência, da opressão e do exílio.

Como organização expatriada, a OLP se preocupou historicamente com o retorno como o principal resultado e benefício da libertação. Nesse aspecto, o contraste com os objetivos da comunidade palestina que vive em Israel é relevante. Normalmente, o remanescente via a si mesmo, segundo a linguagem e a tática sugerida pela Usrat al-Ard, como a "Família da Terra";

155

em Israel, sua ação era orientada pelo imperativo de permanecer na terra, fortalecendo a coesão da comunidade, acomodando-se ao sistema político israelense e, no entanto, lutando por direitos iguais. Em outras palavras, os palestinos se viam como detentores de uma identidade nacional própria, que, em virtude obviamente do fato material, eles haviam redefinido para levar Israel em consideração. Contudo, eles não enfrentaram diretamente a contradição de ser não judeu em um Estado judeu, nem lidaram com as políticas especificamente excludentes do sionismo. Por outro lado, os exilados – talvez com certo idealismo romântico do expatriado – expressou sua política em termos holísticos: eles eram exilados não de partes da Palestina, mas de toda ela, e, portanto, toda ela tinha de ser libertada. Por causa do que havia feito e estava fazendo aos árabe-palestinos nativos, o sionismo não era nem justificável como movimento nem moralmente aceitável como sociedade. O que os exilados não conseguiram explicar nem levaram em conta foi o apoio que Israel tinha de seus cidadãos judeus e de parte da comunidade internacional; mais crucial ainda foi o descaso dos palestinos com o fato de que, para seus cidadãos, Israel tinha uma legitimidade e uma coerência que a transformara em Estado (embora para seus cidadãos não judeus e para seus exilados fosse um Estado perverso).

Neste ponto, podemos apreciar propriamente a importância para a luta palestina de seu componente mais recente, o terceiro segmento da população, aqueles que se viram de súbito sob ocupação israelense em 1967. Até então, os habitantes da Cisjordânia eram considerados cidadãos jordanianos pela Jordânia, e os habitantes da Faixa de Gaza eram governados pelo Egito e, evidentemente, os habitantes da Faixa de Gaza e da Cisjordânia haviam sido separados uns dos outros. Ambos (mas sobretudo os da Faixa de Gaza) carregavam um fardo comum na forma de um governo militar israelense. Com exceção dos moradores de Jerusalém Leste (isto é, árabe), que viram a cidade ser anexada por Israel, os outros palestinos começaram a reviver as experiências dos árabes em Israel e a experimentar algumas das dificuldades do exílio. Qualquer palestino em Nablus ou Ramallah podia ser deportado, e muitos foram; milhares de famílias viram suas casas serem destruídas por qualquer ofensa "suspeita" (em sua maioria, as que qualquer população sitiada se sente no direito de dirigir contra os ocupantes); milhares de pessoas foram "transferidas" de um lugar para outro (como foi o caso doloroso de cerca de 20 mil beduínos da Faixa de Gaza e outros); acima de tudo, os moradores palestinos dos territórios ocupados não tiveram nenhum privilégio de cidadania em sua própria terra. Não eram nem jordanianos nem israelenses; de certo modo, tornaram-se refugiados, mas, ao contrário dos primeiros 780 mil expatriados, eles *permaneceram* na terra. E, ao contrário dos primeiros refugiados, esses palestinos viviam à vista de um público mundial que podia ver de fato os soldados israelenses patrulhando vilas e cidades árabes desarmadas, às vezes matando, mas em geral espancando os árabes. Além disso, havia um consenso mundial que condenava a ocupação e as dezenas de assentamentos israelenses ilegais, cujo fundamento era uma tese bíblica anacrônica.[7]

A conquista militar também teve um efeito marcante sobre a sociedade, um fato que não passou despercebido aos palestinos. Israel se tornou um poder de ocupação, e não apenas um Estado

---

7 Sobre a situação dos árabes em território israelense, há excelentes relatos nos documentos da Campanha de Direitos Humanos Palestinos (1322 18th Street, NW, Washington, D.C.), nos artigos do dr. Israel Shahak (seus relatórios e traduções para a Liga Israelense de Direitos Humanos costumam ser distribuídos pela Campanha de Direitos Humanos Palestinos), de grupos liberais como o American Friends Service Committee, o Mennonite Central Committee, o World Council of Churches etc., assim como nos artigos da Anistia Internacional, da Cruz Vermelha e do Departamento de Estado dos Estados Unidos sobre direitos humanos, que em 1977 e 1978 fez um levantamento do tratamento dispensado por Israel aos não judeus.

judeu. Pela primeira vez, alguns israelenses viram o problema dos palestinos como fundamental para qualquer compromisso que Israel tivesse de estabelecer com a região e, é claro, com o mundo. Novos contatos entre árabe-israelenses e moradores da Faixa de Gaza e da Cisjordânia provocaram um súbito salto na consciência política, justamente quando esses dois segmentos começavam a considerar o terceiro segmento (os exilados) como organizacionalmente ligados a eles, apesar da distância e das barreiras impostas por Israel. Além disso, a política israelense para a Cisjordânia e a Faixa de Gaza era de uma miopia estúpida. Assim como os governadores coloniais fizeram na Ásia e na África, os israelenses acreditavam que era possível extirpar a mínima resistência "nativa" ao governo militar; qualquer palestino que parecesse ser – ainda que potencialmente – um líder do nacionalismo palestino era deportado ou preso. "Agitação" ou colaboração com supostos inimigos de Israel eram punidas com detenção administrativa. Pela primeira vez em sua história, Israel produziu ou fabricou uma nova classe de indivíduos, não tanto "o árabe" (que fora apanhado em uma rede legal, criada por Israel para seus cidadãos "não judeus" após 1948, mas que nunca fora considerado à parte da legalidade reservada aos árabes), mas "o terrorista".

Para esse "terrorista", Israel parecia ter uma descrição muito restrita e singularmente prosaica – ele era inimigo da segurança do Estado –, porém o mais importante é que ele insistia em ser um patriota nacionalista. Uma diferença entre os árabes que estavam sujeitos às leis israelenses antes de 1967 e aqueles que estavam sujeitos à ocupação israelense após 1967 é que os primeiros foram tratados epistemologicamente pelo sionismo muito antes de Israel se tornar um Estado; os novos árabes não podiam ser acomodados na antiga ordem e, portanto, não podiam desaparecer exemplarmente em um emaranhado de leis eficientes para não judeus (ou não pessoas). Cada medida *ah hoc* adotada por Israel para administrar os novos territórios parecia improvisada, canhestra ou mesmo contraproducente, à medida que o sentimento nacionalista palestino crescia de um modo impressionante. E, quanto mais Israel identificava a OLP com o "terrorismo" nos territórios ocupados, mais os palestinos consideravam a OLP sua única esperança política. Antes de 1948, colonizar a Palestina e subjugar os nativos era aparentemente uma empreitada legítima; entretanto, a ideia de que, após 1967, a obra pudesse ser estendida para além das fronteiras de Israel pré-acordadas internacionalmente tornou-se expansionismo, que não civilizava nem redimia a terra. Em uma geração, os israelenses passaram de vítimas a suseranos. E, para variar, o palestino, como palestino, surgiu.

Não acredito que os israelenses, com exceção de uma pequena parcela, tenham conseguido aceitar a ideia do palestino como uma realidade política *sui generis*, mas pelo menos ele conquistou o *status* de realidade *demográfica*. A versão oficial dos israelenses sobre os palestinos é adequadamente transmitida nas frases usadas pelos últimos primeiros-ministros para descrevê-los. Em 1969, Golda Meir disse que não existiam palestinos (enquanto departamentos de informação e arabistas sustentavam que os palestinos eram, na verdade, "sírios do Sul"); Yitzhak Rabin sempre se referia a eles como os "chamados" palestinos (enquanto autoridades de ocupação aconselhavam a abertura das fronteiras com a Jordânia e a adoção de uma política que transformasse os palestinos em jordanianos); Menachem Begin referia-se a eles como árabes da Terra de Israel, os "próprios" negros de Israel (e oferece a eles um governo autorregulado, sob proteção militar israelense). Todos os três foram muito firmes quanto à destruição política dos palestinos; todos os três sancionaram o terrorismo de Estado contra os civis palestinos que viviam fora de Israel e a absoluta indiferença ao histórico israelense de expropriação da população nativa da Palestina. O aspecto mais desanimador da política israelense em relação à Palestina é o triunfo quase total da ideologia sobre a razão e até sobre o senso comum. Negar a existência dos palestinos faz sentido epistemologicamente para quem acredita que a Palestina ainda é um deserto despovoado, à espera de ser resgatado de seu abandono. Acreditar nesse disparate, quando o contrário é mais do que evidente, é negar à razão seu papel na política. Além disso, a ideia de que Israel tem o direito a se estabelecer no território por razões bíblicas e de segurança (mesmo após o território se mostrar vulnerável a guerras) desafia a credulidade até dos mais ardentes aliados de Israel.

O impressionante êxito internacional da OLP e o sucesso duradouro da organização em todos os níveis da comunidade palestina podem ser associados aos aspectos negativos da política israelense e à vontade popular dos palestinos, que se aglutina em torno de alternativas às posições israelenses. Os palestinos foram a primeira comunidade árabe a se dedicar ao problema da população multiétnica. Nenhum outro grupo adotou uma posição tão avançada quanto a de propor um Estado democrático secular para muçulmanos, cristãos e judeus na Palestina. Nenhuma outra organização política da região, árabe ou judaica, foi tão sensível à realidade dramaticamente alterada após 1967. Em primeiro lugar, a OLP assumiu conscientemente a responsabilidade por todos os palestinos – exilados, sitiados, residentes em Israel. Foi a primeira tentativa de uma liderança palestina de tratar essa população tão fragmentada dentro de uma visão católica, que, ao menos em teoria, defendia uma importante presença judaica (sociedade, eleitorado, sistema de governo). Concretamente, a OLP tomou para si a responsabilidade de educar, armar, proteger, alimentar e, de modo geral, sustentar os palestinos, onde fosse possível. Em segundo lugar, a OLP usou sua autoridade internacional para *interpretar* a realidade palestina, ocultada por quase um século do mundo e, sobretudo, dos próprios palestinos. Uma identidade diplomática palestina independente apareceu, assim como um impressionante aparato de informação e pesquisa, inclusive centros de estudo, instituições de pesquisa e editoras. Esse conjunto de órgãos interpretativos pôs os palestinos em contato com outros povos colonizados na África, na Ásia e nas Américas, e, de certa maneira, o sionismo perdeu sua força hermética e desconcertante (para os palestinos e outros árabes). O colonizador sionista passou, de fato e retrospectivamente, de senhor implacavelmente omisso a equivalente dos colonizadores brancos na África; atitudes em relação a ele logo se transformavam em força mobilizadora. Em terceiro lugar, como organização política, a OLP se abriu para toda a comunidade. De fato, não é exagero afirmar que a OLP não só tornou possível ser palestino (dada a catastrófica fragmentação da comunidade), como também tornou isso significativo para o palestino, independentemente de seu local de residência ou de seu compromisso ideológico. A genialidade da OLP foi transformar o ser politicamente passivo que era o palestino em um ser politicamente participativo; ela também é talvez uma fonte perigosa de incoerência, como discutirei adiante.

A melhor perspectiva para considerar em conjunto todas essas partes discrepantes da história e da evolução dos palestinos é encontrada, em minha opinião, em uma análise recente de Ibrahim Abu-Lughod, um dos pensadores palestinos mais claros. Logo após 1948, os exilados palestinos e os que permaneceram em Israel adotaram, segundo ele, "uma política de acomodação". Embora despolitizados, os exilados podiam participar da política árabe (não palestina), em larga medida porque não havia alternativa e porque, ao contrário do sionismo, o arabismo não era excludente; os remanescentes submeteram-se à organização política israelense e ativeram-se à forma palestina tradicional de conduzir a política dentro dos limites impostos pelo sionismo. Na década de 1950, "os exilados e os remanescentes engajaram--se naquilo que se pode chamar de política de rejeição"; em Israel, ela assumiu a forma da Usrat al-Arad e, no exílio, de rejeição à despolitização, associada à crítica das políticas "árabes fraternas" em relação "à libertação da Palestina".

Foi preciso o choque da guerra de junho de 1967 para que a política da revolução e da esperança fosse anunciada. Para os exilados, ela significou compromisso com a resistência, distanciamento da política árabe e afirmação mais aberta dos palestinos, eventualmente incorporada à Organização para a Libertação da Palestina e seu programa. Para os remanescentes, significou mais militância dentro do sistema e mais apoio ao Partido Comunista e a sua defesa de dois Estados na Palestina, afirmando ao mesmo tempo a unidade do povo palestino independentemente de sua fragmentação. Ambos os segmentos ratificaram suas afinidades culturais com a "nação" árabe, mas minimizaram o programa político árabe de unificação. Até certo ponto, assistimos hoje a uma convergência das abordagens desses dois segmentos [embora eu ache que um terceiro segmento deveria ser acrescentado aos dois mencionados por Abu-Lughod: os palestinos nos territórios ocupados].[8]

Mas "a política da revolução e da esperança" não foi isenta de angústias e reveses. Contudo, a densidade desse período contemporâneo merece cuidadosa atenção, e é disso que devo tratar agora. Meu foco será o crescimento da consciência política palestina, unificada e envolvida minuto a minuto na história contemporânea, sintonizada minuto a minuto com o lento progresso da comunidade rumo à autodeterminação.

II. O surgimento de uma consciência palestina

Não é preciso dizer que, ao discutir um assunto tão delicado para a história quanto a consciência nacional, deve-se estar disposto a sacrificar a clareza abstrata à correção concreta. No momento, a situação dos palestinos é extremamente confusa, e qualquer análise que eu venha a fazer daquilo que representa o

---

8 Abu-Lughod, *Merip Reports*, p.24.

sentido passado e futuro que os palestinos têm de si mesmos, seu sentido de identidade histórica e política, deve levar em conta também o que, por um lado, esse sentido causou em seu destino e, por outro, aquilo com que ele tem de lidar na realidade. Mas essa não é a única questão. Há ainda a complicação adicional de ter de discutir a intricada e problemática situação do povo palestino contra um pano de fundo de extrema turbulência e, inclusive, confuso. A guerra no Líbano de 1975 a 1977, por exemplo, não foi apenas o cenário do drama sírio-libanês--palestino. Na verdade, a guerra era um microcosmo da política internacional, dos interesses das grandes potências, da história das minorias no mundo árabe, da revolução sociopolítica e de todo o trágico legado do colonialismo e do imperialismo ocidental no Oriente Próximo. O principal agora é fazer um esboço restrito dessas questões como prelúdio à questão central que pretendo abordar: o problema da sobrevivência palestina e a articulação da identidade nacional palestina na era pós-1967.

Consideremos, em primeiro lugar, o Líbano. Um historiador perspicaz do Oriente Próximo observaria de imediato que o que ocorreu no Líbano, se não fosse pela presença dos palestinos e dos sírios, foi uma repetição do que já havia acontecido lá em 1845 e 1860. Duas das principais comunidades libanesas – os maronitas e os drusos – encontravam-se em dura oposição. Tanto naquela época como hoje, houve o envolvimento das grandes potências e um conflito social e político entre as duas comunidades, que, é preciso dizer, não se definem hoje nem se definiam antes em bases exclusivamente religiosas. Mas aqui termina, creio eu, qualquer analogia útil entre os séculos XIX e XX. Desde a Segunda Guerra Mundial, houve uma série de mudanças e adições cruciais – para não dizer determinantes – àquilo que um cidadão da região sentia a respeito de si mesmo e de seu senso de pertencimento político. A primeira mudança é que o sentimento que as pessoas dedicavam ao seu Estado-nação se aprofundou consideravelmente. Existem, é claro, graus diferentes de apego a um Estado-nação, assim como há graus e tipos diferentes de sentimentos provocados quando a independência ou a entidade territorial do Estado-nação é ameaçada. O que é inquestionável, de outro ponto de vista, é que o Estado e o aparato do Estado adquiriram uma autoridade espantosa desde a Segunda Guerra; mais uma vez, essa autoridade varia de um Estado para outro, mas hoje existe uma autoridade completamente distinta daquela que o Império Otomano, por exemplo, se outorgou; isso vale para todos os domínios.

A segunda mudança importante no século XX é que, no que diz respeito ao pensamento político, é muito mais provável que questões puramente locais sejam compreendidas, tratadas, analisadas e combatidas com base em amplas generalidades globais. Isso certamente se aplicava à forma como os sionistas conduziam a luta pela Palestina. Também é comum, por exemplo, que no século XX os fanáticos maronistas vejam sua posição como a encarnação da essência da civilização ocidental contra os bandos de bárbaros invasores. Do mesmo modo, desde 1967 os palestinos tendem a ver sua luta no mesmo quadro que inclui Vietnã, Argélia, Cuba e a África negra. Essa mudança de foco se deve em parte a uma consciência política mundial mais profunda, que surgiu em decorrência da ampla disseminação das ideias de liberdade e conhecimento, assim como da luta universal contra o colonialismo e o imperialismo. Além disso, a influência da mídia de massa aproximou regiões muito distantes no globo e ideias ainda mais distantes, algumas vezes de modo indiscriminado e outras de modo justo. Quando acrescentamos a isso a tendência geral da mídia e da mente de simplificar e dramatizar, o que temos em retorno é uma retórica política tosca, inflando, enfatizando e teologizando questões e ações. Ninguém está livre disso.

É provável que os seres humanos sempre tenham visto as diferenças entre si como questões de interpretação. Dizer que havia uma atitude típica francesa ou britânica no século XIX

A questão da Palestina

equivale a dizer – por mais vago que seja – que havia um modo típico francês ou britânico de lidar com a realidade. Essa afirmação dá a entender também que havia interesses materiais genuinamente franceses ou britânicos que fundamentavam atitudes. Nas atuais circunstâncias, declarações semelhantes são feitas sobre o Oriente Médio e seus povos, mas, por causa das duas mudanças que mencionei, essas declarações ganharam uma dose perigosa de tolerância interpretativa. Hoje, quando nos referimos aos árabes, aos libaneses, aos judeus ou aos israelenses, parece que falamos de entidades estáveis, ao passo que, na realidade, estamos nos referindo a interpretações altamente voláteis ou, até mais, altamente especulativas. É claro que existem Estados que podemos identificar com segurança, mas – e aqui a segunda grande mudança do século XX entra em conflito com a primeira – esses Estados são capturados por um vocabulário político e habitam um domínio político cujas bases parecem mudar constantemente. O efeito desse fenômeno nas transações e nos processos políticos é inequívoco. Após a invasão do Líbano pelos sírios em 1976, qual é o sentido de expressões unificadoras como "os árabes"? Qual é o sentido exato de exigências como as que Israel e os Estados Unidos têm feito de que os árabes "reconheçam" ou não Israel, sobretudo se não está claro qual Israel os "árabes" são solicitados a considerar – a Israel de 1948, de 1967 ou a Israel cujos barcos de patrulha bloquearam e bombardearam o litoral sul do Líbano (talvez em conjunção com os barcos sírios)?

Parece-me perfeitamente possível argumentar que problemas como esses constituem um aspecto comum da vida política, e que o que parece excêntrico no Oriente Médio já não o é tanto assim. Minha resposta é que, precisamente porque a necessidade e a importância de Estados e estruturas de Estado na região têm sido tão enfatizadas, e precisamente porque a própria definição de Estado está ligada de maneira tão confusa a uma generalidade de ambições quase cósmicas, a excentricidade do moderno Oriente Próximo se acentua. Se acrescentássemos a esse conjunto de problemas a posição estrutural singular dos palestinos dentro dele, as anomalias se multiplicariam ainda mais. Antes de qualquer outro grupo nativo do Oriente Próximo, os palestinos enfrentaram a questão do nacionalismo árabe tanto em sua forma ampla, geral e interpretativa quanto na forma muito mais concreta da demanda de um Estado independente. No encontro dos árabe-palestinos com a colonização da Palestina pelo movimento sionista, uma dupla demanda foi apresentada a eles: (1) a necessidade de identificar sua resistência com a luta árabe por independência política e por Estados próprios após a queda do Império Otomano, e (2) a necessidade de confrontar a demanda de um Estado especificamente judeu, que parecia excluí-los – e, de fato, depois os excluiu – como um todo.

Até certo ponto, os palestinos e a região a que pertencem compartilham dilemas semelhantes com outras partes do antigo mundo colonial. Entretanto, como indiquei no Capítulo 1, um aspecto extraordinariamente relevante da história do Oriente Próximo foi a presença de órgãos interpretativos ativos, articulados – para não dizer irascíveis – e em geral encarnados em governos minoritários que não só ousaram, como também lutaram em algum momento (como Israel) para impor sua própria visão das coisas no mundo do qual faziam parte. Adicionar esse elemento às mudanças do século XX que mencionei, com a predileção natural das minoridades pelo patrocínio de seus esforços por poderes externos, dará uma ideia muito melhor daquilo que vem ocorrendo no Oriente Próximo. Essas minorias preservaram sua autoconsciência peculiar, que Albert Hourani descreve da seguinte maneira:

> De modo geral, esses grupos formaram comunidades fechadas. Cada um era um "mundo", suficiente para seus membros e exigindo suprema lealdade. Os mundos se tocavam, mas não se misturavam; cada um olhava para os demais com desconfiança e até ódio. Quase

A questão da Palestina

todos eram estagnados, imutáveis e limitados; mas o mundo sunita, embora dividido por todo tipo de divergência interna, possuía algo de universal, uma autoconfiança e um senso de responsabilidade que faltavam aos outros. Eram todos marginais, excluídos do poder e da decisão histórica.[9]

Já pequenas e numerosas, as minorias do Oriente Médio parecem ainda mais pequenas para seus membros e, além disso, tendem a agir de um modo que as torna ainda menores. As minorias separam a si mesmas de seus arredores humanos e, internamente, quase sempre se dividem. Isso se aplica a Israel, onde judeus orientais e europeus (para não mencionar os árabes) dividem significativamente o país. Os cristãos do Oriente Médio, conhecidos em geral como cristãos orientais ou ortodoxos, mesmo em países como o Líbano, onde nunca foram um grupo invisível ou perseguido, parecem tratar suas distinções, suas facções opostas, com tanto zelo e perícia quanto fizeram quando romperam com o Islã. A guerra no Líbano parece opor "muçulmanos" a "cristãos", mas o que não se diz é que foram os maronitas – uma variação do cristianismo oriental – que se opuseram no início da guerra aos muçulmanos sunitas, eles próprios contrários à maioria xiita; e a luta feroz dos maronitas não incluía as comunidades ortodoxas gregas, protestantes, católicas gregas ou armênias com a unanimidade que se poderia esperar. Há também o papel ativo dos israelenses, que incita os maronitas, fornecendo-lhes armas, mantimentos e apoio político. A política dos israelenses no Líbano foi determinada em parte não pela simpatia que tinham pelos "cristãos", mas por uma causa minoritária que tinham em comum com a ala direita cristã que era destruir os palestinos. Antes mesmo da Segunda Guerra Mundial (no Congresso do Conselho Mundial do Po'ale Zion, de 29 de julho a 7 de agosto de 1937), David Ben Gurion disse que "a proximidade do Líbano

---

9 Hourani, *Minorities in the Arab World*, p.22.

constitui um grande apoio político ao Estado judeu. O Líbano é um aliado natural da Terra de Israel judaica. O povo cristão do Líbano enfrenta um destino semelhante ao do povo judeu".

Acredito que também devo dizer que as minorias militantes no Oriente Próximo foram quase sempre contra o que Hourani chamou de universalidade, autoconfiança e senso de responsabilidade do Islã sunita, isto é, a maioria. Tomemos a história das relações entre muçulmanos e cristãos na região, conforme relatada por Norman Daniel em seu livro *Islam and the West: The Making of an Image* [O islã e o Ocidente: a construção de uma imagem]. Para um cristão oriental ou para um arabista israelense que vê o Islã ou a "mentalidade" árabe como seu inimigo, a obra de Daniel é com frequência uma fonte de vivo desconforto. O que ele mostra é que os cristãos sírios, entre eles são João Damasceno (ca.675-ca.749) e o filósofo Al-Kindi (801-873), foram os primeiros a fornecer ao cristianismo europeu material teológico e doutrinal (em geral caluniosos) para atacar o Islã e Maomé. Esse material chegou à cultura ocidental convencional, na qual ainda podem ser encontrados. A maioria dos estereótipos sobre Maomé como devasso, falso profeta e sensualista hipócrita teve origem nos cristãos sírios, que conheciam o árabe e uma ou outra língua eclesiástica e, por isso, podiam dar vazão a esses mitos sórdidos. Sua motivação era compreensível: o islamismo era uma religião de proselitismo e conquista, e os sírios, como reduto cristão, sentiam que era seu dever liderar o ataque contra o Islã – o que lhes renderia poderosos aliados europeus. É desse pano de fundo há muito esquecido que muitos dos ressentimentos contra cristãos e muçulmanos emanam hoje no Líbano. E muitos sionistas se tornaram partidários desse legado pouco edificante. Na Palestina e, de modo geral, entre os palestinos contemporâneos, esses mitos nunca fizeram parte da formação do cristão – porque nunca houve uma comunidade cristã dominante, imutável, e porque desde 1880 havia um inimigo árabe em comum com os primeiros colonizadores sionistas.

Quando a consciência da minoria se alia a um hábito de ambiciosa generalização política, e quando juntos são submetidos à soberania única da independência política, normalmente surgem problemas – na forma de separatismo de dissensão. Hoje, na maioria dos Estados do Oriente Médio, inclusive em Israel, há um conflito latente e constante entre a tendência ao isolamento político, por um lado, e uma tendência à generalização política, por outro. No Egito, por exemplo, o esforço pela unidade árabe está preso no combate com uma complexa tensão ideológica de identidade nacional especificamente *egípcia*, que esteve em dramática evidência sobretudo durante a "missão sagrada" do presidente Sadat. O que causou a divisão foi a probabilidade mais ou menos natural de que o Estado se aliaria ao exclusivismo, ao separatismo e à insegurança da consciência minoritária, bem como aos saltos indiscriminados de generalidade política. Se pensarmos na dialética entre o nacionalismo árabe na Síria e os vários recuos do nacionalismo árabe por razões de Estado – como no Líbano, no momento em que escrevo –, fica claro o que estou querendo dizer. Também espero que fique claro que a dialética depende muito de interpretações divergentes a respeito da ideia de soberania, unidade árabe e outras. A ironia desse mundo de interpretações conflitantes torna-se ainda mais explícita quando, em um discurso de 21 de julho de 1976, o presidente sírio Hafez el-Assad justificou sua política no Líbano e seu ataque à OLP alegando que fazia isto em prol do nacionalismo árabe e da revolução palestina. Ainda mais irônico era que a política síria se baseava não nos interesses árabes, mas nas *raisons d'État*.

A curiosa sina dos palestinos árabes do século XX é que, ao contrário de todos os outros habitantes nativos da região, eles não tiveram uma *patrie*, ao menos desde o fim da guerra. Seu destino se tornou ainda mais crítico pela concretude de sua privação política e também pelo fato de que, desde o início da luta contra o que, para eles, era claramente uma ocupação estrangeira de sua terra, eles se opuseram ao sionismo tanto porque era alheio à região quanto porque era uma cultura política minoritária. Do mesmo modo, é preciso lembrar que as primeiras formas de vida judaica na Palestina seguiram o caminho do provincianismo minoritário em relação à maioria circundante. Essa tendência persiste no Estado israelense desde então. Talvez porque não possuísse ligações orgânicas com a maioria árabe sunita na região, o sionismo tornou-se um mundo muito mais enclausurado do que outras comunidades minoritárias da região. Havia, portanto, uma simetria exata (e preocupante) entre a forma concreta da soberania judaica israelense e a forma concreta da individualidade árabe-palestino no exílio, que veio a se basear ideologicamente no fato da privação.

Como tenho dito, as principais doutrinas da identidade palestina estão alicerçadas na necessidade de reintegração da terra e da realização da soberania palestina. O sionismo sempre negou não somente a legitimidade dessa necessidade, como também sua realidade. Quanto maior a insistência palestina, mais profunda a negação sionista e mais concretamente articulada era a consciência minoritária de Israel, que, é claro, intensifica-se em períodos de conflito. Cerca de um ano antes da guerra de 1967, uma figura militar israelense de renome e "arabista" escreveu o seguinte:

> Eis a questão: o que deles [dos árabes] é apropriado a nós imitar? Isso não significa que não existam características e manifestações admiráveis entre os árabes, mas elas não constituem uma base para um programa político. Como modo de vida e organização, os árabes tendem a tentar abandonar suas formas tradicionais e a se voltar para o Ocidente, e seria estranho se adotássemos o que eles estão abandonando. Além disso, sob o aspecto cultural, não estou certo de que os dois lados tenham algo a oferecer um ao outro. É uma hipótese vaga que a cultura árabe, cujos principais componentes são da Idade Média [sic], encantaria o homem do século XX, mas

é duvidoso que tenha algo com que guiá-lo e inspirá-lo e responder as questões que o afligem. Para uma geração que chegou à Lua, é difícil se impressionar com a poesia do deserto de Mu'allaqat, pelo estilo de Maqamat ou até pelas meditações filosóficas de grandes pensadores árabes como Al-Ghazali, cujo contexto espiritual é tão diferente do atual. Não acho que seja diferente no caso da nossa cultura com relação à árabe. A cultura europeia tem muito mais a oferecer.[10]

Logicamente ampliado, esse argumento diz que, uma vez que os norte-americanos pisaram na Lua, Shakespeare se tornou obsoleto. O mais essencial, porém, talvez seja que a resposta sionista à queixa específica dos palestinos contra Israel foi formulada em termos de superioridade cultural da minoria; não há nenhuma menção ao ato concreto da desapropriação e da exclusão dos palestinos. É oferecida apenas uma tese amplamente geral, e isso não pode – ou talvez não pretenda – levar em consideração a queixa específica dirigida pelos palestinos ao sionismo.

Há algo mais nesse trecho que deve ser observado. É preciso indagar como uma privação palestina dolorosamente real pôde ser transformada por um polemista israelense em uma hostilidade "árabe" ao sionismo? Para ele, Israel passou de um Estado a um símbolo da cultura europeia progressista (à George Eliot), assim como os palestinos passaram da rusticidade pobre e irrelevante ao próprio símbolo da inferioridade cultural árabe. Não é preciso citar mais uma vez as origens comuns entre o sionismo e o colonialismo europeu, nem é necessário aludir à facilidade com que os primeiros colonizadores judeus na Palestina ignoraram os árabes, exatamente do mesmo modo como os europeus brancos na África, na Ásia e nas Américas acreditavam que não existissem nativos e as terras fossem desa-

---

10 Harkabi, *The Position of Israel in the Israeli-Arab Conflict*, p.84.

bitadas, "abandonadas" e improdutivas. O que desejo salientar aqui é a busca *palestina* por um refúgio político e ideológico na generalidade da cultura árabe, e a subsequente exploração dessa busca tanto por Israel quanto pelos outros árabes. Como e por que ocorreu uma mudança da acomodação para a rejeição, a revolução e a esperança?

O dilema existencial dos palestinos é a necessidade que sentem de uma sobrevivência política, combinada com as consequências tangíveis da alienação territorial e política. Até o sentido de comunidade entre os árabe-palestinos e seus compatriotas islâmicos e/ou árabes em outras partes do Oriente Próximo tem a marca distorcida desse dilema. Para o palestino, os outros árabes são fraternos com ele em certo nível, e, em outro, estão separados dele por uma lacuna intransponível. Essa relação paradoxal ocorre, por assim dizer, no presente, porque esse é o problema do presente, o problema da contemporaneidade que aproxima e afasta o palestino dos outros árabes. Os palestinos têm um passado árabe e um futuro comum próximo-oriental e árabe; entretanto, é agora, no presente, que a instabilidade da comunidade e os perigos de sua dissolução ocorrem.

Não há um exemplo mais concreto e eloquente dessa difícil relação que eu possa citar do que a cena de abertura do romance *Rijal fil Shams* (Homens ao Sol), do escritor palestino Ghassan Kanafani. Ele permaneceu em Israel até o início da década de 1960; depois disso, viveu no exílio, tornou-se jornalista e escritor militante e, em 1972, foi assassinado pelos israelenses em Beirute. Eis um trecho:

> Abi Qais encosta o peito no chão úmido de orvalho. Imedia-tamente, a terra começa a pulsar: batidas de um coração cansado, fluindo através dos grãos de areia, infiltrando-se no mais recôndito de seu ser [...] e toda vez que ele lançava o peito contra o chão sentia a mesma palpitação, como se o coração da terra não tivesse parado desde aquela primeira vez em que ele se deitou, desde que

A questão da Palestina

rasgou uma dura estrada das profundezas do inferno em direção a uma luz que se aproximava, quando certa vez ele contou isso ao vizinho que compartilhava o cultivo de um campo com ele, lá na terra que deixara dez anos atrás. A resposta dele foi de escárnio: "O que você ouve é o som de seu próprio coração pregado na terra". Que maldade enfadonha! E o cheiro, como ele explica isso? Ele o inalou, enquanto ele inundava sua fronte e passava efêmero por suas veias. Toda vez que respirava, enquanto permanecia deitado de costas, ele se imaginava aspirando o cheiro do cabelo de sua esposa quando saía do banho de água fria [...]. Essa fragrância persistente dos cabelos de uma mulher, lavados em água fria e, ainda úmidos, soltos a secar, cobrindo sua face [...] a mesma pulsação: como se um pequeno pássaro estivesse aninhado entre as palmas de suas mãos [...].[11]

A cena continua, à medida que Abu Qais acorda lentamente e se dá conta do exato ambiente que o cerca, algum lugar no estuário dos rios Tigre e Eufrates; ele está ali, aguardando que sejam tomadas as providências para sua entrada ilegal no Kuwait, onde espera arrumar trabalho. Como no trecho citado, ele "compreenderá" sua localização – e o cenário da ação no presente – por uma recordação do passado: a voz de seu professor, em uma escola de uma vila palestina antes de 1948, dando aula de Geografia, descrevendo o estuário. O próprio presente de Abu Qais é uma mistura de memórias desconexas com a força aglutinadora de sua difícil situação atual: ele é um refugiado com família, obrigado a procurar trabalho em um país cujo sol ofuscante significa a indiferença universal a sua sorte. Descobriremos que a luz que se aproxima é uma referência proléptica ao episódio final do romance: na companhia de outros dois refugiados palestinos, Abu Qais é levado clandestinamente para o Kuwait no reservatório vazio de um caminhão-tanque.

---

11 Kanafani, *Rijal fil Shams*, p.7-8.

Os três ficam tempo demais no caminhão, enquanto passam pela inspeção na fronteira. Sob o sol, os três homens morrem sufocados, impedidos de dar um sinal de sua presença.

Esse trecho narra uma das inúmeras cenas que dividem a obra. Em quase todas elas, o presente temporal é instável e parece sujeito aos ecos do passado, à sinestesia – quando a visão dá lugar à audição ou ao olfato e um sentido se mistura ao outro –, a uma combinação de defesa contra o áspero presente e de proteção de um fragmento particularmente querido do passado. Mesmo no estilo de Kanafani (que parece desajeitado em minha tradução, mas achei importante reproduzir o mais fielmente possível a complexa construção das frases), ficamos em dúvida quanto aos momentos no tempo a que o centro da consciência (um dos três homens) se refere. No trecho citado, "toda vez" funde-se em "desde aquela primeira vez", que também parece se referir, de modo obscuro, à "terra que deixara dez anos atrás". Essas três frases são dominadas figurativamente pela imagem da abertura da estrada desde a escuridão até a luz. Mais adiante, na parte principal do romance, observaremos que muito da ação ocorre na rua empoeirada de uma cidade do Iraque, onde os três homens, independentes entre si, pedem, suplicam, barganham com os "especialistas" para cruzar a fronteira. O principal conflito da obra é essa discussão no presente; impelido pelo exílio e pelo deslocamento, o palestino deve cavar um caminho na existência, que não é de modo algum uma realidade estável ou "dada" , mesmo entre árabes fraternos. Assim como a terra que deixou, seu passado parece rompido no momento, imediatamente antes de frutificar; entretanto, o homem tem família, responsabilidades, uma vida para levar no presente. Pois não é somente seu futuro que é incerto; até a dificuldade de sua situação presente aumenta, enquanto ele mal consegue manter o equilíbrio no tráfego agitado da rua empoeirada. O dia, o sol, o presente – estão todos ao mesmo tempo ali, hostis, instigando-o a sair da proteção, ora nebulosa, ora endurecida, da memória e da fantasia. Quando finalmente os homens se movem de seu deserto espiritual para o presente, rumo ao futuro, eles escolhem com relutância, porém necessariamente: eles vão morrer – invisíveis, anônimos, sob o sol, no mesmo presente que os tirou de seus passados e zomba deles por seu desamparo e sua inatividade.

Assim Kanafani comenta as lutas rudimentares enfrentadas pelo palestino nos primórdios de sua despossessão. O palestino deve *fazer* o presente, já que o presente não é um luxo imaginário, mas uma necessidade literal, existencial. Mal uma cena o acomoda, torna-se provocação: o paradoxo da contemporaneidade é de fato muito agudo para o palestino. Se o presente não pode ser simplesmente "dado" (isto é, se o tempo não permite diferenciar claramente entre o passado e o presente ou uni-los, porque o desastre de 1948, mencionado apenas como um episódio oculto entre outros, impede a continuidade), ele é inteligível somente como façanha. Somente se conseguirem se alçar do limbo para o Kuwait os homens poderão *ser* em algum sentido mais do que mera continuidade biológica, na qual a terra e o céu são uma confirmação incerta da vida *geral*. Visto que eles devem viver – para, em última instância, morrer –, o presente os incita à ação, que, por sua vez, dará ao autor e ao leitor material para "ficção".

Em relação a isso, devo citar outra ficção palestina de primeira classe: *Al Waqa' il Ghareeba Fi Ikhtifa' Said Abi Nahs al--Mutasha'il* (Estranhas verdades relativas ao desaparecimento de Said Abi Nahs Mutasha'il), de Emile Habibi. Ele mora em Haifa, foi membro do Knesset por mais de vinte anos e é uma das principais vozes palestinas em Israel. Seu romance epistolar é único na literatura árabe, no sentido de que é de uma ironia coerente, explora um estilo vigoroso e muito bem controlado para retratar a condição singularmente "notável" *e* "invisível" dos palestinos em Israel. Assim como Kanafani, Habibi oferece o retrato completo da identidade palestina, como nenhum tratado puramente político poderia fazer. Ambos os escritores registram a alternância kafkiana entre estar e não estar *lá*, apoiando os palestinos, seja em Israel, seja no mundo árabe.[12]

Demorei-me na literatura palestina, porque acredito que ela dramatiza de maneira fiel e pungente a natureza da sobrevivência palestina no cenário árabe islâmico. Como símbolo da derrota árabe em 1948 e 1967, o palestino representa uma memória política que não é fácil dispensar. Em suas perambulações, em sua presença ubíqua e, acima de tudo, em sua própria conscientização de que ele e sua escrita são tema de uma cultura árabe bastante moderna, ele é a figura de uma espécie de urgência inquietante, deslocadora. Quando ele pode ser acomodado para enfatizar a independência árabe, tudo fica bem. Quando as coisas começam a desandar, ele é considerado uma ameaça à estabilidade – de Estados, partidos, governos ou facções – que coexistem com ele, apesar de seu desabrigo extraterritorial. A partir de 1967, seu envolvimento no projeto em curso de um pluralismo retórico árabe-islâmico sempre lembrou aos outros árabes que esse pluralismo só pode ter significado real se ele, o palestino, a vítima de um exclusivismo virulento, puder ser reintegrado e reconciliado com sua terra natal. Portanto, o palestino tornou-se ao mesmo tempo um representante árabe e um proscrito.

Desde 1967, a tensão irônica entre o palestino e os outros árabes se intensificou, como se vê em excentricidades como o prestígio diplomático da OLP, a tremenda "redescoberta" dos palestinos e o relativo atenuamento do interesse pelo cenário árabe em geral. Do mesmo modo, as instituições palestinas contêm e, de fato, tipificam o paradoxo da autonomia palestina, ao passo que o apoio árabe à causa palestina não pareça se abalar com as expulsões periódicas de palestinos de um ou outro Estado árabe.

---

12 Uma análise brilhante sobre grande parte da literatura palestina contemporânea pode ser encontrada em Ashrawi, *Contemporary Palestinian Literature Under Occupation*.

A questão da Palestina

Pois, apesar de tudo, o palestino não constrói sua vida fora da Palestina; ele não consegue se livrar da desonra de seu exílio; todas as suas instituições refletem o fato de seu exílio. Isso também é verdadeiro entre os árabe-palestinos, agora submetidos na Cisjordânia e na Faixa de Gaza à dominação israelense e aos que residem em Israel. Cada conquista palestina é invalidada pela verdade paradoxal de que qualquer sobrevivência fora da Palestina é corrompida, de certo modo, pela impermanência, pela falta de base, pela carência de uma vontade soberana especificamente palestina sobre o futuro palestino, apesar dos êxitos extraordinários da OLP. Cada conquista, portanto, corre o risco da perda de identidade, corre o risco de ser tragada pela generalidade da comunidade árabe, assim como a liberdade da OLP é infringida continuamente pelos Estados árabes. Por outro lado, cada conquista palestina pode ser interpretada como uma crítica específica à comunidade árabe, que aprendeu a conviver com as consequências da derrota, exceto com a *maior* das consequências da derrota, que é, nesse caso, os palestinos.

Por conseguinte, muito do que os palestinos fazem, e muito do que pensam, refere-se à identidade palestina. Hesito em chamar isso de introspecção, porque não é uma questão exclusiva de autoexame, mas uma questão política ampla de primeira instância. Por outro lado, a labuta específica e as privações concretas de ser palestino exercitaram o talento de nossos escritores, tanto que a literatura árabe (que não possui uma vasta tradição secular de obras autobiográficas ou confessionais) agora ostenta um gênero literário palestino, conhecido como de "resistência", que significa uma obra de afirmação própria e resistência ao anonimato, à opressão política, e assim por diante. Se existe um poema escrito por um palestino que possa ser chamado de poema nacional é o curto poema "Bitaqit Hawia" ("Cartão de identidade"), de Mahmoud Darwish. O curioso poder desse pequeno poema é que, no momento em que surgiu, no fim da década de 1960, ele não *representava*, mas *encarnava* o palestino,

177

cuja identidade política no mundo havia sido reduzida a um nome em um cartão de identificação. Darwish tomou esse fato e, em certo sentido, leu-o no cartão, amplificou-o, deu-lhe voz – mas não foi capaz de fazer muito mais do que isso. O poema é regido pelo imperativo *Sajil!* – *Registre!* – que é repetido periodicamente, como para um policial israelense que só pode ser abordado na estrutura depauperada proporcionada por um cartão de identidade, mas que deve ser lembrado de que a linguagem do cartão não faz plena justiça à realidade que supostamente contém. A ironia é crucial no poema de Darwish. Ele começa assim:

> Registre!
> Sou um árabe
> E meu cartão de identidade
> é de número cinquenta mil
> Tenho oito filhos
> e o nono
>   chega no meio do verão
> Você vai se zangar?

Duas estrofes depois, ele diz:

> Registre!
> Sou um árabe
> sem um nome – sem um título
> resignado em um país
> de um povo enfurecido

A parte do meio do poema é dedicada ao registro da genealogia particular do narrador, uma ladainha de infortúnios e perdas, mas o poema termina com o que se tornou o tema padrão de grande parte da literatura escrita por e sobre os palestinos na década de 1970: a emergência dos palestinos.

Portanto!
Registre no topo da primeira página:
Eu não odeio o homem
Nem usurpo direitos
Mas, se ficar com fome,
A carne do usurpador será meu alimento
Cuidado – cuidado – com minha fome
e com minha ira!

Em "Bitaqit Hawia", a emergência do palestino é ameaçada; alguns anos depois, seria a realidade mais constantemente reiterada da vida política árabe, não como uma ameaça, mas como uma presença e, na maioria das vezes, como uma esperança. Significativamente, o principal romancista do mundo árabe, Nagib Mahfouz, cujos romances sempre foram profundamente egípcios em seus detalhes, transformou o surgimento palestino no clímax de sua obra sobre um Egito sem guerra e sem paz, *Hub taht al Mattar* (Amor na chuva), de 1973. A última cena apresenta o guerrilheiro palestino Abu'l Nasr al Kabir (Pai da Grande Vitória), cujas visões da mais recente "empreitada norte-americana", que seduz e confunde os nervosos protagonistas egípcios, são que se deve examinar longamente o que está acontecendo no momento. Irremediavelmente irônico, Mahfouz observa dois aspectos ao mesmo tempo: a forma como os palestinos adquiriram de repente o papel de porta-vozes revolucionários dos árabes e como as promessas e a retórica revolucionárias já eram paródias de si mesmas. O pai da vitória continuava sendo apenas um pai *in potens* [em potência], embora Mahfouz não tente minimizar (nem seus leitores poderiam) o fato de que qualquer ajuste de contas político deveria incluir os palestinos.

Outra ironia no romance de Mahfouz, não menos que no mundo árabe do início da década de 1970, é que, no que se refere ao mundo, a identidade palestina parecia ter brotado *fora* da Palestina. Abu'l Nasr, o guerrilheiro palestino de Mahfouz, vive no Cairo, não em Nazaré ou em Nablus. E, pelo que se sabe, a existência do cartão de identidade de Darwish em Israel era tão insatisfatória e infeliz quanto antes. Até 1975 ou 1976, os árabe-palestinos de Israel perderam para o glamour dos exilados. E o surgimento deles era tão importante para sua ironia essencial quanto para o registro de suas conquistas concretas. Vamos examiná-las agora.

III. A OLP ganha importância

Que eu saiba, não há uma explicação analítica completamente satisfatória, uma análise passo a passo inteiramente lógica sobre como, sendo refugiados, os exilados palestinos tornaram-se uma força política de importância apreciável. Mas isso é verdadeiro para todos os movimentos populares que parecem ser muito mais do que a soma matemática de seus elementos. A sequência narrativa dessa transformação é, creio eu, ilusoriamente simples. O Al-Fatah surgiu em 1965 com um pequeno ataque a Israel. Desde então, o número de organizações militares palestinas aumentou, assim como a série de conflitos militares importantes com (e em) Israel. Até março de 1968, porém, o esforço palestino era encarado, na melhor das hipóteses, como incluso no desenvolvimento árabe em geral (especificamente nasserista ou baathista). Em março de 1968 e, em particular, após a guerra de junho de 1967, o movimento palestino adquiriu um novo *status*, o que o afastou política e simbolicamente do cenário árabe. A data é importante porque foi a primeira batalha após 1967 e 1948 entre as tropas regulares israelenses – que haviam cruzado o Rio Jordão para atacar uma cidade palestina chamada Karameh, situada na Jordânia – e as tropas irregulares palestinas. Os combatentes palestinos tiveram o apoio Exército jordaniano numa batalha de um dia, mas (de acordo com relatos de palestinos) o grosso do combate foi entre israelenses e palestinos. Os defensores de Karameh não só ficaram e lutaram, como impuseram muitos danos e baixas às colunas israelenses, até então acostumadas a passar impunemente, destruir propriedades, matar árabes e partir quase ilesos (como na vila de as-Sammu na Cisjordânia).

Karameh foi o início da fase de crescimento mais acelerado; voluntários surgiam de todas as partes do mundo árabe e, em um ano, os *fedayin* palestinos eram as forças que deveriam ser combatidas na Jordânia. Mas, enquanto isso, surgiu o que viria a ser, como dito antes, a constante oscilação palestina – ou melhor, da OLP – entre uma direção revolucionária (libertação) e outra que parecia transformar as estruturas do poder palestino em estruturas de um Estado árabe (independência nacional). Ambas eram resultados necessários da paradoxal "situação" palestina que descrevo neste livro. Em teoria, essas duas possibilidades não precisavam opor-se; entretanto, no contexto do problema de *identidade* palestina, elas eram conflitantes. Mesmo quando houve uma escolha clara, o problema dessas duas alternativas não terminou. Como os novos militantes palestinos adquiriram uma grande quantidade de armas e organizaram-se rapidamente em grupos militares e políticos, e, é claro, como isso ocorria não na Palestina, mas em um Estado árabe fraterno, eles pareciam ser um desafio à autoridade central do Estado. Ainda que, com o tempo, tenha se tornado claro que a autodeterminação palestina havia transigido em relação ao objetivo original de um Estado em *parte* da Palestina, a OLP administrava, nesse ínterim, um Estado não oficial para palestinos, dentro de um Estado árabe anfitrião. Esse Estado não oficial entrou em choque com o oficial, primeiro na Jordânia e depois no Líbano. Por outro lado, a grande força política e ideológica do movimento palestino foi, em primeiro lugar, sua capacidade de atrair praticamente qualquer elemento da região que fosse de vanguarda. "Palestino", em certo sentido, era sinônimo de novo, na melhor acepção da palavra.

Mas também é sinônimo de política. Creio que não é exagero dizer que *todo* movimento político, corrente de ideias ou debate que tenham sido significativos no mundo árabe desde 1948 foram dominados de algum modo pela questão da Palestina. Quanto isso é verdade para o debate, a discussão e a organização palestina, é evidente. O resultado é rico de fato. Em anos recentes, a política palestina foi conduzida em termos de organizações – das quais as mais proeminentes se agrupavam na OLP, a saber, Fatah, Frente Popular de Libertação da Palestina (FPLP), Frente Popular Democrática pela Libertação da Palestina (uma ramificação da FPLP), Saiqa (um grupo patrocinado pela Síria) e uma série de organizações consideravelmente menores – e de filosofias, tendências e lealdades compradas, que vinculam questões palestinas específicas à política árabe, à política do Terceiro Mundo e outros interesses. A política palestina é ora vertiginosamente incoerente – por razões que discutirei a seguir –, ora sangrenta, ora perfeitamente clara. No entanto, sempre há uma unanimidade surpreendente quanto à necessidade de autodeterminação e independência palestina com um registro – ainda mais notável – de recusa a abandonar, renunciar à luta, aceitar tutela ou ocupação sem protestar.

O maior grupo palestino é o Fatah, dominado por Yasser Arafat e um quadro militar cujas linhas de força, influência e pensamento político envolvem a maioria dos palestinos no exílio e na região da Faixa de Gaza e da Cisjordânia. O modelo do Fatah (e de Arafat, na verdade) é basicamente nasserista, embora, ao contrário de Nasser, o Fatah e Arafat tenham adotado como prática não se envolver demais na política local dos Estados árabes (as exceções mais custosas, mas de certo modo inevitáveis, são o Líbano e a Jordânia). O que quero dizer por política nasserista é que há não só um símbolo visível de autoridade – o *za'im*, isto é, Arafat, também conhecido como "o velho homem", cuja simples presença garante a existência da causa palestina –, como também uma filosofia nacional centralizadora que norteia o movimento.

A questão da Palestina

Em certo sentido, isso é uma desvantagem, porque significa que a organização política é reduzida ao mínimo, exceto no que se refere ao combate ao sionismo e, assim, Arafat e o Fatah só podem ser identificados como árabe e palestino. Por outro lado, é uma vantagem, porque significa que (a) o Fatah estimula tacitamente uma democracia real em ideia e estilo políticos e (b) ninguém jamais conseguiu provar que, apesar da conexão do Fatah, por exemplo, com a Arábia Saudita, a Líbia, a União Soviética ou a República Democrática da Alemanha, ele não seja independente e, portanto e acima de tudo, palestino. O mais importante é que o Fatah representa o fato derradeiro de ser um palestino oprimido, sem envolver necessariamente cada palestino em uma teoria de guerra de povos ou análise de classes.

Mas o Fatah não é só isso. Ele conta com muitos defensores, uma longa história de lutas, um bocado de recursos (como milhares de combatentes e oficiais treinados) e, acima de tudo, uma visão relativamente otimista do mundo. Essa última afirmação pode parecer peculiar, mas define bastante bem a confiança, a reconfortante familiaridade, o modo positivo como o Fatah interage politicamente com o mundo. Em parte, isso ocorre porque ele se enxertou na linha principal da política nacionalista de Gamal Abdel Nasser, mas pouco fez para disfarçar seu *ethos cultural* (bastante progressista, aliás) islâmico sunita. Trata-se, em síntese, de um grupo majoritário, e ele se considera (com razão, em minha opinião) um porta-voz da questão palestina; daí seu domínio sobre a OLP. Apesar disso, muito do que o Fatah faz e representa é definido, em certo sentido, de modo negativo – por aquilo que seus rivais políticos dizem a seu respeito e por aquilo que *eles* dizem contribuir para o mundo da política palestina. Neste ponto, há algumas questões importantes que devemos levantar.

Se é verdade que a história da política palestina tem sido caracterizada por uma constante recusa em aderir aos planos elaborados alhures para a Palestina (da Declaração de Balfour ao Plano de Partição de 1947, passando por Camp David), então o Fatah é menos um partido político de negação (ou, para usar o termo em voga, "rejeicionista") do que qualquer outro. Por lidar com um senso cada vez maior da força das massas, o Fatah é, em outras palavras, o grupo político palestino com mais chance de chegar a um acordo político responsável com seus inimigos. O Fatah e, em particular, Arafat são pragmáticos, o que significa que eles dedicam tempo, atenção e competência às manobras e às táticas, e bem menos à ideologia e à estratégia disciplinada. Desde o início, os rivais do Fatah, sobretudo a Frente Popular e, mais tarde, a surpreendente Frente Democrática Popular, tinham um conhecimento muito mais problematizado das dificuldades, do contexto e das questões ideológicas que envolviam a questão da Palestina do que o Fatah parecia ter. A Frente Popular, por exemplo, exigia uma revolução árabe como meio de reconquistar a Palestina e recusou-se categoricamente a considerar qualquer espécie de acordo político (em vez de militar) com Israel, os Estados Unidos ou a "reação árabe". A Frente Democrática Popular (FPD), que foi o núcleo daquilo que é hoje um dos principais grupos marxistas-leninistas da região, defende uma linha política mais sutil e, desde seu surgimento em 1969, está na vanguarda da mudança *progressista* das posições coletivas dos palestinos. A FPD foi a primeira a articular o programa de transição adotado em 1974 pela OLP como um objetivo muito aquém da libertação de toda a Palestina. O programa, depois aprimorado em 1977, aceitava a ideia de uma autoridade nacional palestina (agora um Estado) estabelecida em qualquer parte desocupada por Israel na Palestina.

Mas o verdadeiro desafio dos rejeicionistas (entre eles pequenas organizações financiadas pela Líbia e pelo Iraque) e a FPD (que não é um grupo rejeicionista) é que eles são os críticos da política mais ou menos improvisada e, em alguns casos, até familiar do Fatah. Para eles, as críticas são ideológicas, organizacionais, estratégicas. Qual deve ser exatamente a ligação entre a OLP e a Arábia Saudita ou a Síria? Como agir com relação à Jordânia, que tem maioria palestina? Por que e com que finalidade específica membros da OLP e certas figuras públicas israelenses reuniram-se no outono de 1976? Por que não houve uma condenação ampla de Sadat após sua viagem a Jerusalém? Qual é a visão do Fatah da sociedade palestina do futuro? Por que não há determinações claras do Fatah a respeito do problema do imperialismo, determinações que eliminem de vez qualquer tipo de flerte com os Estados Unidos e seus aliados? Acima de tudo, por quanto tempo os políticos palestinos liderados pelo Fatah ainda se contentarão com um pouco aqui, um pouco ali, com um líder dizendo X, outro dizendo Y, com burocracias e *slogans* cumprindo a função de organização revolucionária e tomada de consciência, com condescendência, em vez de execução do trabalho, com obediência cega aos líderes, em vez de responsabilidade séria?

Em alguns casos, esses debates consomem mais energia do que combater o sionismo. Por exemplo, uma decisão crucial sobre uma questão de suma importância para todo o povo palestino – digamos, a posição da OLP no fim de 1977 sobre a Resolução 242 da ONU – é formulada em um par de sentenças sumárias, ao passo que uma questão envolvendo uma disputa passageira entre um rejeicionista de um gabinete e um militar do Fatah do gabinete vizinho ocupará páginas e páginas de prosa minuciosa (e em geral ininteligível). A percepção distorcida de prioridades, a incoerência que mencionei há pouco, decorre não somente de filosofias políticas conflitantes, mas também da forma cubista da existência palestina. Sem território, é evidente que é difícil saber com certeza qual é, em sentido abstrato, o melhor rumo. Há também a mistura frequentemente desalentadora de lealdades e filiações políticas que, como um emaranhado de cordões umbilicais meio soltos, une os palestinos uns aos outros e aos países onde residem. Só no mundo árabe, Estados ou regimes julgam necessário garantir para si mesmos uma espécie de influência, voz representativa ou partido na política palestina, tão poderosa é a marca de legitimidade e autoridade que a ligação com a luta palestina dá aos políticos árabes. Assim, quase todo palestino – ora de maneira consciente, ora não – conduz sua política com uma carga intelectual e material considerável de iraquianos, egípcios, sírios, sauditas e o que mais for nas costas. Arafat conseguiu conter e até tirar proveito disso (como Nasser), mas em algumas ocasiões isso resultou em uma guerra sangrenta, como o conflito entre o Fatah e os rejeicionistas patrocinados pelo Iraque na primeira metade de 1978. Mas de modo geral – e isso talvez seja um tanto paradoxal –, a política palestina tende mais para a acomodação do que para o conflito. Essa é uma maneira de explicar o fato de que, em comparação com os movimentos de libertação vietnamita e argelino, o movimento palestino não foi marcado por lutas violentas entre facções, em que rivais competem e tentam eliminar uns aos outros. Para alguns críticos, essa é uma grave deficiência do movimento, e sugerem que os palestinos (e o Fatah, em particular) acreditam que o poder não nasce de um cano de arma, mas do logro do oponente durante uma discussão. Outros reconhecem essa verdade para criticar a OLP como mero militarismo, sem vontade política ou revolucionária suficiente.

Em minha opinião, muitos palestinos foram induzidos a acreditar que a energia eletrizante do movimento era sua filosofia de luta armada; esse é o suposto novo conceito introduzido pelos grupos palestinos – isto e a teoria geral da guerra do povo. No fim da década de 1960, somente os palestinos ainda ousavam conceber a luta árabe em termos anti-imperialistas; após 1967, Nasser e os baathistas aceitaram de modo geral a inevitabilidade da visão mundial inspirada na Resolução 242 da ONU, cujo sinal foi a aprovação do Plano Rogers em 1970. O significado real da luta armada palestina era complexo, mas em pelo menos um nível ela representou o fim da luta de libertação e o início de um esforço nacionalista, quando as armas (e os exércitos) serviram para proteger uma autoridade nacional central. Foi isso que a Resolução 242 da ONU fez ao nasserismo e ao baathismo, porque fez um exército passar de força anti-imperialista revolucionária (em teoria) a defensor necessariamente conservador do *status quo*. Nesse sentido, portanto, as armas palestinas eram provavelmente menos revolucionárias do que armas de um Estado em formação.

Nas batalhas entre o Exército jordaniano e a OLP, as armas palestinas defenderam uma identidade palestina independente, por assim dizer. As armas não realizaram um avanço revolucionário porque, no contexto do Estado jordaniano, na melhor das hipóteses elas só poderiam desafiar o monopólio estatal da violência e, ainda, baseado na proteção de um interesse palestino institucionalizado e distinto dentro do Estado. Mas o que, por um lado, fez os palestinos chafurdarem no pântano jordaniano, deu a eles uma liberdade extraordinária, por outro. Se a luta armada e a filosofia da guerra do povo fossem tudo que havia no movimento palestino, a força do movimento teria terminado na Jordânia. Isso não aconteceu, porque a visão palestina – aquilo que chamei de "ideia palestina" – e os valores que ela motivou transcenderam as brigas momentâneas entre os árabes, assim como a violência sangrenta entre eles. Inicialmente apoiada pela OLP, a ideia de um Estado democrático secular na Palestina representava a verdadeira novidade e a força revolucionária do movimento; e essa ideia fez avançar os valores democráticos que ela implicava em uma região ainda agrilhoada por tantos tipos de reação e opressão, e também prometia muito mais do que a visão de um monte de armas brandidas, ou até de uma vingança raivosa e revigorante da história.

Assim, no período pós-Karameh, o movimento palestino oscilou entre uma visão revolucionária e uma manobra nacionalista prática. Apesar da série de reveses militares que culminaram em sua expulsão da Jordânia, a OLP ressurgiu ainda mais poderosa do que sugeria a soma aritmética de seus gabinetes, funcionários, combatentes e defensores. Um das coisas sobre as quais os analistas ocidentais se equivocam em geral é que a OLP não conseguiu sua popularidade, seus defensores ou mesmo os voluntários que se uniram a ela por ser um "artifício" inventado para aterrorizar o mundo.[13] Ao contrário, o que a organização representava *era* o mecanismo de um consenso palestino geral, sensível à história e às aspirações dos palestinos. Se, em algumas ocasiões, a atividade geral da OLP pareceu caótica, isso era resultado em parte de sua peculiar capacidade de recrutar palestinos de várias orientações ao mesmo tempo. É claro que as várias facções políticas da OLP – a Frente Popular, a Frente Democrática e outras – estapearam e foram estapeadas por correntes de ideias (tanto de palestinos quanto de outros árabes); mas a legitimidade profunda e duradoura da OLP permaneceu constante. Na realidade, desde 1974, a base de apoio se fortaleceu.

Novamente as razões não podem ser rigorosamente redutíveis a simples elementos. Eu mesmo me impressiono com a generosa presença na OLP de valores, ideias, debates abertos e iniciativa revolucionária – intangíveis humanos, cujo papel, acredito, superou e impôs mais lealdade do que a organização rotineira de um partido militante poderia ter. Mesmo o desenvolvimento de uma burocracia palestina dentro da OLP foi acompanhado desses intangíveis. É preciso considerar que, em uma época tão recente quanto o fim da década de 1960, os palestinos ainda levavam sua vida inteiramente dentro da estrutura política oferecida pelos Estados árabes. Em uma década, um conjunto espantosamente ativo de organizações palestinas surgiu, todas administradas, em certo sentido, por uma OLP propensa ao consenso. Há inúmeras organizações – surpreendentemente sofisticadas e cuidadosas – formadas por estudantes, grupos femininos, sindicatos, escolas,

---

13 Isso se aplica sobretudo à imprensa, mas a literatura oficiosa dos Estados Unidos sobre os palestinos pouco reconhece os fatores humanos que atraíram apoio para a OLP. Ver Quandt; Jabber; Lesch, *The Politics of Palestinian Nationalism*; esse estudo foi realizado para a Rand Corporation.

programas de bem-estar e assistência a ex-combatentes, uma vasta rede de saúde e provisão – e a lista é bastante extensa e, mais do que isso, está sempre se aprimorando, à medida que atendem cada vez mais necessidades dos palestinos. Em suma, o papel da OLP é representar os palestinos como nenhuma outra organização poderia (e, também nesse ponto, a OLP abre espaço para qualquer palestino em qualquer parte; essa é sua realização mais importante); e, além disso, apesar das deficiências de suas políticas ou lideranças, seu papel é manter viva a causa palestina, algo maior do que organizações ou políticas provisórias.

Há mais dois fatores que devo mencionar, e nenhum dos dois foi discutido como merecia. O primeiro é o êxito na condução e na administração dos recursos pelos principais líderes palestinos, dos quais o mais importante é Yasser Arafat, uma personalidade política caluniada e muito mal compreendida. Creio que não seria impertinência dizer que Arafat foi o primeiro líder palestino a possuir duas coisas absolutamente essenciais: (1) uma compreensão realmente inteligente dos principais fatores que afetam os palestinos em todo o mundo (problemas entre palestinos, contratempos com os árabes e com a região, tendências internacionais) e (2) um controle igualmente surpreendente sobre cada *detalhe* da vida palestina. É por isso que ele ocupou uma posição tão central, com tamanha habilidade e por tanto tempo. Durante o mandato britânico, houve todo tipo de liderança, mas houve também uma tendência oligárquica atrelada a essa liderança e, o que talvez tenha sido o mais danoso a sua efetividade, ela não podia assumir uma *responsabilidade* central ou paragovernamental com amplas bases. Foi isso que Arafat e o Fatah fizeram com sua atenção ao detalhe e sua sensibilidade pelo todo, sem jamais parecerem despóticos ou caprichosos. O segundo fator, bem mais difícil de tratar em termos analíticos, é o dinheiro. Permito-me descrevê-lo sucintamente.

Os exilados palestinos contribuem regularmente para o Fundo Nacional Palestino. Como todo órgão palestino, inclusive a própria OLP, o fundo presta contas ao Conselho Nacional Palestino, que tem a função de parlamento ou seção legislativa. O conselho determina a política geral e a responsabilidade por sua implantação é da OLP e de suas várias representações. Com o tempo, o orçamento palestino cresceu a ponto de conseguir pagar serviços, provisões, treinamento e armamento para cerca de 1 milhão de pessoas. Além do dinheiro doado pelos palestinos, há uma quantia anual variável, arrecadada de vários Estados árabes, entre eles a Arábia Saudita, o Kuwait e outros países ricos em petróleo. Além do mais, Síria e Egito tinham influência em virtude de suas contribuições, a qual dependia mais de seu prestígio do que do montante de tais contribuições. O que é questionável é que, assim como o desenvolvimento da educação, nada disso corresponde à situação política e territorialmente desvantajosa da população palestina. A análise clássica de um movimento popular do Terceiro Mundo, que transforma a alienação e pobreza contínua na principal constante do movimento, não se aplica aqui.

Uma parcela significativa da população palestina ainda é miserável, mas uma ampla minoria é educada e dispõe de recursos notáveis. Tal contradição agudiza certos problemas. Um deles é o conflito entre ideais sociais e instituições que, por natureza, são mais, e não menos, conservadoras. Outro é a probabilidade de que os padrões do Estado árabe para a condução política entrem em guerra aberta com as correntes progressivas que com frequência impulsionam o desenvolvimento palestino. Por fim, existe a perigosa perspectiva de *aburguesamento* dos palestinos. Pode-se argumentar, é claro, que essa perspectiva acentuará salutarmente e em seguida provocará um conflito de classes escancarado entre os palestinos; se esse conflito resultar na vitória da classe trabalhadora, melhor para a revolução.

Mas esse argumento foge da questão essencial do que significa um conflito mutuamente destrutivo *no exílio*. Na medida em que os palestinos buscam uma autodeterminação nacional, tudo que os desviem dessa busca será mais prejudicial do que benéfico. Por outro lado, a versão conservadora dessa busca é histórica e moralmente inaceitável: a ideia de que podemos voltar a 1948, a nosso direito de propriedade, a um país árabe, governado presumivelmente por déspotas tradicionais. Essa busca transgride a visão palestina, na medida em que esta tem atraído vítimas de injustiça de todo o mundo. Mas há a desagradável verdade de que o acúmulo de propriedades e o sucesso no exílio geram uma visão retrógrada do futuro. Sendo assim, o problema é reconhecer a utilidade (e, nesse caso, a inevitabilidade) de um período de enriquecimento árabe incomparável, sem se tornar vítima de sua corrupção altamente provável.

Em grande medida, porém, qualquer causa extrema que pudesse afastar os exilados, polarizar e, desse modo, paralisar a comunidade foi eliminada até agora pelos laços internos que mantêm os palestinos unidos. Nunca se deve minimizar o efeito do exílio nem mesmo sobre a burguesia mais próspera. Além disso, a história concreta do período pós-1967 uniu a comunidade e assim ela tem se mantido, ao menos espiritualmente, desde a primeira metade do século XX. Após a derrota catastrófica de 1967, tornou-se óbvio que os Estados árabes não poderiam resolver sua disputa com Israel pelas armas. O acordo político era a nova ordem do dia, e dele fez parte um ressurgimento dramático da influência dos Estados Unidos na região. Antes de falecer, em 1970, o próprio Gamal Abdel Nasser fez a transição ideológica da unidade árabe e da luta de libertação anti-imperialista para o compromisso político com os Estados Unidos, o respeito à integridade de cada Estado da região e objetivos políticos limitados, indicando a aceitação de Israel (quando antes havia rejeição). Os efeitos dessa mudança sobre os palestinos foram as crises jordaniana e libanesa de 1970-1971 e 1975-1976, respectivamente.

Não é exagero afirmar, como já fiz antes, que essas duas crises, e sua terrível perda de vidas humanas, foram inevitáveis, assim como foi inevitável que seu resultado paradoxal fosse um *aumento* da autoridade nacionalista da OLP. A decisão da Conferência de Rabat, em 1974, de designar a OLP como único representante legítimo do povo palestino resultou do conflito entre jordanianos e palestinos em 1970 e 1971. Uma consequência da guerra no Líbano foi uma mobilização quase total de todos os segmentos da comunidade palestina (inclusive dos territórios ocupados e de Israel) em torno da OLP. Como se poderia esperar, portanto, os palestinos foram atacados por causa de sua presença na Jordânia e no Líbano – por mais distintas que fossem as circunstâncias – e confirmados de várias maneiras em suas aspirações nacionalistas circunscritas. Mais uma vez, houve pressão sobre a necessidade de uma definição viável para a identidade palestina, assim como uma resposta dos palestinos a essa pressão e aos fatos políticos em rápida transformação.

Entre as duas crises na Jordânia e no Líbano, a Guerra de 1973 interveio como para intensificar, a seu modo, a ideia de compromisso político, mesmo após o lúgubre fracasso do Plano Rogers e da Missão Jarring nos dois anos anteriores. O que o presidente Sadat – e, de maneira explícita, os sírios e os jordanianos – ofereceu em 1971 foi o mesmo que ele ofereceu em 1973 e pareceu oferecer novamente quando esteve em Jerusalém no fim de 1977: paz com Israel e um Estado palestino, condicionados à retirada israelense completa e inequívoca dos territórios ocupados. De certo modo, a posição palestina avançou com essa oferta. Após a reunião do Conselho Nacional Palestino em 1974, e de maneira mais efetiva após a reunião de 1977, os palestinos se decidiram por um Estado, embora uma posição minoritária (com grande apelo emocional) ainda defendesse a libertação total. O que convenceu a OLP, penso eu, foi um novo eleitorado para sua linha nacionalista: os palestinos da Cisjordânia e da Faixa de Gaza, que, nas eleições municipais de 1976 e após quase uma década de rígido domínio israelense, apoiaram fortemente a OLP como seu representante. Além disso, os palestinos que viviam em Israel acolheram a OLP de forma muito semelhante;

o meio (em conformidade com a história de luta) foi o Dia da Terra (Yom al-Ard), em 30 de março de 1976. Desde então, houve literalmente dezenas de manifestações, declarações e demonstrações de apoio dos palestinos à OLP. Jamais uma organização política palestina representou seu povo de maneira tão fundamental e intensa e permaneceu ao lado dele como a OLP.

IV. Os palestinos ainda em questão

A dificuldade fundamental persiste, porém, e a história consolidou e acumulou inexoravelmente suas ironias em torno dessa dificuldade. Não canso de dizer que o palestino vive um destino curioso, e em nenhum outro momento isso foi tão dolorosamente verdadeiro. Punido por estar presente na Palestina na época da colonização sionista, ele tem sido punido agora por estar ausente da Palestina. Como um pária, um ser transnacional, extraterritorial, um ninguém oprimido em Israel, o palestino se confirma como central para o problema do Oriente Médio, ou seu próprio cerne. Em 1974, mais de uma centena de países das Nações Unidas aceitaram a OLP como representante dos palestinos; entretanto, os países mais intimamente ligados aos palestinos desafiam essa noção, tanto quanto a própria existência de uma identidade palestina. Ainda que lhe neguem o reconhecimento nacional básico e legítimo dado internacionalmente a qualquer sociedade, o palestino vive um nível de proeminência, sucesso e desenvolvimento maior do que em qualquer outro momento de sua história. Além disso, ele nunca esteve tão unido politicamente a seus compatriotas quanto agora, por intermédio da OLP; e, no entanto, a fragmentação geográfica e demográfica nunca foi um obstáculo tão difícil de transpor quanto agora.

Mas os paradoxos e as ironias que *cercam* o palestino não são menos graves. É preciso ter em mente que, desde as guerras de 1967 e 1973, o mundo árabe mudou de ideia a respeito da paz com Israel, mas nunca houve tanta violência entre os árabes. A causa palestina está na agenda de todos os governos árabes, mas o número de palestinos mortos nas mãos deles é assustadoramente elevado. Supõe-se que deveria haver paridade entre as superpotências da região, ao menos como algo consagrado nas ferramentas de paz; por exemplo, Estados Unidos e União Soviética dividem a presidência da Conferência de Paz de Genebra, embora o último esteja restrito ao papel marginal de fornecedor de armas, enquanto o primeiro domina impunemente a região. Alastrou-se pelo mundo a ideia de que os palestinos devem ser envolvidos no processo de paz; mas se procurássemos um palestino que esteja envolvido nele, não encontraríamos nem um. Ao contrário, autoridades egípcias, israelenses, norte-americanas e outras falam pelo palestino, formulam seus objetivos e suas normas de conduta. A impressão que se tem é que, em teoria, todas as portas estão abertas para o palestino, mas na prática não há nenhuma. Como exemplo concreto dessa contradição, vamos examinar a resposta geral e recente dos Estados Unidos aos palestinos e ao Oriente Médio.

Nos meses subsequentes aos acordos do Sinai em 1974 e 1975, a política de Henri Kissinger para a região enfatizou o gradualismo e a bilateralismo; corroeu pouco a pouco as grandes e com frequência ilusórias estruturas da unidade árabe e concentrou-se de modo míope em preservar as barreiras que são ciosamente mantidas para *separar* os Estados da região. Alguns comentaristas observaram que a tendência do parecer dos norte--americanos a respeito da região, revelada nos Acordos Interinos de 1975 entre Israel, Síria e Egito, estimulou uma reflexão não sobre o passado ou o futuro, mas apenas sobre o presente, isto é, o *status quo* (historicamente instável). A essência dessa tendência, cujo clímax foram os acordos de Camp David, foi estreitar o elemento de atenção e importância política; ao invés de considerar os fatos em sua totalidade dinâmica, os governos da região foram incitados pelos Estados Unidos a vê-los paralisados em

A questão da Palestina

sua desagregação presente. Em consequência disso, a continuidade entre as coisas e a coerência da vida humana foram rompidas de maneira brusca. As relações entre Estados, entre comunidades coexistentes, entre problemas do presente, do passado e do futuro, tudo isso foi declarado nulo e inútil. Somente o entrelaçamento de "acordos" por um intermediário peripatético – talvez outro Kissinger – parecia importar. Os Estados Unidos tomaram para si a intermediação entre os Estados, os povos e as instituições, fazendo de seus interesses – sua visão altamente vendável dos fatos – o sucedâneo da cooperação regional entre Estados e comunidades.

No Oriente Médio de hoje, interesses comuns passaram a ser percebidos como parte não de um cenário integrado e maior, mas de uma estreita bilateralidade que alia minorias – governos e pequenas comunidades minoritários – para sua própria preservação. O antigo sistema otomano do *millet,** e o pensamento incrustado nele, tornou-se a ordem do dia. E é claro que a única comunidade transnacional, a dos palestinos, era um estranho no ninho. Desse modo, os palestinos pagam repetidas vezes o preço integral de seu exílio, e o dilema insolúvel do Líbano é a encarnação concreta disso. Porque os palestinos se espalharam e não possuem um território próprio, sua sobrevivência é vista por todos os governos da região como uma questão que toca e agrava todas as outras.

No entanto, o vocabulário conceitual para situar o palestino e formular a questão de sua sobrevivência (até as palavras usadas para descrevê-lo) atesta um sistema afásico eficiente para esquematizar sua presença e transformar suas necessidades, sua história, sua cultura e sua realidade política em palavras

---

* Referência ao sistema pelo qual comunidades étnico-religiosas eram governadas por seu próprio chefe hierárquico e mantinham relativa autonomia em relação ao Império Otomano, sobretudo no que diz respeito às questões teológicas. (N. E.)

impronunciáveis. No Ocidente, os palestinos são imediatamente associados ao terrorismo, como os israelenses se empenharam para que assim fosse. Removido de seu contexto, um ato de desespero palestino parece um assassinato brutal – de fato, como tenho refletido, muitas façanhas individuais (sequestros de avião, rapto de pessoas e coisas do gênero) *eram* atos de destruição desequilibrada, afinal imorais e inúteis. Mas é preciso notar que, ao menos desde o início da década de 1970, a OLP evitou e condenou o terror. O que com muita frequência é escandalosamente ignorado e não divulgado nos Estados Unidos é que episódios como o incidente de Maalot em maio de 1974 foram precedidos de semanas de constantes bombardeios incendiários dos israelenses aos campos de refugiados de palestinos no sul do Líbano.[14] Do mesmo modo, as bombas plantadas em Israel ou na Cisjordânia e na Faixa de Gaza devem ser compreendidas no contexto da repressão diária e da brutalidade de uma longa ocupação militar. Além disso, não há nada, absolutamente nada na história palestina que rivalize com o terror sionista contra árabes, outros judeus, autoridades das Nações Unidas, os britânicos. Aliás, o histórico do envolvimento sionista nos assuntos internos de países árabes (o Líbano é apenas o caso mais recente e menos dissimulado), da opressão dos israelenses contra os palestinos, da tortura sancionada pelo Estado, da ilegalidade internacional (recusa em obedecer às resoluções da ONU, violações das Convenções de Genebra no tratamento das populações civis, relutância em assinar o tratado de não proli-

---

14 O fracasso da imprensa norte-americana no Irã, a negligência dos acontecimentos no Timor Leste e em outros lugares, tudo se origina da mesma falta de investigação independente, a mesma disposição em ignorar uma história perturbadora, a mesma aceitação da propaganda de Estado. Ver Dorman; Omeed, "Reporting Iran the Shah's Way", p.27-33; sobre a questão do Timor Leste e a negligência da imprensa, ver Chomsky, *Statement Delivered to the Fourth Committee on the United Nations General Assembly*; sobre falsas informações a respeito do "Islã", ver Said, "Whose Islam?".

A questão da Palestina

feração de armas nucleares, assassinatos de árabes cometidos por israelenses em países europeus, sem falar nas repetidas incursões contra os palestinos na Jordânia e no Líbano), tudo isso faz o "terror" palestino parecer pálido e incompetente. Mas eu não desejaria o contrário.

Para Israel, o palestino é ou um "terrorista", ou um elemento essencialmente apolítico (porque não judeu), engrossando estatísticas israelenses, ou um sujeito dócil, útil. Hoje, uma força de trabalho de 80 mil a 100 mil árabes da Cisjordânia e da Faixa de Gaza forma o mercado de trabalho israelense, embora todos esses árabes sejam, por assim dizer, burros de carga.[15] "Árabe" no linguajar israelense é sinônimo de sujo, estúpido e incompetente. Enquanto qualquer história semelhante de exploração – para todos os efeitos e propósitos levada a cabo sobre bases racistas – teria sido universalmente condenada no Ocidente democrático liberal, o caso de Israel não só é perdoado, como ainda é louvado. Por quê? Porque Israel conseguiu fechar os próprios olhos e os do mundo para aquilo que tem sido feito contra os palestinos. Pior, toda a falange de intelectuais e pensadores do Ocidente (por exemplo, as distintas figuras convocadas por Israel quando a Unesco condenou as práticas israelenses em Jerusalém) enaltece realizações cuja face negra, em termos humanos e nacionais, arruinou a existência de todo um povo.

O recente surgimento de um grupo de "mensageiros da paz" em Israel,[16] dispostos a se arriscar pela paz e pela compreensão, é animador, mas continua sendo desalentador que os velhos argu-

---

15 Ver Graham-Brown, "The Structural Impact of Israeli Colonization", p.9-20. Trata-se da mais completa análise do assunto atualmente disponível.

16 O movimento Paz Agora, muito comprometido e nada unificado em seus objetivos, é um ajuntamento; outro é o Sheli, representado no Knesset por Arie Eliav; e há ainda o Conselho Israelense-Palestino para a Paz. Nenhum desses grupos nunca foi tão longe quanto o Rakah, a Liga Israelense de Direitos Humanos e as várias ramificações do Matzpen – todos, no melhor dos casos, uma minoria dentro de uma minoria.

mentos sobre a segurança de Israel e as ameaças árabes varram constantemente todas as alternativas. A situação também não é muito melhor para o palestino nos Estados árabes, cuja existência é para eles um satélite de seus próprios interesses. Nenhum Estado árabe perde a chance de tomar posição em relação à questão palestina, mas em geral como uma abstração cuja "sacralização" fornece ao regime em vigor um mínimo a mais de respeitabilidade. Entretanto, essa respeitabilidade não é vista como tal pelo mundo; ao contrário, a retórica pró-palestina é com frequência interpretada como antissemitismo, e mesmo as melhores intenções políticas, que costumam ser tanto religiosas quanto culturais, perdem sua credibilidade. Quem pode ter certeza de que Egito, Líbano, Jordânia e Síria querem realmente a mesma autodeterminação para os palestinos que os palestinos querem? Como ter certeza de que a luta a favor dos direitos palestinos significa realmente que os árabes se reconciliaram com Israel?

Mesmo essa visão superficial do que impede que a autodeterminação palestina seja alcançada dá um sentido inequívoco do contexto político desanimador. Não é o menor dos obstáculos a relativa falta de frequência de uma afirmação palestina sobre o que a autodeterminação significa *positivamente*. Com isso, quero dizer o seguinte: considerando-se que os palestinos são um povo expropriado e politicamente alienado, e considerando-se que (como tenho dito) um dos principais fatores do sucesso do sionismo israelense é seu poder de autoafirmação efetiva, tanto os palestinos exilados quanto aqueles sob o governo de Israel têm se limitado com frequência a negar seu estado de não existência. E, para essa posição de rejeição, resistência e oposição, há uma tradição forte na cultura política atual dos palestinos. A proeza do sionismo foi tomar a Palestina de dentro da Palestina e, não menos relevante, fazer a população palestina nativa parecer o intruso. Desde então, na maioria das vezes os palestinos se viram na situação de alguém de fora que olha para dentro e constata o banimento como a principal característica da existência. Afirmar uma posse prévia, um longo *patriamento* histórico, implicou para nós uma longa negação daquilo em que nos tornamos, isto é, intrusos deserdados. E quanto mais o negamos, mais o confirmamos – a menos que deixemos de ser intrusos e possamos exercer nossa autodeterminação nacional. Então, encontramos de pronto as dificuldades que acabei de citar. Como vencer as circunstâncias limitantes, transpor a negatividade para chegar à afirmação positiva daquilo que somos e desejamos? Mas não se trata somente de uma questão de vontade, é preciso também encontrar a modalidade certa, a mistura certa de forças que deverão ser canalizadas, a retórica e os conceitos certos que mobilizarão nosso povo e nossos amigos, o objetivo certo a asseverar, o passado certo a descartar, o futuro certo pelo qual lutar.

Em minha opinião, estamos começando a nos apoderar de tudo isso, embora, como eu disse, não ainda com um poder suficientemente *efetivo* e constante. As forças arregimentadas contra nós ainda são descomunais, e nosso enredamento com Estados árabes, superpotências, aliados amigos e às vezes exigentes demais – sem falar das confusões da história contemporânea – são seriamente limitantes. No entanto, parece-me que algumas verdades essenciais já fazem parte da realidade palestina e, por causa delas, estamos nos dedicando à construção do nosso futuro. Ao contrário dos israelenses, acredito eu, a maioria dos palestinos tem plena consciência de que seu outro, o povo judeu-israelense, é uma realidade política concreta com a qual ele deve conviver no futuro. Um entendimento igualmente claro é que a questão da autodeterminação palestina inclui *todos* os palestinos, não somente aqueles que vivem na Cisjordânia e na Faixa de Gaza. É claro que esse senso de comunidade conquistada é a principal realização da OLP e decorre dos acontecimentos das guerras pós-1967 e 1973. Mas, se há um sentimento holístico sobre os palestinos, e se ele está concretamente incorporado nos mecanismos e na composição da OLP, também há uma compreensão articulada com precisão a respeito do novo futuro dos palestinos. Ao passar pela mudança de um objetivo de libertação geral para o de uma libertação específica – isto é, da esperança de um Estado democrático secular em toda a Palestina para um Estado palestino na Cisjordânia e na Faixa de Gaza – a comunidade palestina preservou o objetivo de autodeterminação, bem como seus valores. Creio que, para a maioria de nós, sempre restará um sentimento de perda profunda e dolorosa, de que Jafa, Haifa e a Galileia jamais voltarão a ser o que eram em 1948, de que milhares de palestinos perderam o que perderam para sempre. Entretanto, conquistamos uma espécie de soberania igual na Palestina, onde, na verdade, não tínhamos nenhuma; e, ainda que o compromisso de um miniestado, um passaporte, uma bandeira e uma nacionalidade se realize, não há dúvida de que o ideal maior, o de que homens e mulheres não devem ser definidos nem confinados por sua raça ou religião, continuará a exercer influência.

Minha crença pessoal – que discutirei mais amplamente no último capítulo deste livro – é que um Estado palestino independente e soberano é necessário neste estágio para consumar nossa história como povo no decorrer do século XIX. O inventário daquilo que somos, daquilo que fizemos e daquilo que fizeram contra nós jamais poderá ser justificado inteiramente, ou mesmo incorporado, em um Estado. A visão oposta, isto é, a de que um Estado *pode* retificar, defender e encarnar a memória de uma história de sofrimento, parece explicar para os palestinos a teorização israelense e a prática sionista de criar um Estado distinto para os judeus. Tanto em Israel quanto na Diáspora, os judeus perdem muito quando se eximem dos problemas palestinos, que em grande parte foram eles que causaram. Certamente perderam a oportunidade de se engajar ao lado de outro povo em uma busca comum, em um território agora comum, em um futuro comum (em oposição a um futuro excludente). Não sou o único a trabalhar por uma *patrie* palestina, porque acredito que esse é o sentido positivo de nossa história no século XX. Contudo, também tenho muitos parceiros na crença de que essa *patrie* seria o primeiro passo, e talvez o mais importante, rumo à paz entre árabe-palestinos e judeus árabes. Pois a paz entre Estados vizinhos implicará fronteiras comuns, intercâmbio constante e compreensão mútua. Com o tempo, quem não conceberá que as próprias fronteiras significarão bem menos do que o contato humano entre pessoas para quem as diferenças inspiram mais intercâmbio do que hostilidade?

No entanto, até o *tipo* de diferença mudou e, com isso, a *qualidade* do progresso rumo à autodeterminação palestina. Está claro para nós que Israel foi e é a culminação de uma política de certo tipo de eficiência. Isso vale também para o judeu israelense e para o árabe-palestino, o primeiro como inequívoco beneficiário e o segundo como o perdedor. Ver isso acontecer com o árabe-palestino é uma coisa, *conhecer* é outra muito diferente. Posso citar duas experiências dramaticamente diferentes e contrastantes da minha vida relacionadas ao significado desses dois fatos para os árabes. Em minha infância na Palestina, em meados da década de 1940, eu costumava ouvir as conversas dos adultos a respeito de política. Certa ocasião, fiquei perplexo, e nunca me esqueci disso, quando um velho amigo da família – um advogado importante na comunidade árabe de Jerusalém, que estava plenamente ciente da presença cada vez mais forte e institucionalizada dos sionistas no país – fez uma observação confidencial. Até então, o tom da conversa era desanimador. "Eles são muito organizados" era o refrão. "Eles são treinados, estão armados até os dentes e obviamente têm planos para as nossas propriedades", e assim por diante. Então, ele disse com superioridade: "Quando chegar a hora da verdadeira batalha entre nós e eles, traremos um grupo de Khalilis [árabes de Hebron, conhecidos por sua força um tanto insana, mas sempre beligerante] e eles expulsarão todos os sionistas a pauladas".

Durante anos, essa observação ditosamente simplória sobre o sionismo na Palestina me acompanhou como uma síntese da reação palestina na luta pela terra. No entanto, também vejo que minha atitude crítica em relação a ela tem sido um tanto injusta. As confusões, as pressões, os problemas conflitantes que os árabe-palestinos enfrentaram no século XX foram enormes, e muito pouco de sua história ou de sua sociedade os preparou para essa provação. A sociedade palestina foi organizada em linhas feudais e tribais, mas isso não significa que ela não tivesse coerência própria. Tinha, mas sua integridade nacional teve dificuldade para enfrentar as três poderosas pressões que lhe foram impostas, sobretudo após a Primeira Guerra Mundial: o mandato britânico, o esforço de colonização sionista e o início da modernização. Lidar bem com uma ou talvez duas dessas pressões teria sido uma proeza para qualquer sociedade que estivesse começando a pensar em sua independência, após quatro séculos de domínio otomano. Mas se havia solidariedade nacional no sionismo, havia confusões ocasionais (e nenhuma ideologia anti-imperialista) nas políticas árabes em relação ao mandato britânico, que controlou a Palestina até 1948. Além disso, as fissuras criadas na sociedade entre a liderança tradicionalista dos "notáveis", a oposição britânica e sionista, a lealdade dos trabalhadores e dos camponeses árabes, assim como a alienação econômica e social dessa liderança, impuseram divisões que se refletiram em uma consciência árabe imperfeita sobre o que se podia (ou se era capaz de) fazer efetivamente para ir adiante como sociedade na Palestina.

Entretanto, a ideia dessa sociedade, e não a sociedade em si, *foi* adiante. E isso é quase assombroso. Os palestinos não desistiram do desejo de retornar; tampouco consideraram por um lapso de tempo qualquer a opção de mergulhar indiscriminadamente no oceano árabe que o circundava. Nunca em um período de tempo tão curto – pouco menos de uma geração – uma comunidade árabe refletiu de maneira tão profunda e séria *como comunidade* sobre o significado de sua história, sobre o significado de uma sociedade pluralista a quem foi dado o

A questão da Palestina

destino funesto das comunidades multiétnicas do mundo, sobre o sentido de independência e autodeterminação contra um pano de fundo de exílio, opressão imperialista e expropriação colonialista. Mas todas essas indicações da maturidade coletiva dos palestinos foram ensejadas pela abordagem da efetividade política, e na realidade baseadas nela, como um novo fenômeno na história dos povos.

Isso me leva a minha segunda experiência, aquela que ilustra o conhecimento dramaticamente adquirido (em oposição ao testemunho silencioso) do sentido de efetividade política. Na primavera de 1977, participei das deliberações do Conselho Nacional Palestino, que é o Parlamento palestino no exílio. Reunido no Cairo, no prédio da Liga Árabe, o conselho contava com cerca de 200 delegados; cerca de 150 membros da Cisjordânia não estavam presentes, porque Israel não permitiria que eles retornassem para casa, caso participassem da reunião. Apesar disso, o conselho foi amplamente representativo de cada comunidade palestina e de cada palestino. Na semana de debate aberto que foi promovido antes de as resoluções serem formuladas e debatidas, o padrão foi o resumo dos acontecimentos recentes que envolviam os palestinos; na verdade, o tema era como a OLP havia se saído – nesse caso, a OLP era o Executivo do ramo legislativo do conselho. Muitos acontecimentos de importância considerável haviam ocorrido desde a última reunião, em 1974: a guerra no Líbano, inúmeras mudanças diplomáticas e políticas e muitas mudanças de atitude interna, entre elas a decisão de optar por um Estado conjunto com Israel e começar a realizar encontros com os pombos da paz israelenses (sionistas) que haviam expressado apoio aos direitos palestinos.

Sempre me intrigou que, entre tantos repórteres e representantes da mídia, ninguém foi capaz de enxergar os fatos relevantes que estavam ocorrendo no Cairo. Essa falha se manteve nos meses seguintes à reunião do conselho entre os "especialistas" em Oriente Médio na Europa e nos Estados Unidos. Pela primeira vez na história recente, um grupo nacional amplamente representativo no mundo árabe debatia questões importantes em termos totalmente democráticos. A OLP foi alvo de duras críticas; seu comitê executivo, Yasser Arafat e outros foram submetidos a uma investigação minuciosa e criteriosa. Não existe nenhum país árabe onde isso possa acontecer, onde a responsabilidade das lideranças seja buscada e examinada, discutida, analisada e deliberada de modo aberto e pacífico. É preciso ter em mente que os homens e as mulheres reunidos no Cairo eram exilados, todos sem território próprio, todos residentes em um país ou outro em condições diversas de liberdade política, porém essencialmente limitadas. No entanto, o grande fardo das atividades do conselho, a meu ver, apesar da insensatez previsível de muitos discursos, era uma vontade coletiva de assimilar em detalhes tudo que afetava a questão palestina. Duvido que qualquer um fosse induzido a um otimismo fortuito ou mesmo a um ânimo momentâneo pelo simples fato de haver um Conselho Nacional Palestino, ou uma OLP, com programas sociais, militares e diplomáticos. Tudo isso era relevante para uma comunidade cuja existência era negada pelo próprio povo que a expulsara de sua terra natal, uma comunidade tão complexa em sua dispersão (estavam lá palestinos da América do Norte e do Sul, da Europa, da Síria, da Jordânia, da Arábia Saudita, do Kuwait, do Egito, da Líbia e nenhum residente de fato na Palestina), uma comunidade ainda muito distante de atingir seu objetivo minimamente aceitável de retirada das tropas israelenses do ínfimo terço de seu território original. Todos desejavam saber como a luta poderia ser conduzida, em cada detalhe possível e disponível. Além disso – e é isso que impressiona – tentavam lidar com Israel e com os judeus não como um fato político derradeiramente evitável e, no entanto, temporariamente inevitável, mas como um fato essencial para a compreensão do destino político dos palestinos. O movimento sionista que havia sido construído sobre a negação total da presença palestina não poderia se vangloriar de

A questão da Palestina

um reconhecimento tão diligente de sua plena realidade como o que ocorreu no Cairo.

A distância política entre essas duas experiências quintessenciais palestinas é imensa. Não é uma questão de ter se tornado "realista" de um modo vulgar ou talvez oportunista de que a distância pode ser medida. Em ambos os casos, nos idos da década de 1940 e de 1970, os palestinos falavam do ponto de vista de um povo que *estava perdendo* seus direitos políticos e humanos. Já o palestino contemporâneo estava reconquistando sua compreensão daquilo que era provável e possível para ele, e para isso era fundamental que ele tivesse uma compreensão aguda da efetividade, uma consciência do que ele era, de onde ele estava, do modo como ele deveria conduzir no presente uma luta que era considerada tanto um produto do passado quanto um produtor de um novo futuro. Em grande parte, é claro, a realidade atual do palestino é dominada por aquilo que ele sofreu diretamente nas mãos do sionismo. Não há como fugir dessa história e dessa realidade, assim como não pode haver um futuro palestino sem que elas sejam transcendidas. Por conseguinte, boa parte do debate no Cairo se concentrou na realidade específica de Israel, e como essa realidade afetou e, até certo ponto, moldou as reações palestinas.

Assim, o principal passo para *frente*, por assim dizer, na consciência palestina foi a compreensão coletiva e detalhada, a narrativa cronológica, a aquiescência, a visão da efetividade cotidiana do sionismo e de Israel na opressão contra a população nativa da Palestina. Visão e reconhecimento desse modo palestino respondem dialeticamente à cegueira sionista. Em conjunto, essas visões e esses reconhecimentos em formação permitiram aos palestinos formular uma crítica e uma alternativa ao sionismo *como uma prática* de incorporar judeus e discriminar não judeus. Nenhuma dessas alternativas seria possível sem uma cuidadosa apreciação crítica baseada na experiência histórica real. E, portanto, uma plataforma capital do programa político palestino – e falo aqui de um amplo consenso representado (ou melhor, representável) de modo inadequado por um ou outro documento, por um ou outro pronunciamento público de um ou outro líder ou intelectual palestino – é que, antes de mais nada, a realidade deve ser definida historicamente como o efeito preciso do sionismo sobre suas vítimas, mesmo que o êxito do sionismo para seus seletos beneficiários também seja reconhecido. Nesses termos, portanto, a realidade política palestina passou de um programa de resistência de obstinados aldeões armados de paus para uma resistência cujo ponto de partida é uma incorporação e uma revisão da efetividade sionista contra o palestino árabe nativo. Portanto, uma efetividade *palestina* surge pouco a pouco.

Literalmente, o significado irredutível e funcional de ser palestino é viver o sionismo, em primeiro lugar, como um método para tomar a Palestina, em segundo lugar, como um método para expropriar e exilar palestinos e, em terceiro lugar, como um método para manter Israel como um Estado no qual os palestinos são tratados como não judeus e, por meio do qual, eles permanecem politicamente exilados a despeito (no caso dos 650 mil cidadãos palestinos israelenses) de sua contínua presença na terra. Em todos esses casos, o sionismo foi uma premissa para a maioria dos habitantes nativos na fuga da Palestina. Como eu disse, não há como minimizar essa verdade cabal, e todo líder sionista digno de nota encarou-a. Encontrar um Estado na Ásia e povoá-lo com uma ampla maioria de imigrantes vindos da Europa implica despovoar o território original. Isso é um simples *desideratum* do sionismo, com ramificações muito complexas. Entretanto, para o palestino nativo e para o imigrante judeu que tomou seu lugar, o simples fato da substituição nunca variou de fato. E é com esse fato que a busca pela paz no Oriente Médio deve começar, e com o qual ainda nem sequer se começou a lidar.

4
A questão palestina após Camp David

I. Termos de referência: retórica e poder

O que se espera agora é que as discussões sobre o Oriente Médio e o mundo árabe sejam dominadas por perguntas aflitas sobre o que vai ou não acontecer – em especial em relação ao tratado de paz entre Egito e Israel e aos palestinos – ou por análises arrebatadas, positivas ou negativas, sobre a nova era iniciada em Camp David ou sobre o Irã após o xá. Desde que o governo Carter assumiu o poder, a dramática confusão dos acontecimentos no Oriente Médio tem sido desorientadora, embora os padrões que começaram a surgir com clareza cada vez maior após a Revolução Iraniana pareçam preparar o cenário para uma mudança definitiva. No Ocidente, muitos analistas afirmam que as energias profundas, quase sublimes, do sentimento anti-imperialista e liberacionista que alimentaram a vida política árabe desde a Segunda Guerra Mundial começam a enfraquecer.[1] O resultado

---

1 Um ensaio recente, que discute esse ponto de vista (sem muito critério, em minha opinião), é Ajami, "The End of Pan-Arabism", p.353-73.

é que antigas e respeitadas demarcações, devoções fiéis e comunicações estáveis perderam importância. E acredito que seja verdade que há um nacionalismo mais estreito e menos generoso – podemos chamá-lo até de sectarismo – no ambiente árabe. Na proposta surpreendente do presidente Sadat e na subsequente paz com Israel, o mundo árabe assistiu a um golpe teatral para os outrora pujantes gestos e retóricas teatrais. A influência norte--americana tornou-se não uma corrente, mas uma instituição, garantida por acordos internacionais assinados e selados em Washington e nas colinas de Maryland, o mais longe possível dos campos de batalha do Sinai, dos pomares de laranja e das planícies palestinas, dos picos sírios. O Líbano, antes o centro intelectual do debate cultural e político do mundo árabe, hoje mal existe como entidade, suas cidades e vilas foram devastadas, seus cidadãos foram castigados além dos limites aceitáveis, seus ideais se tornaram um aglomerado de lembranças sarcásticas. Para qualquer lado que se olhe, há provas da extraordinária riqueza árabe, da extraordinária confusão árabe, da extraordinária repressão árabe. Elas se apresentam lado a lado, com quase nenhuma transição entre si. E, no entanto, apesar e além da chamada morte do arabismo, também se vê o potencial coletivo de uma grande nação árabe que, embora pareça estar passando por uma fase de desunião, ainda pode mobilizar os corações e mentes de seu povo, contanto que a visão seja autêntica e verdadeira. Essa é uma realidade que jamais se deve subestimar.

Entretanto, apesar de toda a atenção dedicada ao Oriente Médio nos últimos tempos, faltou aí uma qualidade *analítica* particular. Nos Estados Unidos, a imprensa, os especialistas, a *intelligentsia* e, acima de tudo, os propagandistas do governo trataram o Oriente Médio como um espetáculo que precisava ser animado. Havia interesses norte-americanos envolvidos, constantes alusões à importância estratégica e civilizadora da região, manchetes de grande pompa e drama – um monarca deposto aqui, uma conferência de cúpula cênica ali, uma frota de guerra ou F-15 desarmados fazendo uma súbita aparição. Em que quadro tudo isso se inseria? Como, estando o incessante conflito em seu auge, era possível compreender o problema palestino nos novos cenários apresentados pelo tratado entre Israel, Egito e Estados Unidos, os episódios iranianos, a conferência de cúpula de Bagdá em novembro de 1978, a situação no Afegão, na Etiópia, no Iêmen e no Extremo Oriente, os acordos Salt* e o que um jornal chamou de "a nova (des)ordem mundial"?[2]

Podemos começar afirmando que o mundo árabe oriental, ao contrário da China, de Cuba, do Vietnã e até da Argélia, ocupa uma posição curiosamente intermediária, uma mistura de história, geografia e cultura. O mundo árabe é semelhante e dessemelhante a muitas regiões do Terceiro Mundo. Assim, há inúmeras analogias possíveis entre a resistência argelina e a palestina, mas, em última instância, elas não se sustentam. Do mesmo modo, se é verdade que Israel, em sua forma de tratar a população árabe nativa, é um Estado colonizador e assemelha-se à África do Sul, o fato explícito é que, como eu já disse antes, qualquer semelhança plena entre judeus e africânderes é simplesmente uma inverdade. O mundo árabe não é como a Índia, a China ou o Japão em sua relativa capacidade de se isolar do Oriente ou do Ocidente, ou como esses países que têm instituições relativamente autônomas. Todos esses aspectos se somam à talvez confusa verdade de que o mundo árabe é tão avançado quanto retrógrado, tão semelhante quanto dessemelhante, tão diferente quanto igual ao restante do Terceiro Mundo. Portanto, por causa das disjunções, das rupturas, da descontinuidade do tempo e do espaço, qualquer grande ideia – como as ideias do islamismo, do arabismo ou da libertação nacional, por exemplo – não podem ser aplicadas com facilidade nem poderiam ser. Para

---

* Sigla em inglês para Strategic Arms Limitation Talks – série de conversações entre os Estados Unidos e a antiga União Soviética sobre a limitação de armas estratégicas. (N. T.)

2 Steinberg, "The New World (Dis)order", p.14-6.

usar essas ideias, é preciso redefini-las não para restaurar um passado mitológico, mas para viver uma realidade e um futuro possível. Esse problema de redefinição e aplicação política tem se mostrado relevante tanto na moderna cultura árabe quanto nas análises ocidentais sobre a região. Rótulos ideológicos com imenso poder miasmático são substituídos por análises concretas, tanto no calor do debate árabe quanto no ambiente supostamente frio da análise política – ou acadêmica – dos Estados Unidos.

Na prática, o que significa ver o mundo árabe de maneira correta? Basicamente, significa que, embora possa ser considerado uma parte distinta do mundo, com coerência histórica e identidade cultural próprias, o mundo árabe ainda é uma parte do mundo, é uma parte da Ásia, da África e, em certo sentido, até da Europa. Entretanto, quando assistimos aos debates ideológicos entre os árabes ou analisamos um pensamento sociocultural recente dos árabes, notamos que muito desse significado se refere à separação do mundo árabe de todo o resto para reafirmar a singularidade árabe ou islâmica, certa virtude ou pecado árabe em especial, um destino singular. Nesse esforço panglossiano, não faltam especialistas *ocidentais* dispostos a discorrer infinitamente sobre quimeras como a "mentalidade" islâmica ou árabe, a personalidade asiática ou o retorno ao "Islã" (como se esses conceitos fossem monolíticos, simples, capazes de explicar tudo). Por isso, tanto ocidentais quanto árabes se viram com frequência na posição de se recusar a tratar de qualquer argumento ou realidade que não estivesse em conformidade com uma ideia redutiva. O resultado é que argumentos e reflexões parecem fechados em embalagens herméticas. Mas a ironia é que essas embalagens impermeáveis têm menos sentido político, põem menos análise no mundo e a tornam menos independente do que seria desejável. Em vez de compreender como exatamente cada experiência nacional ou grupo cultural difere do restante do mundo (apesar de relacionados com ele), como os tempos mudam e como as pessoas mudam, o Oriente Médio tem se mostrado com frequência vulnerável a generalizações (e políticas) fáceis que o tornam semelhante a outras culturas e nações de uma maneira lisonjeira e fácil de assimilar, assim como as simples expressões de aprovação interna que sugerem que é possível ter uma história em termos próprios e exclusivos.

Isso se aplica sobretudo à ideia de libertação e, associado a ela, às ideias de modernização, paz, independência, desenvolvimento e progresso revolucionário. Há um excelente caso para discussão na ideia de que foi a incapacidade de distinguir entre ideias de libertação tomadas de empréstimo e ideias obtidas de maneira legítima que levou os árabes a sua situação atual. Um dos propósitos da iniciativa de Sadat, que culminou na paz com Israel segundo os termos norte-americanos, foi ter questionado se falar de libertação ou rufar os tambores da libertação – ao lado da repressão interna e do fracasso tanto de se sair bem no campo de batalha quanto até mesmo de dar as caras no campo de batalha – era melhor do que confessar abertamente a derrota e a incapacidade de lutar, se assim fosse possível reaver o território ocupado por Israel e ainda conseguir uma ajuda substancial dos Estados Unidos. A outra alternativa para o que Sadat fez ainda persiste, mas parece improvável que possa ser adotada. Todos sabem o que significa travar uma guerra nacional: mobilização total, sacrifício, líderes que sejam realmente genuínos, com visão e coragem. Hoje em dia, são raros os exemplos desse tipo de líder e desse tipo de batalha nacional. Muito frequentemente, eles existem apenas em retóricas impermeáveis, em vocabulários empolados e, sempre os considerei, melodramáticos.

O tempo presente impõe ao mundo árabe a necessidade de indagar por *que tipo de libertação* ele luta (ou se é pela libertação que ele *está* lutando) e o que os árabes devem fazer quando forem "libertados". Mais uma vez, respostas importadas, baseadas em falsas analogias, não servem, embora sejam aceitas por um breve período (quando discursos bombásticos e ameaças pomposas fazem as vezes de resposta aos dilemas que se apresentam). De qualquer modo, como Gérard Chaliand defendeu em um livro um tanto amargo, *Revolution in the Third World* [Revolução no Terceiro Mundo], é sensato pensar que a maioria das lutas libertárias no Terceiro Mundo levou a regimes indistintos, dominados pelo culto do Estado, a burocracias improdutivas e a forças policiais repressoras. Mesmo que se assuma que, neste momento, o mundo árabe esteja longe de conseguir sua libertação, ainda é preciso decidir o que se deve evitar no futuro e o que se deseja para ele. Mas qualquer reflexão nesse sentido levará de imediato à consciência de que, por mais surpreendente que seja, não houve discussão suficiente sobre a comunidade humana na cultura política e social árabe contemporânea. Nem se deu qualquer atenção séria à natureza do Estado pós-colonial. Essa falha pode ser demonstrada de maneira dramática pela justaposição de duas obras bastante divergentes: *Muqadimat li dirasit al mujtama' al 'araby*, de Hisham Sharaby, e o estudo de Murray Bookshin sobre o movimento anarquista espanhol entre 1868 e 1936.[3] Permito-me explicar o que quero dizer com esses dois diferente livros.

O livro de Sharaby tenta dissecar a sociedade árabe para mostrar que o que há de errado nela é sua estrutura familiar irremediavelmente patriarcal, autoritária e atávica. Concordando ou não com o diagnóstico do autor, o leitor acaba se perguntando no fim do livro o que é que Sharaby, um conhecido e renomado intelectual árabe que leciona nos Estados Unidos, propõe para substituir essa família. Então surge um vazio quase total. É verdade que ele faz menções vagas à liberdade, à democracia e à modernidade que os árabes ganhariam caso a família tradicional fosse destruída, porém nada mais do que uma menção aqui e outra ali. Por quê? Pela simples razão de que Sharaby não refletiu sobre nisso, e, de fato, o próprio pensamento social moderno – ao

---

3 Bookshin, *The Spanish Anarchists*.

menos em sua forma acadêmica – não parece ter lhe fornecido ideias específicas sobre o tipo de comunidade humana por que os árabes devem lutar. Nesse ponto, o comovente estudo de Bookshin sobre o movimento anarquista espanhol desde a década de 1860 até 1936 parece oferecer um *insight* importante. O anarquismo deu expressão ao desejo de milhões de camponeses e trabalhadores espanhóis pobres e atrasados de criar para si mesmos comunidades onde não houvesse repressão, burocracia centralizada e governo autoritário. Nenhum outro país da Europa passou por esse movimento, embora ele tivesse uma relação clara com todos aqueles movimentos do Ocidente que foram influenciados pelo utopismo e pelo marxismo. O que defendo é que, com exceção da tentativa quase esquecida dos palestinos de falar de uma nova forma de organização social e do esforço do Movimento Nacional Libanês, que surgiu durante a guerra civil de 1975-1977, não houve praticamente nenhuma forma social concreta pela qual indivíduos, intelectuais e sociedades no mundo árabe tenham lutado de maneira concreta, salvo os pronunciamentos vagos e hermeticamente selados sobre a libertação e a nação árabe. Também defendo que o resultado disso é que olhamos em vão a nossa volta, buscando termos com o que iniciar uma discussão dessa espécie, seja sobre o Estado e a estrutura da sociedade, seja sobre as formas efetivas da vida árabe moderna.[4] Mas, acima de tudo, encontramos dois tipos de retórica: por um lado, a da crítica negativa, da rejeição e da denúncia; por outro, a da exaltação, da admiração e da aprovação dos árabes por eles mesmos. Em última análise, ambas têm muito pouco a ver com a história ou a política, porque

---

4 Uma possível exceção (há muitas) é a obra de Munif al-Razzaz, da qual muito pouco está disponível em inglês. Uma boa seleção das reflexões políticas e culturais árabes mais recentes encontra-se nas duas coletâneas editadas por Anwar Abdel Malek: *Anthologie de la littérature árabe: Les essais* e *La pensée politique árabe contemporaine*.

são demasiado confinadas em si mesmas. E simplesmente garantem que, no futuro, o mundo árabe parecerá um lugar sujeito aos fatos, ou melhor, um lugar onde os homens e as mulheres não fizeram o suficiente para mudá-lo, segundo as ideias e os valores da comunidade humana pela qual lutaram.

Os fracassos gerais dos árabes presentes na situação atual são completados por aquilo que, na falta de expressão melhor, pode-se chamar de "visão das coisas dos Estados Unidos no mundo árabe e no Oriente Médio". Há certa diversidade de opiniões na imprensa, na classe acadêmica e no governo norte-americano, mas a marca bruta da política dos Estados Unidos e da concepção de seus interesses pode ser encontrada em toda a parte. Não é exagero afirmar que, para essa política, conseguir petróleo e fazer alianças bélicas contra correntes populares e/ou nacionais são seus dois principais imperativos. Trata-se de uma inversão rudimentar da visão de mundo de John Foster Dulles. A declaração mais clara da atual política dos Estados Unidos foi feita em 12 de junho de 1978, pelo secretário adjunto de Estado, Harold H. Saunders, em seu depoimento perante o subcomitê da Câmara para a Europa e o Oriente Médio. Saunders arrolou como parte do "catálogo básico de interesses" gerais o desejo dos norte-americanos de impedir o conflito, um "irrevogável compromisso com a segurança, força e bem-estar de Israel", um reconhecimento da importância do mundo árabe (em particular, "a força e a moderação dos principais países árabes") e "um compromisso moral e humano com o povo do Oriente Médio para contribuir para o fim de um conflito que tem produzido uma geração de sofrimento". Em conformidade com esses interesses, Saunders delineou quatro premissas sobre a política dos Estados Unidos:

> Primeiro: visto que cada um de nossos interesses no Oriente Médio é importante, a única política nacional viável é aquela que nos permita perseguir todos esses interesses simultaneamente [...].

Segundo: a experiência dos últimos quatro anos demonstra que podemos perseguir melhor todos esses interesses simultaneamente em circunstâncias em que haja progresso rumo a uma solução pacífica do conflito árabe-israelense [...].

Terceiro: tem havido um significativo deslocamento para o Ocidente nas relações entre as principais nações do Oriente Médio e as principais potências fora do Oriente Médio nos últimos anos [...].

Aqui, Saunders fala do fim da influência da União Soviética na região e o reconhecimento de que as nações do Oriente Médio preferiam "o Ocidente [que] oferece a tecnologia e as habilidades gerenciais necessárias para desenvolver seus países". Ele cita ainda o ponto não menos importante de que "líderes árabes moderados se voltaram para os Estados Unidos em busca de cooperação para atingir a paz e o desenvolvimento. O sucesso deles limitará o papel das forças radicais".

Quarto: sem prejudicar de modo algum nossos outros compromissos, uma definição dos interesses dos Estados Unidos no Oriente Médio deve levar seriamente em consideração as novas dimensões das relações econômicas do país com essa região.

Mais adiante, Saunders afirmou em seu depoimento que se tornara política dos Estados Unidos, após a visita de Sadat, transformar o país em mais do que "carteiro entre os dois lados". Três questões – a natureza da paz, o recuo israelense "e as medidas de segurança que acompanhariam o recuo", assim como o "papel dos palestinos" – foram o foco das discussões dos Estados Unidos com Israel, Egito, Jordânia, Síria, Líbano e Arábia Saudita, embora os Estados Unidos tivessem concordâncias e discordâncias importantes sobre essas questões, tanto com os Estados árabes quanto com Israel. Em um ponto, Saunders foi (ou ao menos pareceu ser) categórico: "Nossa visão é que o futuro da Cisjordânia e da Faixa de Gaza está intimamente associado à Jordânia e que um Estado palestino independente que alimente sentimentos irredentistas nesse território truncado não seria uma solução realista ou duradoura".[5]

O depoimento de Saunders organiza-se em torno de "paz e moderação", uma frase evidentemente destinada a deixar de fora o pálido "radicalismo", o nacionalismo e a oposição popular ao *status quo* militar, social e econômico. Mais importante, creio eu, é a visão implícita de que qualquer conflito – justo ou injusto, sensato ou insensato, real ou irreal – é ruim para os Estados Unidos, uma vez que o que importa para "nós" é a ausência de mudança, o acesso ao petróleo do Oriente Médio, assim como a um vasto mercado consumidor para as empresas norte-americanas, e as relações bilaterais entre o governo norte--americano e cada grande regime "moderado" do Oriente Médio. Portanto, uma redução no nível do conflito árabe-israelense deve ocorrer não pela solução dos problemas dos quais o conflito se originou, mas por meio dos Estados Unidos – simples assim. Se, nesse processo, questões territoriais, militares e diplomáticas também puderem ser resolvidas, tanto melhor. Era claramente isso que visava o tratado entre Israel e Egito, além de dar aos Estados Unidos o que Saunders chamou de "uma presença nacional – não somente governamental". Mas a prioridade máxima era estabelecer convergências militares favoráveis aos Estados Unidos e desfavoráveis aos radicais, aos nacionalistas e aos movimentos populares, que tinham uma visão diferente das coisas. O resultado é que, com sua aquiescência, Egito e Israel se tornaram clientes inteiramente dependentes da indústria de armamento norte-americana.

Vamos examinar um pouco mais os interesses políticos dos Estados Unidos. Por trás da importância do petróleo e da geopolítica, existe o desejo de não se opor simplesmente ao nacionalismo e ao radicalismo (nunca expresso de maneira clara),

---

5 Saunders, *Merip Reports*, p.13-5.

mas de identificar opositores lógicos e, assim, proclamar inimizade incondicional a forças que se opõem a uma aliança com os Estados Unidos (como os movimentos iranianos e palestinos). Além disso, os Estados Unidos se identificam ativamente como contrários a qualquer iniciativa de transformar regimes clientes (por mais opressivos e impopulares que sejam), apesar de seu propalado interesse oficial pelos direitos humanos.[6] No Irã, isso não significou apenas apoiar o xá, mas também fornecer petróleo ao Exército ao longo de janeiro de 1979, após o xá ter deixado o país, na expectativa de que os militares tentassem um golpe de Estado contra as forças de Khomeini. Significou dar prosseguimento em separado a um tratado de paz entre Israel e Egito, diante da oposição jordaniana, saudita e kuwaitiana. Significou continuar a aliar os interesses norte-americanos aos regimes isolados e repressivos, cujas principais virtudes, nos casos de Israel e Egito, era o fato de serem compradores condescendentes das armas, dos financiamentos e da experiência técnica dos Estados Unidos que depois tornaria politicamente ignorante a vasta maioria da população, cujos interesses jamais poderiam ser atendidos pela importação de franquias da Kentucky Fried Chicken, da Coca-Cola, da indústria automobilística de Detroit e dos hotéis Marriott. E a cada fracasso comprovado dessa política – do Vietnã ao Irã, passando por Etiópia, Afeganistão, Paquistão e Jordânia – havia um compromisso renovado, mais firme e mais oneroso, como se os Estados Unidos tivessem uma capacidade infinita de se alimentar dos fracassos, como o xá e Haile Selassie.

É verdade que, enquanto os Estados Unidos contassem com clientes ávidos como Sadat e Begin, a política norte-americana se colocaria irresistivelmente a seu favor. Mais uma vez, porém, nós nos perguntamos o que foi aprendido após o Irã, onde bilhões de

---

6 Para desmistificar essa visão oficial, ver Chomsky, *"Human Rights" and American Foreign Policy*.

dólares e de armas norte-americanas e inúmeras declarações de apoio ao xá (a sua inteligência e ao seu aparato policial) não conseguiram salvar o trono de uma oposição essencialmente desarmada e popular? O que se aprendeu talvez esteja encarnado no tratado entre Israel e Egito, onde os Estados Unidos se tornam um daqueles governos regionais – intercambiáveis com eles – que se dizem dispostos a pegar em armas para se apoderar dos recursos econômicos dos outros; dispostos a atacar qualquer movimento que não se submeta de pronto a ideias importadas de paz, moderação e progresso; ansiosos por suspender o bem popular em deferência àquilo que os Estados Unidos preveem que a União Soviética pode ou não fazer.

A dificuldade de analisar ou mesmo de expor as deficiências dessas visões políticas no contexto atual é que a mídia e a *intelligentsia* liberal – instigadas por um governo cujos interesses são atendidos sem ônus – reservaram conceitos como paz, moderação, modernização e progresso para as estratégias particulares dos Estados Unidos e de seus aliados. Até para comentaristas radicalmente independentes, como I. F. Stone, foi difícil resistir aos acordos firmados em Camp David, e ainda mais difícil deixar de se referir ao presidente Carter como um herói épico.[7] A ideia era – como outros colunistas liberais passaram a defender após setembro de 1978, e Anthony Lewis era particularmente veemente a esse respeito – que Camp David "era tudo que tínhamos", logo qualquer outra ideia sobre a paz no Oriente Médio era violenta, perniciosa e prejudicial. Na verdade, o acordo entre Begin e Sadat parecia ser um passo à frente. Não significou que não haveria guerras entre Israel e o maior e mais descomunal país árabe? Não significou que os árabes que se opuseram a Camp David eram antiamericanos, antissemitas e contra a paz? Melhor ainda, não foi verdade que houve pela primeira vez acordo público internacional sobre a existência da

---

7 Ver Stone, "The Case for Camp David".

A questão da Palestina

questão palestina e até de meios de resolvê-la? Camp David não teve ainda a virtude de rejeitar o comunismo e proporcionar a paz e a prosperidade dos bons árabes? Então, em vez de canalizar as energias para uma guerra inútil, não seria o caso de árabes e judeus finalmente começarem a desenvolver sociedades novas, prósperas e progressistas sob os auspícios dos norte-americanos?

Ao lado desses argumentos e dessas perguntas – nesses termos – sem respostas, persistiram o absoluto silêncio, a recusa anistórica e espantosamente inflexível de ver o que mais Camp David teve como consequência, sobretudo para a questão palestina. Não se disse que Camp David falhou ao tratar – aliás, nem mencionou – os assentamentos israelenses na Cisjordânia, na Faixa de Gaza e nas colinas de Golã. Não se disse que, durante o debate do Knesset em Camp David, a apresentação de Begin se subordinou explicitamente a um intercâmbio, a uma negociação mais proveitosa para Israel do que para o Egito e "os árabes": o Sinai seria devolvido ao Egito, ao passo que Israel manteria os demais territórios. Não se sugeriu que a OLP, assim como cada palestino, estava certa em denunciar o chamado "plano de autonomia". Não se tratava nem sequer de um artifício, mas de um plano *explícito* para sujeitar para sempre os palestinos à autoridade militar israelense em um Bantustão, cujo próprio princípio na África, por exemplo, os Estados Unidos acusaram de incongruente com a autodeterminação. É verdade que se sugeriu durante e após as negociações de Camp David (e apareceu de maneira muito tímida em "cenários" claramente autorizados, montados para a imprensa) que o plano de autonomia era o primeiro passo de um processo "irreversível" que, em última instância, levaria à autodeterminação palestina. E, no entanto, os documentos de Camp David e Sadat, que se considerava o próprio paladino palestino, não fizeram nenhuma menção disso no texto dos acordos, mas sim em um conjunto de cartas anexadas a eles, cartas essas que foram revogadas por cartas israelenses em que se acabava com a Cisjordânia e com as esperanças palestinas.[8] (Um padrão que se iniciara com a visita de Sadat a Israel se cristalizou: durante a viagem de carro de Tel-Aviv a Jerusalém, o ministro das Relação Exteriores de Sadat foi orientado por Dayan a apagar de seu discurso no Knesset qualquer menção à OLP.[9] Em 26 de março de 1979, durante a cerimônia de assinatura, Sadat simplesmente não fez nenhuma menção aos palestinos, por receio de "irritar" os israelenses.) Onde quer que houvesse clareza sobre o que o plano de autonomia representaria para os palestinos, essa clareza era *israelense* e, de maneira muito mais conclusiva, uma ação israelense *in loco*. No dia em que a "paz" foi assinada, Israel anunciou vinte novos assentamentos na Cisjordânia, já pontilhada de 77 outros.

Retornarei em breve à política israelense nos territórios ocupados. Aqui, o que se deve indagar é por que o governo – e menos ainda a imprensa e a *intelligentsia* liberal – não estabelecia conexões entre o que o "processo de paz" estava fazendo de fato aos palestinos e o que os palestinos (e boa parte do mundo) estavam dizendo ou vivenciando? Um dia após a assinatura do tratado de paz em Washington, o *The New York Times* publicou uma matéria de Jonathan Kandell sobre Halhoul na Cisjordânia, uma cidade que estava sofrendo punição coletiva por causa de uma manifestação contra o tratado realizada em 15 de março, durante a qual um trabalhador de 21 anos e uma estudante de 17 foram mortos por soldados israelenses. Foi imposto um toque de recolher de 23 horas aos 8 mil habitantes da cidade, os telefones foram cortados, as atividades escolares, comerciais e agrícolas foram suspensas. Kandell prossegue:

> nenhuma visita de fora é permitida. Uma hora por dia, vigiados por soldados israelenses armados, os moradores têm permissão de sair

---

8 Ver as seguintes cartas: Sadat para Carter, Carter para Sadat, Begin para Carter, Carter para Begin. Todas foram assinadas como anexos aos acordos de Camp David, em 18 de setembro de 1978.

9 Isso é relatado em Kapeliouk, "De l'affrontement à la convergence", p.18.

A questão da Palestina

de casa: as mulheres para comprar comida, as crianças para fazer exercício e os homens de folga forçada para conversar.

"Não fale com ele!", gritou um soldado israelense a um repórter que se aproximou de um idoso na rua principal, nos limites da cidade, durante a dispensa de uma hora. "Ninguém está autorizado a falar com eles!"[10]

Quando o relatório do Departamento de Estado de 1978 sobre os abusos contra os direitos humanos foi publicado, o *Times* redigiu um editorial em que atacava o governo por se atrever a misturar as questões (paz e "alegações" de tortura), dando a entender que fatos como os relatados por Kandell, que violam todas as convenções de direitos humanos conhecidas, tinham relevância secundária. O pior, em minha opinião, é a suposição por trás do discurso sobre o "processo de paz" de que os palestinos, jamais consultados, jamais representados, jamais considerados, deviam ficar satisfeitos com o que lhes era apresentado de modo tão generoso para seu próprio bem. E isso no exato momento em que centenas de milhares de palestinos sob ocupação, a OLP e os palestinos de todo o mundo rejeitavam o plano de autonomia, reafirmavam seu objetivo de autodeterminação e independência, faziam ouvir sua voz ao redor do mundo. A questão é por que nos Estados Unidos ninguém perguntou em alto e bom som por que cerca de 4 milhões de pessoas, dispersas por quase todo o mundo, ainda insistiam em lutar por seu direito inalienável ao fim do exílio e da ocupação, a menos que estivessem falando sério e sentissem que o que lhes sugeriam era inaceitável?

Em vez disso, os palestinos ouviram de Zbigniew Brzezinski que sua organização, a OLP, estava acabada: "Adeus, OLP". O presidente Carter, que afirmara magnanimamente que os palestinos tinham o direito de participar da determinação de seu próprio futuro (uma concessão não sem importância, depois

---

10 Kandell, *The New York Times*, 27 mar. 1979.

de tudo que se disse e fez), também afirmou que a OLP era "para nós" uma organização como o Partido Nazista Americano, a Ku Klux Klan, o Partido Comunista, e "queremos que ela desapareça". Nos anos seguintes ao início de seu mandato, o presidente Carter expressou sua visão sobre os palestinos em inúmeras ocasiões, mas, até onde se saiba, nunca conheceu um palestino ou conversou com representantes palestinos. Quanto aos liberais, aos judeus pacifistas, aos líderes dos direitos civis e às figuras respeitáveis da sociedade norte-americanos, nenhum assumiu uma posição pública sobre a questão dos direitos palestinos, como se eles fossem uma figura de linguagem que se deveria evitar em círculos educados, como se os civis palestinos sistematicamente maltratados por Israel – com o consentimento dos israelenses – não fossem as mesmas pessoas que foram deslocadas e expropriadas por um sionismo invasor, que ainda tenta colonizar os últimos remanescentes. Quando se encontrava com a imprensa, Menachem Begin nunca era questionado sobre como conseguira ser eleito com uma plataforma que prometia anexar a Cisjordânia, *bem como* a Transjordânia, ou como ele conciliava seu zelo moral pelo sionismo com a destruição da sociedade palestina. Mas quando Yasser Arafat aparecia, a imprensa sempre lhe perguntava sobre a transferência dos judeus para o meio do mar, sobre o reconhecimento de Israel, sobre o pacto da OLP, mas nunca fazia nenhuma alusão ao fato de que ele e os palestinos representados por ele eram atacados dia após dia por um Estado dedicado a eliminá-los.

Não é demais dizer que a retórica da paz no Oriente Médio usada hoje sem dissensão pelos Estados Unidos coincide com o desejo de minimizar a questão palestina, e talvez até de fazê-la desaparecer. E é a essa solução final, seja ela planejada ou não, que o povo palestino agora resiste. Portanto, não deveria causar surpresa que a "paz", tal como foi definida, não tenha encontrado nenhum participante receptivo do lado palestino, um fato ainda mais admirável quando lembramos que, durante quase cem anos de luta contra a colonização sionista, o povo palestino não teve um único colaboracionista ou um "representante" disposto a aceitar a subordinação palestina a uma falange de forças hostis, oficialmente sacramentadas pelas potências ocidentais. Em sentido muito real, a paz no Oriente Médio parece possível por dois caminhos e, em sentido também muito real, a diferença entre eles é irreconciliável no momento. O primeiro começa em Camp David e termina com uma "autonomia" que Israel, Egito e Estados Unidos governarão indefinidamente. O resultado será, sem dúvida, a continuação do conflito, cada vez mais armas (e uso delas), cada vez mais forças populares protestando contra os Estados Unidos e seus clientes. Esse caminho parte da esperança de que esse poder é persuasivo o bastante para domar o desejo de autodeterminação dos palestinos – simples assim. Por mais que os fatos sejam adornados com promessas de modernização, progresso e ajuda dos norte-americanos, não há como atenuar a barganha principal, pela qual, em troca da submissão, os palestinos têm a promessa de uma longa não independência nacional.

Os sinais são claros o suficiente para que cada palestino possa compreendê-los, embora alguns norte-americanos, por exemplo, tenham sido privilegiados com um manual apropriado sobre seu simbolismo. Mas quando lembramos que, em poucos anos após 1970, os palestinos tiveram de travar quatro guerras importantes (contra a Síria, a Jordânia, Israel e a direita libanesa, com o apoio frequentemente explícito dos Estados Unidos, que ainda não se decidiram a se declarar a favor da autodeterminação palestina – uma ideia que não é de todo insensata, dados os gastos cada vez maiores na região para fazer os palestinos desaparecerem), a militância palestina torna-se ligeiramente menos difícil de compreender. À luz do que houve no Irã – onde os Estados Unidos se uniram a um fantoche repressivo contra a grande maioria dos iranianos –, as consequências de seguir novamente por esse caminho, com um custo mais *direto* para os Estados Unidos, são terríveis. Além disso, Israel tem uma paz à parte com um Egito claramente satisfeito por ter se livrado da Líbia e das obrigações políticas e sociais às quais seus líderes haviam renunciado pela *Pax Americana*. Preparada para mais agressão contra os palestinos e o que sobrou do nacionalismo árabe, abastecida com armas quase ilimitadas pelos Estados Unidos, alheia à real necessidade de seu povo de, em algum momento, chegar a um acordo com o mundo árabe, Israel agora enfrenta o futuro.

Como isso pode levar a uma paz universal no Oriente Médio desafia qualquer análise. Uma avaliação honesta atestaria o caminho que descrevi como aquele que Eqbal Ahmad, um brilhante intelectual paquistanês que trabalha para o Instituto de Estudos Políticos de Washington, chamou de um "exemplo de instintos herdados que cegam líderes para os processos históricos".[11] Será que a oposição dos líderes norte-americanos a qualquer coisa que cheire a nacionalismo popular é tão cega, tão acriticamente aceita depois do que aconteceu no Vietnã e no Irã que não é capaz de reagir, exceto com novo esforço para vender mais armas e financiar mais maquinações como o tratado entre Egito e Israel?

Essa obstinação é particularmente desanimadora, e é oferecida ao povo norte-americano com uma retórica que insulta a inteligência, em uma época em que claramente existem outras oportunidades – o segundo caminho que mencionei. Esmiuçarei as ações concretas desse caminho nas próximas páginas; aqui, quero apenas salientar o fato de que todos os Estados árabes aceitaram a Resolução 242* das Nações Unidas como base para a paz na região; a OLP deu sinais de que, em troca de uma declaração de apoio dos Estados Unidos a uma autodeterminação palestina que culminasse em um Estado independente, ela formularia

---

11 Ahmad, *The New York Times*, 26 mar. 1979.

* Referência à resolução aprovada por unanimidade pelo Conselho de Segurança da ONU em novembro de 1967, estabelecendo que Israel deveria desocupar os territórios da Cisjordânia, da Faixa de Gaza, de Jerusalém Oriental, assim como da Península do Sinai (Egito) e das Colinas de Golã (Síria). (N. E.)

propostas bastante concretas de paz. Além disso, pela primeira vez na história palestina moderna, há (a) uma liderança palestina legítima, (b) um consenso nacional palestino, (c) uma capacidade em ambos os casos não só de definir a forma da autodeterminação (conforme detalhado nas reuniões do Conselho Nacional Palestino de 1974, 1977 e 1979), mas também de mudar de posição a fim de promover ativamente a paz. Se acrescentarmos a tudo isso a evidente "moderação" da liderança árabe com respeito às futuras relações com os Estados Unidos, e a disposição dessa mesma liderança, após uma geração de oposição norte-americana ao nacionalismo árabe, de ainda conservar alguma expectativa positiva em relação aos Estados Unidos, então a atração de uma política norte-americana mais abrangente, menos paranoica, deveria ser irresistível.

A questão agora é por quanto tempo os Estados Unidos continuarão a falar a língua da paz e da boa vontade, enquanto perseguem objetivos em manifesta contradição com ela. O presidente Jimmy Carter, como muitos de seus predecessores, tenta convencer a todos que intransigência, militarismo, sectarismo e intervencionismo podem se traduzir em algum momento por paz justa e abrangente. Defendo que essa transformação não poderá ocorrer enquanto esses termos limitantes forem mantidos, porque pressupõem, como mostra a história, que os palestinos desistam de sua existência nacional. Até que essa "ligação" inaceitável seja compreendida, as ilusões, a violência e o desperdício humano continuarão.

II. Egito, Israel e Estados Unidos: o que mais o tratado envolvia?

Enquanto se reuniam em Washington em 26 de março de 1979, as mãos dadas em júbilo, prontos para uma paz que supostamente pressagiava o fim dos problemas no Oriente Médio, Jimmy Carter, Anuar Sadat e Menachem Begin pareciam apagar naquele instante a terrível e tortuosa história que os pusera tão triunfantes no centro do palco do mundo. Essa imagem, que significava o fim do conflito e da hostilidade, era imensamente poderosa. Mas ela não fez nem poderia fazer mais do que impor uma espécie de comercial de televisão a uma dialética contínua contra a qual, pela primeira vez em termos oficiais, os Estados Unidos empenhavam diretamente seu enorme poder. E, nesse exato momento, uma centena de conselheiros militares norte-americanos estava no Iêmen do Norte ajudando o regime a combater o Iêmen do Sul. Em toda parte na região, os Estados Unidos moveram-se em silêncio para apoiar (ou persuadir, como no caso da Jordânia e da Arábia Saudita) tudo que fosse contra a "desordem" popular, a instabilidade, a chamada escalada da crise. A posição norte-americana não poderia ter sido menos do que uma relutância incondicional a encorajar aqueles processos da história do Oriente Médio aos quais, em sua própria história, os Estados Unidos prestaram homenagem: a luta pela independência, pelos direitos humanos e pela libertação da tirania. Com a mente popular incitada ainda pelo medo e pela aversão à insurreição islâmica – com que frequência não se liam artigos sobre a ameaça à civilização ocidental que vinha do Oriente islâmico? – e com o ressentimento crescendo por causa do preço do petróleo árabe, o esforço do governo para aprovar o tratado entre Israel e Egito como desejável desaguou em uma oposição pautada pelo senso comum. Uma pesquisa de opinião da CBS e do *The New York Times*, realizada no fim de março de 1979, revelou que a maioria da população era indiferente ao tratado. Custara demais, era a avaliação popular; havia ampla desaprovação à quantidade de armas prometidas ao Egito e a Israel (as estimativas variavam de 5 a 15 bilhões de dólares); mais de 70% dos entrevistados desaprovavam a promessa dos Estados Unidos de fornecer petróleo a Israel pelos quinze anos seguintes.[12]

---

12 Ver *The New York Times*, 29 mar. 1979.

No entanto, como eu disse diversas vezes, havia um paradoxo que seria desonesto descartar. Jimmy Carter foi o primeiro presidente a falar a sério, ainda que de modo um tanto abstrato, sobre o povo palestino. Membros da oposição israelense, como Shimon Peres, também começaram a falar dos direitos e/ ou interesses palestinos, e isso era uma diferença notável em relação ao passado. Reconhecia-se, portanto, que os palestinos eram uma presença que devia ser tratada com seriedade, apesar de devermos também dizer que, politicamente, sua posição era tão ameaçada e sua existência estava tão constantemente em risco que eles consideravam difícil comunicar a essência de sua posição e de suas necessidades para além do mundo árabe. Mas, dada a nova atmosfera, por que o tratado os restringiu tanto? O que mais estava acontecendo que não recebia a devida atenção?

Vamos começar pelo Egito. A atitude em relação a Sadat (contra no mundo árabe e a favor no Ocidente) era tão polêmica que ele também se tornou uma imagem sem sentido histórico e político. Já em 1971, durante a missão de Gunnar Jarring, enviado ao Oriente Médio pela ONU, Sadat prometeu a Israel reconhecer e normalizar as relações em troca de território; a seção palestina sempre foi um adendo ao pilar central de sua política. É claro que sua atitude se diferenciava da de Abdel Nasser e também da dos baathistas sírios, que disputavam com o Egito a influência no mundo árabe.[13] Ambas as filosofias, porém, foram rapidamente alcançadas em ascendência por dois novos campos árabes não nacionalistas, o Egito de Sadat e a Arábia Saudita rica em petróleo. Na década de 1970, portanto, pela primeira vez no século XX, o mundo árabe passou a ser disputado pelos Estados, ou melhor, pelo sistema árabe de Estado, e não apenas por filosofias políticas transnacionais pan-árabes. Sadat conduziu a guerra de 1973 contra Israel como uma guerra política egípcia, que visava envolver diretamente os Estados Unidos em

---

13 Ver Kerr, *The Arab Cold War 1958-1967*.

um momento muito bem escolhido. Mais tarde, quando Sadat afirmou que as principais barreiras entre o Egito e Israel eram psicológicas, ele queria dizer que nenhum árabe no século XX havia se incumbido de negociar com o sionismo no território *dele*, isto é, no terreno psicocultural que ele mantinha intacto *no Ocidente*, intacto porque os árabes nunca se aventuraram ali. Que Sadat quisesse encontrar o sionismo nesse terreno, conquistar apoio na consciência ocidental longe de Israel, era uma façanha, e a guerra de 1973 foi o primeiro movimento importante que finalmente conduziria a Jerusalém e, em seguida, a Washington. Mas Sadat desperdiçou sua iniciativa mais criativa.

Seu programa era inteiramente egípcio, é evidente, e não por acaso grande parte dele significava um desmantelamento teatral dos programas, do legado e da posição de Abdel Nasser no mundo árabe. A eficácia da estratégia de Sadat não resultou do combate direto com Israel, mas do ataque ao monopólio do apoio a Israel nos Estados Unidos. Seu raciocínio era que, contanto que ele conseguisse manter a iniciativa e as coisas em movimento no cenário mundial, Israel tentaria preservar o que tinha e, com isso, ele poderia fazer incursões nas posições israelenses. Assim como era óbvio que Israel não poderia travar uma batalha sem o apoio *direto* dos Estados Unidos, também era óbvio que quanto mais Sadat mantivesse unidos Israel, Egito e Estados Unidos, mais forte seria sua posição e mais fraca a de Israel. Para isso, ele rompeu com a União Soviética.

Não há como contestar que Sadat foi o primeiro líder árabe a fazer o sionismo recuar de suas posições; essa foi a estratégia desde o início. Os sauditas, em compensação, estavam para-lisados demais por sua incômoda riqueza, e pela disparidade entre esta e seu poder político-militar, para fazer mais do que aguentar firme, refrear a onda de oposição no mundo árabe – por meio do apoio maciço e irrestrito às forças em conflito, como a direita no Líbano *e* a OLP. Tanto o Egito quanto a Arábia Saudita viram-se então contra o incêndio ainda intenso causado pelo nacionalismo árabe, que o conflito no Líbano acendeu e atiçou. O ano crucial, portanto, foi 1975, porque marcou o início do afastamento entre Egito e Síria, aliados na guerra de 1973, e aprofundou as divergências. Primeiro foi o Sinai II e, depois, a guerra no Líbano. Sadat seguiu os mesmos passos que havia seguido no Sinai II para começar a reconquista do *seu* território, enquanto a Síria viu-se na difícil situação de perder terras em termos árabes – que seriam recuperadas após um amplo assentamento. Nesse ponto, suas posições são antagônicas até hoje, e o envolvimento da Síria no Líbano indica, para seus partidários, a importância do internacionalismo árabe, enquanto, para seus oponentes, o Líbano caiu num atoleiro. A linha baathista síria acreditava que o nacionalismo árabe tinha precedência sobre qualquer tentativa de romper o cerco árabe (que o baathismo negligenciou). A Síria estava preparada para confrontar o particularismo egípcio ou mesmo, como foi o caso em junho de 1976, o nacionalismo palestino – a mais sagrada de todas as causas árabes, que o presidente sírio Assad acreditava que a OLP havia traído quando seu exército a atacou no Líbano.

O acordo político a que se chegou durante a conferência de Riad, em outubro de 1976, pôs o Egito, a OLP e a Síria novamente em contato – ainda que por pouco tempo – sob os auspícios dos sauditas. Então Jimmy Carter assumiu o poder. Em um mundo árabe incapaz de avaliar ou lidar com seus pronunciamentos inesperados sobre os palestinos ou sobre uma paz abrangente, a chegada de Carter precipitou mudanças importantes. Para começar, parecia quase certo que Carter – seja por temperamento, seja por um exercício analítico – via-se mais propenso à tese nacionalista árabe (isto é, baathista síria) sobre uma solução para o conflito. Até meados de novembro de 1977, tudo apontava para a aceitação da linha síria. Não só Carter afirmou em maio que ficara bastante impressionado com Assad após o encontro que tiveram em Genebra, como os Estados Unidos pareciam ansiosos para coordenar a aprovação dos árabes a uma conferência de paz em Genebra, assim como a participação dos palestinos e, sobretudo, a cooperação da União Soviética. No início de outubro, não restava dúvida de que uma conferência em Genebra, organizada ao longo da linha árabe *versus* a israelense, seria realizada. Isso indicava o fim da política de bilateralismo de Henry Kissinger, mas alarmava Egito e Israel, que viam a possibilidade de um acordo político que unia a maioria dos árabes aos palestinos e as duas superpotências contra Israel.

Tanto quanto os israelenses, portanto, Sadat se opôs à declaração conjunta de Estados Unidos e União Soviética em 1º de outubro de 1977. A declaração não só pôs a questão palestina em pé de igualdade com a devolução do território egípcio, como também significou uma clara vitória do pan-arabismo sírio. Após as alarmantes revoltas do pão no Egito, no início de 1977, Sadat não podia arriscar (a) adiar a devolução do território e o fim do estado de guerra, (b) abrir o Egito para as correntes amplamente progressistas e adversas que as revoltas desencadearam, as quais, acreditava ele com razão, tinham clara conexão com tendências políticas como a da Palestina, ou (c) abandonar a desastrosa desintegração econômica e social de seu país. Tudo que ele fez no decorrer de 1977 – por exemplo, o ataque à Líbia em julho – visou garantir a atenção e a satisfação dos Estados Unidos, embora até o anúncio de sua viagem a Jerusalém em 17 de novembro ele não contasse com a plena e séria atenção dos norte-americanos. O anúncio mudou tudo.

O governo declarou que o anúncio foi uma surpresa. Não acredito que isso seja verdade, porque tudo que Sadat fez nos sete anos anteriores a 1977 indicava uma disposição total (segundo seus críticos, desavergonhada) em estabelecer unilateralmente a paz com Israel. Seja como for, os Estados Unidos se adaptaram logo à nova situação, redefinindo prioridades para um tratado de paz egípcio-israelense da maneira mais conveniente possível. A primeira questão abandonada foi a da

A questão da Palestina

Palestina, já que evoluíra por intermédio das Nações Unidas; em seguida, foram descartadas também a declaração conjunta de Estados Unidos e União Soviética e a representação palestina na conferência de Genebra. O próprio Sadat não demorou a se afastar da OLP – soube-se depois que ele disse em particular que Arafat não podia "deliberar" sobre nada – e do que restou do nacionalismo árabe. Toda a oposição nacionalista do Egito foi silenciada, a causa palestina foi, por assim dizer, reformulada, de modo que parecesse que Sadat a defendia, e nenhuma concessão a Israel e aos Estados Unidos parecia impossível para o Egito. De maneira muito astuciosa, Sadat contou com o fato de que seus oponentes (exceto a OLP) eram impopulares demais em seus próprios países para se aventurar contra ele ou fracos demais (Arábia Saudita e Jordânia) para fazer outra coisa senão recusar abjeta e inutilmente a se juntar a ele.

Não duvido que Sadat tenha tido contato com os israelenses muito antes de novembro e que uma das primeiras coisas em que eles concordaram foi que uma aliança abençoada pelos Estados Unidos trazia benefícios econômicos para ambos os países – uma aliança que todos acreditavam que os sauditas apoiariam tacitamente como uma espécie de esfera mútua de prosperidade. Além dos benefícios imediatos para os setores militar e de consumo de ambas as economias, a aliança teria a vantagem de dividir o Oriente Médio em "ricos" e "pobres" – e nesse segundo campo seria confinado e depois extinto o que restava do radicalismo e do arabismo. Além dos mais, Sadat poderia concentrar suas energias na África – já havia envolvimento secreto dos egípcios no Chade, no Zaire e na Somália – e na transformação do Egito em parte do novo mundo trilateral. Em agosto de 1978, ele chegou ao ponto de oferecer o deserto ocidental do Egito como depósito de resíduo nuclear para a Áustria e a França. Durante as reuniões de Camp David, os acontecimentos no Irã fortaleceram a decisão de Sadat de concluir a paz com os Estados Unidos e Israel, embora fosse evidente que a conferência de cúpula em

Bagdá (em especial, a união iminente entre a Síria e o Iraque, após dez anos de hostilidades), somada à insurreição iraniana e à incipiente aliança entre a OLP e o Irã, punha sua decisão seriamente à prova. Apesar da retórica aparentemente furiosa, os Estados árabes mantiveram contato entre si de setembro de 1977 a março de 1979. Todos pareciam tentar impressionar o outro com sua força e seu senso de responsabilidade; desse modo, o argumento poderia ser útil também com os Estados Unidos e Israel. A ideia era parecer que estavam oferecendo aos Estados Unidos alternativas atraentes à paz entre egípcios e israelenses. Nenhum Estado árabe hesitou em afirmar sua disposição em conviver em paz com Israel nem em repelir a União Soviética, em troca da ajuda e da amizade dos Estados Unidos.

No entanto, os Estados Unidos se apegaram cada vez mais a uma prioridade estrita sobre a paz egípcio-israelense, que, segundo eles, poderia ser o primeiro passo na direção de um acordo amplo. Deliberadamente ou não, nesse ínterim os Estados Unidos apoiaram tudo que fosse intransigente e regressivo no Egito e em Israel. Mais desastroso, acredito eu, foi que essa política inflexível dos Estados Unidos isolou os palestinos, as massas árabes e o restante do Terceiro Mundo, que consideravam a política norte-americana uma reação defensiva e retrógrada à Revolução Iraniana. Não penso que essa interpretação seja incorreta. Para os europeus de pensamento independente e, é claro, para a maioria dos árabes, Sadat parecia ter se saído bem ao se impor à consciência norte-americana como um *norte-americano* dedicado e leal no Terceiro Mundo. E isso, aparentemente, favorecia o costume fatal dos Estados Unidos de serem recebidos por figuras como Marshall Ky, Chiang Kai-shek e o xá Mohamed Reza Pahlevi, em detrimento de líderes mais genuinamente populares e representativos. Ainda mais desastroso era que os Estados Unidos pareciam cegos aos resultados de seu apoio a líderes como Sadat, Begin e o xá, isto é, os Estados Unidos fortaleciam o propósito desses líderes de considerar somente o que convinha a seus interesses imediatos (em geral, os mais impopulares), que era sobretudo manter seu poder intacto.

Em nenhum lugar isso era mais verdadeiro do que em Israel. O primeiro sinal e, em minha opinião, o mais nefasto foi a rapidez com que o extremismo e o terrorismo de Menachem Begin foram reabilitados e acomodados no processo entre Sadat e os Estados Unidos. Begin teve o mérito de não fazer concessões significativas a quem quer que fosse: ele acreditava na manutenção dos territórios ocupados, considerava os árabes palestinos uma classe de cules de Israel e não hesitava em afirmar seu desejo de manter seu país com um Estado ocidental superior na região. Enquanto foi primeiro-ministro, Begin mudou de fato a posição de Israel em relação à Resolução 242. O homem que viria a ser o representante de Israel na ONU defendeu diante de um comitê da Câmara, em 1977, que Israel tinha todo o direito de manter os territórios e que o que ele fazia em seus territórios não violava as convenções de Genebra nem nenhuma outra, aliás elas não se aplicavam nem se aplicariam lá.[14] Enquanto isso, Israel estreitou suas ligações com a África do Sul, o Chile e a Nicarágua, e seus chefes militares assumiram repetidas vezes a posição de que Israel era um *Estado conquistador* e sua política em relação aos árabes (em especial os palestinos) era reconquistá-los de uma vez por todas. Em 19 de janeiro de 1979, quando foi questionado sobre os assentamentos judeus na "Judeia e Samaria" (a Cisjordânia), o chefe de gabinete respondeu que não só Israel planejava mantê-las, como os árabes que viviam na Galileia (que fazia parte de Israel antes de 1967 e é a região com a maior concentração de palestinos israelenses) estavam "engajados no processo de conquista da terra, conquista do trabalho, imigração ilegal, terror". É importante notar que o general Eytan se referia aos palestinos que haviam permanecido

---

14 Depoimento de Yehuda Zvi Blum em United State, *The Colonization of the West Bank Territories by Israel*, p.24-46.

na terra (em condições bastante abjetas) nos últimos trinta anos, não aos recém-chegados. Mas isso não bastava. Ele precisava reafirmar o fato de que "antes que o Estado de Israel existisse, viemos para cá para conquistar este país e, para esse propósito, o Estado foi estabelecido".[15]

Visto que Israel não tinha nenhum conflito territorial real com o Egito, foi relativamente fácil prometer devolver a Sadat um Sinai desmilitarizado, com o benefício adicional de algo que o sionismo busca há uma centena de anos: legitimidade, a neutralização e o isolamento político do maior Estado árabe em todo o mundo árabe, um acordo geral de "segurança" com os Estados Unidos, um fornecimento de petróleo garantido por quinze anos, cerca de 15 bilhões de dólares em armas e ajuda, um grande mercado árabe extremamente vulnerável para explorar e uma enorme força de trabalho egípcia sem qualificação e barata. Mas quando o território se tornou um problema, as medidas mais extraordinárias foram adotadas para assegurar que Israel sempre tivesse o controle. A imprensa norte-americana, com raras exceções, deu pouca atenção àquilo que Israel disse ou fez na Cisjordânia, e essa pode ser uma das omissões mais escandalosas da história do jornalismo. Ao dar a impressão de que a "autonomia" oferecida aos palestinos tinha semelhanças com o sentido original da palavra, a imprensa norte-americana realizou o prodígio de legitimar a repressão contínua, os assentamentos e a consolidação dos israelenses na Cisjordânia e na Faixa de Gaza. Pior, a total ausência de crítica à política israelense nos territórios ocupados, seja na imprensa, seja nos acordos de Camp David, fez a recusa dos palestinos e dos jordanianos de participar do estabelecimento da "autonomia" ou do "governo autônomo" parecer irracional e gratuita. Diante da disposição dos Estados Unidos e do Egito de aceitar tacitamente o que estava acontecendo na Cisjordânia e na Faixa de Gaza, Israel tinha

---

15 Eytan, *Yediot Aharonot*, 19 jan. 1979.

A questão da Palestina

liberdade não só para declarar e planejar o que pretendia fazer, mas também – como os palestinos que viviam sob a opressão dos israelenses sabiam bem – para *realizá-lo*. Historicamente, os detalhes sempre contaram muito mais para o sionismo do que os princípios gerais. Encobrir esses detalhes com força e com "fatos" jurídicos assegurou-lhe a continuidade das novas "realidades criadas". Para isso, Begin somou suas habilidades jurídicas específicas àquilo que os governos trabalhistas fizeram antes dele. Sua política diferia da do general Rabin, por exemplo, apenas porque confiava menos na mera força e/ou na improvisação. Os territórios ocupados ou administrados se tornaram conhecidos como territórios "liberados" e isso, associado à confissão que ele arrancou de Sadat em Ismaília, em 26 de dezembro de 1977, de que o ataque israelense de 1967 contra os árabes fora defensivo (um argumento que encontrou ecos condescendentes não só entre a direita norte-americana, como no coração da esquerda liberal),[16] permitiu que Begin considerasse a aquisição de territórios árabes como *legalmente justificada*. Devemos observar que, quando David Ben-Gurion anunciou o nascimento do Estado de Israel em 1948, ele deixou deliberadamente de fora de seu anúncio qualquer declaração sobre as fronteiras israelenses.[17] Begin deu um passo muito mais claro e assegurou a legalidade dessas fronteiras em constante expansão. Além disso, quando apresentou seu plano para a autonomia palestina, teve o cuidado de distinguir a administração autônoma dos habitantes e a soberania da terra onde eles viviam. Assim como Vladimir Jabotinsky, seu mestre ideológico, Begin reconhecia a indesejabilidade (ou melhor, a ofensa inegável) de os judeus terem de se preocupar com uma

---

16 Ver os argumentos que eximem as agressões de Israel em Walzer, *Just and Unjust Wars*. Ver também a crítica à leniência de Walzer em relação a Israel em Chomsky, "An Exception to the Rules", p.23-7, e Falk, "The Moral Argument as Apologia", p.341-3.

17 Bar-Zohar, *Ben-Gurion*, p.161.

raça inferior e, ao mesmo tempo, preservava o direito de Israel ao poder e à colonização do que quer que Deus tivesse dito (em um lugar ou outro) que era território judeu. Sobre essa combinação de teologia, refinamento legal e pura casuística, a imprensa norte-americana, assim como a comunidade acadêmica liberal, não teve muito o que dizer, ainda que tenha manifestado um assombro apropriado diante dos excessos do islamismo no Irã. Ao mesmo tempo que houve uma investigação infindável, aflitiva e em grande parte ignorante sobre o possível significado da república islâmica de Ruhollah Khomeini, não houve o menor esforço para compreender a visão teocrática das ações de Begin e, muito menos, para registrar em detalhes o que ele queria dizer quando falava de autonomia para o povo, mas não para a terra onde eles viviam.

A favor dos jornalistas e dos políticos israelenses contava o fato de que eles eram bastante acessíveis no que dizia respeito a essas questões. É claro que as ações sempre diziam muito mais do que as palavras. Logo após a conferência de Camp David, Begin começou a insistir em mais assentamentos, um projeto que ele deixou nas mãos capazes do general Arik Sharon, ministro da Agricultura e o defensor mais franco e intransigente do uso da força militar, cujo currículo inclui vários ataques assassinos a assentamentos de civis palestinos.[18] No fim de 1978, Israel possuía 77 assentamentos na Cisjordânia e confiscara cerca de 27% do território. Embora seja verdade que a "base" de Camp David especificava uma "redução" no número de tropas israelenses que seriam mantidas na região durante um período de transição de cinco anos, havia o fato muito mais significativo de que a população de colonos israelenses – cuja vanguarda era o Gush Emunim, um bando de fanáticos cujo zelo e violência fazem as hordas "islâmicas" parecerem dóceis – era cada vez maior. In-

---

18 Para detalhes da carreira do general Arik Sharon (em especial na notória Unidade 101) ver Middle East International, *The Voice of Zionism*.

cluindo a Jerusalém árabe, o número mais confiável era de 90 mil colonos, com planos para que fossem centenas de milhares a mais.

Não pairava nenhuma dúvida na mente dos palestinos de que a autonomia jamais seria mais do que uma reserva cuidadosamente regulada, minuciosamente controlada, cujo objetivo era confiná-los e, como declarou uma autoridade em nacionalismo palestino que lecionava na Universidade de Tel-Aviv, "eliminar suas aspirações nacionais".[19] Na Cisjordânia, várias medidas importantes estavam sendo tomadas para garantir que isso acontecesse.[20] Segundo a teoria da dupla espinha dorsal, Israel seria vulnerável a ataques a leste da linha verde (fronteira pré-1967), a não ser que a própria Cisjordânia se tornasse uma espinha dorsal militar semelhante a Israel. Para isso, a Cisjordânia seria – e já foi – dividida por uma série de estradas que a cortariam de norte a sul e de leste a oeste (ver o mapa). Essas estradas seriam de acesso militar (graças à generosidade dos presidentes Carter e Sadat, elas eram permitidas pela "base" de Camp David) e formariam as fronteiras de um conjunto de quadrantes em que a população palestina seria concentrada. Desse modo, haveria estradas cercando grupos de palestinos de tamanho considerável e assegurando o controle militar dos israelenses na área; além disso, as próprias estradas seriam reforçadas pelos assentamentos israelenses. Como Sharon disse em uma entrevista ao *Ma'ariv*, em 26 de janeiro de 1979: "Não só [deve haver] assentamentos; deve haver estradas que garantam a continuidade territorial entre as cidades e os assentamentos. E não apenas estradas, mas uma ampla infraestrutura de acampamentos do Exército e cinturões de treinamento militar". Portanto, continuidade para o sionismo e descontinuidade para os palestinos.

---

19 Bailey, *The Jerusalem Post*, 22 fev. 1979.
20 Uma análise recente sobre o confisco de terras e os assentamentos nos territórios ocupados pode ser encontrada em Quiring, "Israeli Settlements and Palestinian Rights".

Edward W. Said

Assentamentos israelenses na Cisjordânia

A questão da Palestina

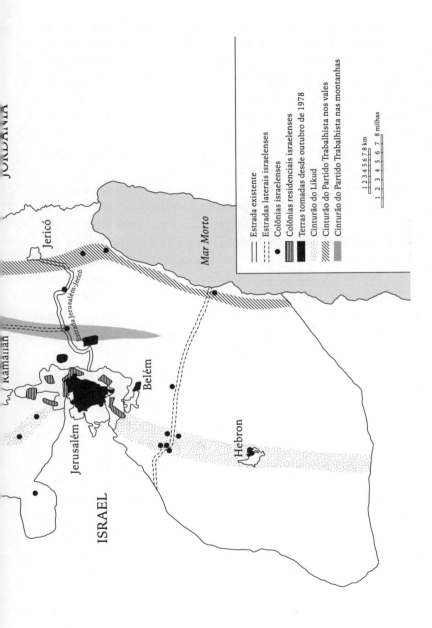

Visto que cerca de 30% da água que abastece Israel vem da Cisjordânia, as fontes devem ser preservadas para o uso de Israel, com ou sem autonomia. Por isso, a rede de abastecimento de água passou a ser independente da autoridade municipal da Cisjordânia. Hoje, a situação da segurança na Cisjordânia e na Faixa de Gaza dá poder ao governo militar para censurar tudo que é escrito; deportar, prender e destruir casas de suspeitos de subversão; tomar virtualmente qualquer medida cujo propósito seja proteger o Estado de Israel. Mas, como Zeev Schiff declarou ao *Ha-aretz* em 14 e 16 de janeiro de 1979, o certo é que a autonomia palestina dará ao governo e ao Exército israelense o direito de prolongar essa situação mais ou menos indefinidamente. Pelas cláusulas de Camp David, Israel tem o direito de combater qualquer "subversão" política que tenha como objetivo, como Schiff diz claramente, qualquer coisa que possa promover a possibilidade do surgimento de um Estado palestino. Assim, detenção, deportação e punição coletiva continuarão, uma vez que o Exército permanecerá na Cisjordânia. Eis como Schiff previu as "operações de segurança" na autonomia, cujo conselho governante é composto por representantes palestinos, israelenses, jordanianos e egípcios:

> As autoridades da segurança geral [na Cisjordânia e na Faixa de Gaza] conseguiram espalhar uma eficiente e complexa rede de inteligência. Pode-se supor que essa situação continuará a existir sob a autonomia. Mas o problema não é a coleta de informações. Eles serão capazes de agir livremente ou se limitarão a registrar a informação e conhecer a situação?
> Para assegurar o uso correto das informações da inteligência a fim de combater os terroristas [Schiff utiliza o código israelense padrão para os nacionalistas palestinos que querem a independência], são necessárias condições especiais, que concernem a outros aspectos. Uma forte força policial no local, como diz o acordo de Camp David, não é suficiente; interação entre policiais palestinos

A questão da Palestina

e autoridades de segurança israelenses não é suficiente. É claro do ponto de vista da segurança que qualquer um que deseje combater os terroristas não pode deixar nas mãos de outrem o direito de prender suspeitos de terrorismo ou hostilidade.

O policial palestino, que receberá da segurança israelense informações sobre pessoas suspeitas de atos terroristas, não durará muito, se ele não permitir que os suspeitos saibam que eles correm perigo. Portanto, a cooperação da polícia local [isto é, palestina] nessas prisões deve ser apenas formal. E não há dúvida de que o interrogatório sobre questões de segurança deve ser deixado para o futuro, também nas mãos das autoridades israelenses de segurança geral. Trata-se de uma condição fundamental, se queremos ter êxito no combate aos terroristas, na autonomia e em Israel. A situação é diferente no que diz respeito à instauração de processo legal contra terroristas. Nessa questão, pode haver plena cooperação entre Israel e as autoridades governantes da autonomia. Também pode haver cooperação na área judicial, mas esse é um assunto mais delicado do que a instauração de processo. Nesse ponto, Israel deve ter certa prioridade, e o mesmo vale para os representantes israelenses no comitê que devem autorizar a entrada de refugiados. E é claro que eles devem agir de acordo com as diretrizes estabelecidas pelas autoridades [israelenses] de segurança geral.[21]

Assim como em muito do que Israel prevê para seu governo sobre a autonomia, que deve satisfazer a demanda de autodeterminação dos palestinos,[22] Schiff conclui que o aparato de segurança de Israel vai "afetar todos os aspectos da vida palestina". Não é difícil compreender que essa visão da autonomia coincide com a hostilidade dos israelenses aos palestinos, mas o que se busca em vão é uma justificativa que mostre que esse plano é aceitável para os palestinos, que terão de sofrer seu

---

21 Schiff, *Ha-aretz*, 16 jan. 1979.
22 Ver Kapeliouk, "L'autonomie selon Israel".

rigor. Nada em Israel (certamente nada no que Begin disse) dá qualquer esperança aos palestinos de que a "autonomia" seria mais do que uma longa dominação militar. É preciso lembrar também que a autonomia e o governo autônomo devem valer apenas para os palestinos que vivem na Cisjordânia e na Faixa de Gaza; as cláusulas para a repatriação dos refugiados tratam apenas dos palestinos que originalmente residiam nessas localidades, isto é, cerca de 150 mil pessoas expulsas em 1967. Visto que mesmo esses requerentes "legítimos" deverão passar pela triagem de Israel, é evidente que será impossível que os mais de 2 milhões de palestinos que não são de Gaza ou da Cisjordânia e vivem no exílio sejam acolhidos. Segundo Moshe Dayan, espera-se que esses palestinos permaneçam onde estão. Desse modo, como disse um distinto escritor palestino, a autonomia segundo a base de Camp David significa precisamente – e não vagamente – o seguinte:

> A uma parte do povo palestino (menos de um terço do total) foi prometida uma parte de seus direitos (excluindo o direito nacional à autodeterminação e à soberania) em uma parte de sua terra natal (menos de um quinto da área total); e essa promessa deve ser cumprida daqui a muitos anos, por um processo em etapas, no qual Israel terá poder de veto sobre qualquer acordo. Além disso, a vasta maioria de palestinos está condenada à perda permanente de sua identidade nacional palestina, ao exílio permanente e à condição de apátrida, à separação permanente entre eles e a Palestina – a uma vida sem esperança ou sentido nacional.[23]

O tratado entre Egito e Israel consagra essa situação sem nenhuma ambiguidade. O argumento dos liberais norte-americanos é: (a) nas atuais circunstâncias, isso é mais do que os

---

23 Sayeg, "The Camp David Agreement and the Palestine Problem", p.40.

palestinos jamais receberam e, portanto, deve ser aceito; (b) além disso, uma vez iniciado o processo do governo autônomo (eleições, vida política normalizada etc.), as coisas evoluirão *provavelmente* para um Estado palestino. Como Topsy, esse Estado apenas cresceria – isso estava implícito no simpático artigo de Anthony Lewis, "And Now the Palestinians" [E agora os palestinos], publicado em 26 de março de 1979 no *The New York Times*. Mas o que todos esses argumentos simplesmente não levam em conta são os três fatores que transformaram a questão palestina no problema que ela é: (1) a realidade do sionismo como uma prática *a favor* dos judeus e *contra* os não judeus; (2) a realidade da história palestina, que não é uma miscelânea de eventos fortuitos, mas uma experiência coerente de expropriação cometida pelo sionismo, assim como uma dialética assertiva de progresso conquistado em combate rumo à autodeterminação; (3) o conflito real entre o sionismo e os palestinos, um conflito que não é um mal-entendido, mas uma oposição real entre duas forças e, além disso, um conflito incrustado em uma região específica, que possui uma história concreta e ativa, uma conjunção de fatores regionais, internacionais e culturais. Existe uma ironia quase desesperada no contraste entre a opacidade emaranhada desses três fatores e o otimismo expresso vez por outra por formuladores de política bem-intencionados. A ironia aumenta consideravelmente quando o sucesso do governo autônomo palestino é atrelado ao fim – ou ao menos ao desaparecimento – da OLP e ao conveniente surgimento de colaboracionistas palestinos "razoáveis", ansiosos por negociar sua indefinida castração política. Nada disso aconteceu ainda, embora não haja, é claro, nenhuma garantia de resistência prolongada.

Devemos perguntar agora o que, além de recusar unanimemente o tipo de acordo proposto na base de Camp David e no tratado israelense-egípcio, os próprios palestinos fizeram e disseram. É para esse drama pouco conhecido que me volto agora.

III. Realidades palestinas e regionais

Quando me referi ao Oriente Médio como um lugar misto, intermediário, eu tinha em mente a excentricidade do problema palestino, bem como as peculiaridades da região onde este ocorre cultural, política e historicamente. Em outras palavras, embora os palestinos não tenham dúvida de que sua expropriação foi resultado do colonialismo de um colonizador invasor, essa visão corresponde apenas ao que aconteceu com eles como vítimas; ela não considera nem os horrores reais do antissemitismo europeu nem o fato de que Israel é um Estado com conquistas reais para os judeus e conta com o empenho de seu povo e de muitas partes do mundo, e o sionismo israelense e a resistência palestina não possuem as características primitivas, relativamente descomplicadas, da luta da maioria negra contra a minoria branca no sul da África. Há ainda o fato problemático de que a luta pela libertação árabe, ao contrário da maioria de outras semelhantes, é relativamente bem financiada; a simples existência e disponibilidade de capital quase ilimitado muito estranhamente têm ligação com a ideia de libertação. É quase consenso, penso eu, que o mesmo problema – não tão agudo do ponto de vista qualitativo – prevalece quando se fala de "luta pela libertação árabe", como ela costuma ser chamada. Nesse contexto retórico, é preciso perguntar qual é o sentido exato da libertação árabe (quando, ao mesmo tempo, os Estados árabes produtores de petróleo foram prontamente cooptados pelas economias ocidentais, quando sua vida política é eminentemente não emancipada e quando até seus próprios radicais demonstraram, na melhor das hipóteses, uma inclinação distorcida a apoiar a luta palestina) para que o ponto de vista possa ser defendido com eficácia.

Mesmo assim, devo repetir o que disse neste livro e em *Orientalismo*: a discussão sobre o mundo árabe em geral e o palestino em particular é tão confusa e tendenciosa no Ocidente que é preciso um grande esforço para ver as coisas, para o bem ou para o mal, como *realmente são* para palestinos e árabes. O perigo é que, na tentativa de representar de modo adequado as complexas circunstâncias do conflito entre palestinos e sionistas, eu não faça o suficiente para dissipar o acúmulo de mentiras, distorções e ignorância obstinada que cerca a realidade de nossa luta. Talvez não haja uma fórmula simples para trazer a verdade à tona nesses casos, e devo acrescentar que, em meu próprio caso, tenho a mais forte crença de que a suficiência histórica e moral da causa palestina acabará por sobreviver e vencer qualquer tentativa de deturpá-la. É claro que, no fim das contas, é a luta de um povo, e não apenas de escritores que falam desse povo, que determina sua história. No entanto, a escrita conta para alguma coisa, sim, e é por isso que algumas questões devem ser levantadas.

O primeiro ponto é que, apesar de tudo que se diz dos palestinos, há uma tendência política, jornalística e até cultural de protelar discussões sérias a seu respeito. Presumo que essa seja a questão levantada por figuras da elite intelectual como George Ball.[24] É muito provável que, por esse zelo compreensível de proteger e sacramentar a paz entre israelenses e egípcios, o governo norte-americano apoiará a continuidade dessa tendência. Por que outro motivo o governo continuaria a se agarrar à ideia absurda de que a OLP pode ser ignorada, quando é óbvio (como importantes autoridades têm admitido em particular) que a OLP é a questão palestina, e é óbvio também que não há a mais remota chance de que qualquer outra liderança palestina venha a surgir; a OLP é um corpo legítimo e representativo demais para que isso ocorra. De acordo com o Sinai II e o acordo firmado entre Henry Kissinger e os israelenses, os Estados Unidos não reconhecerão nem dialogarão com a OLP, a menos que ela aceite a Resolução 242 e reconheça Israel. Essa condição extremamente acadêmica e

---

24 Ver seu artigo "The Mideast Challenge".

rígida, que atrela de maneira indecente uma grande potência aos caprichos petulantes de um Estado cliente e restringe a questão palestina a um problema de refugiados, tem impedido a legitimidade da OLP e, em consequência, dos palestinos na arena política norte-americana. É evidente que isso contribuiu para o adiamento que Ball mencionou. E é evidente que isso encorajou Israel e seus intransigentes defensores nos Estados Unidos a continuar a associar a OLP (e os palestinos) ao terrorismo, ao radicalismo e à irresponsabilidade.

Não se trata apenas de uma questão de estratégia retórica. Para começar, a imprensa e a comunidade intelectual têm concordado com essa visão, com raras exceções. Quando uma grande rede de televisão deu um passo gigantesco e mostrou em horário nobre um retrato não antipático dos palestinos, ela fez isso na forma de um filme sobre as razões por que "os terroristas" são terroristas (isto é, eles têm um motivo para tanto). O apresentador fez um discurso sem precedentes para garantir ao público que *ele* não havia fechado os olhos para o terrorismo. E, o que não é menos relevante, o programa foi exibido sem comerciais pagos. Acredito que seja fato que a maioria dos norte-americanos que sentem que devem declarar apoio a Israel como Estado não tem ideia de que os palestinos viviam onde Israel se situa agora, e que eles são refugiados não porque são antissemitas, mas porque o sionismo simplesmente os expulsou de sua terra. Essa circunstância tem servido bem à propaganda sionista, e tem evitado que qualquer visão dissonante seja levada em consideração e, muito menos, levada a sério. Portanto, falar de direitos palestinos é ser forçado a aceitar a estrutura prisional de Camp David ou explicar defensivamente a convenção da OLP, por que os "árabes" gostam de matar judeus ou por que a democrática Israel tem de tolerar um bando de muçulmanos medievais, repressores. Enquanto isso, o governo pode continuar a usar o "radicalismo" palestino – para não dizer continuar a isolar Estados como Iraque e Líbia – como um

A questão da Palestina

meio de promover as políticas nas quais investiu de maneira tão temerária ou manter viva a opção de um ataque militar contra os palestinos, os líbios ou os iraquianos.

Esses demônios servem a um propósito útil. De que outro modo podemos entender o silêncio dos Estados Unidos e de sua *intelligentsia* liberal sobre o crime bárbaro do ataque israelense ao sul do Líbano em março de 1978? Os aliados dos Estados Unidos tinham permissão para lançar guerras "preventivas" com armas norte-americanas, como bombas de fragmentação contra civis, para mostrar que o "radicalismo" e o "terrorismo" estavam sendo punidos. Quando aliados dos Estados Unidos como Israel patrocinam guerras genocidas claras (um exemplo é o massacre contínuo de civis no Timor Leste cometido pela Indonésia), nada é dito. O resultado principal é manter Israel associado a causas politicamente "boas", como a dissidência judaica na União Soviética, e promover a eliminação do nacionalismo palestino.

O círculo de discussão, formação política e debate cultural é cada vez menor, já que uma tendência limitante alimenta e reforça a outra. A principal baixa é a questão palestina, que foi um dos fatores mais poderosos na moderna política árabe e médio-oriental.[25] Em nenhum momento, o estreitamento e o empobrecimento do debate foram tão desastrosos quanto agora – por razões que nem precisam ser mencionadas. O que tentarei fazer nas próximas páginas é dar sentido aos processos que envolvem palestinos e árabes. Assim, talvez eu possa ajudar o leitor a compreender essas questões como elas são vistas pela grande maioria da população do Oriente Médio, e, dessa maneira, uma estrutura mais ampla, porém mais precisa de discussão e debate possa se desenvolver pouco a pouco. Ao menos certa urgência humana e política poderá ser devolvida a questões tratadas em geral como *slogans* reificados, convencionais. Acima de tudo, eu gostaria de dar continuidade ao que tentei fazer ao longo deste livro: transmitir uma análise da questão palestina como algo que,

---

25 Ver Hudson, *Arab Politics*.

por razões humanas genuínas, mobiliza um grande número de pessoas, como algo que não é um acontecimento fortuito, mas é vivido, como algo dinâmico e ao mesmo tempo histórico.

Eu gostaria sobretudo de desenvolver duas ideias que, dado o que acabei de dizer, são importantes demais para *não* serem consideradas em análises do período pós-Camp David. É preciso compreendê-las quando se pretende dominar os fatos políticos do Oriente Médio. A primeira é que ocorreram mudanças e desdobramentos muito importantes na posição palestina desde 1967, e eles têm sido manifestados – embora jamais recebam o peso político que merecem. A segunda é que, somente se a questão palestina for considerada em sua associação com os grandes processos históricos do Oriente Médio, seu poder e centralidade genuínos poderão ser avaliados ou apreciados.

Comecei este livro discutindo a diferença entre a Palestina como realidade histórica (que não existe mais) e como causa política contemporânea, um processo rumo à autodeterminação para os palestinos que não possuem Estado ou existência nacional propriamente dita. Entre o desaparecimento da Palestina e o ressurgimento de sua causa como fator político no cenário mundial, muita história se passou, inclusive na própria comunidade palestina. Para aqueles palestinos que perderam efetivamente a Palestina – a geração de meus pais, em termos de líderes políticos –, esta era uma Palestina árabe, *Filastin Arabiyah*. Essa geração não aceita o fato de que a Palestina se tornou Israel ou que nesta vida ela não voltará a ser um país predominantemente árabe. Muito da vida política e cultural do mundo árabe no período de 1948 a 1967 refletiu visões semelhantes a essa. Israel, causa impronunciável de todos os nossos males e, ao mesmo tempo, a menos conhecida de nossas realidades, absorveu a energia árabe nacional em um grau absurdo. Israel definiu os limites do arabismo, designou nossos inimigos (o imperialismo, o Ocidente etc.) e legitimou mais ou menos tudo que certos regimes fizeram em nome da luta do "sionismo". A história desses anos – na perspectiva de instituições já distorcidas e desviadas pelo colonialismo e mais ainda pela batalha desigual entre Israel e regimes militares repressivos e incompetentes – ainda está por ser escrita.[26] Mas nada nessa história oferece aos palestinos mais do que filosofias e partidos políticos baseados em um novo e glorioso retorno à "nação árabe" e a uma Palestina árabe.

Digo tudo isso por causa dos acontecimentos tão dramáticos que se seguiram a 1967. Nasserismo, baathismo, o movimento nacionalista árabe e o fundamentalismo islâmico, assim como quase toda a gama de partidos de esquerda, desmoronaram após a Guerra de Junho. Eles não se recuperaram da derrota, embora em alguns casos continuem a ter uma existência privilegiada. Em minha opinião, a maioria desses movimentos tinha contato apenas parcial com as realidades sociopolíticas e culturais a que se dirigia; de resto, eram filosofias emprestadas de diversas partes do mundo e diversos períodos da história, nem digeridas e nem suficientemente reformuladas para o papel contemporâneo designado a elas. Em nenhum país árabe oriental (nem mesmo no Egito) houve uma ruptura decisiva entre os períodos colonial e pós-colonial. Isso fica claro quando comparamos a Argélia com a Síria, o Egito ou o Iraque. As mudanças de regime provocaram sobretudo mudanças de pessoal; embora tenham passado por desenvolvimentos extremamente importantes, as estruturas de classe, as formas culturais e as instituições econômicas não atingiram o ponto de transformação revolucionária. Assim, o Oriente Médio árabe permaneceu um lugar intermediário, em uma espécie de equidistância da estabilidade burguesa do mundo atlântico e das revoluções cataclísmicas do Terceiro Mundo pós-guerra.

Abdel Nasser foi o único líder de sua geração a levar a sério a ideia do anti-imperialismo do Terceiro Mundo, mas mesmo

---

26 Parte desse trabalho já foi feita. Ver o importante artigo de Kalkas, "Diverted Institutions", p.28-48.

seu interesse pela esquerda e pela União Soviética surgiu depois que ele foi rejeitado pelo Ocidente. Esse fato, em minha opinião, moldou sua política, transformou-o, por um lado, em um grande líder e, por outro, em uma figura bastante limitada. Como muitos de seus seguidores na elite política árabe, ele subordinava o desenvolvimento de uma cultura nacional genuinamente oposicionista no nível popular ao desenvolvimento de um Estado de segurança nacional concentrado no topo, cujos principais oponentes eram uma abstração chamada "sionismo", a esquerda egípcia, os Estados Unidos (que o Egito ansiava por atrair) e qualquer líder árabe que não aceitasse de bom grado a hegemonia egípcia. Por isso, o marxismo nunca se firmou no Egito, embora seja interessante o fato de que, durante a era Nasser, foram as culturas egípcia e árabe que desempenharam em geral um papel político de vanguarda, muito à frente dos regimes.[27] Contudo, Nasser foi uma figura prodigiosa, que, apesar de suas falhas, despertou de seu longo sono a energia árabe nacional. Ele transformou o Egito no centro do mundo árabe; já o Egito de Sadat, tendo perdido sua aura árabe, tornou-se um grande país indefinível como a Nigéria ou o Brasil.

Como eu disse anteriormente, até 1967 a política palestina teve fases de desenvolvimento que eram regidas e influenciadas pelas correntes do mundo árabe. Ao ganhar força após 1967, o movimento de resistência palestina despontou como o primeiro movimento político no mundo árabe a confrontar diretamente a presença de judeus na Palestina. Durante o domínio da Jordânia sobre a Cisjordânia, entre 1948 e 1967, o nacionalismo palestino continuou a florescer,[28] mas a ocupação israelense pôs a questão da Palestina em uma posição de confronto direto contra o sionismo israelense. Isso nunca acontecera. Em 1948, a oposição

---

27 O melhor livro sobre esse assunto é Malek, *Egypt, Military Society*.
28 Sobre o nacionalismo palestino entre 1949 e 1967, ver Mishal, *East Bank West Bank*.

A questão da Palestina

palestina ao sionismo não se mostrou nem coerente nem eficaz do ponto de vista político; a perda do país foi considerada sobretudo uma perda árabe, e as políticas sionistas, como eu disse, destinavam-se sobretudo a esvaziar o país e não a governar os árabes. A partir de 1967, essa situação mudou.

Apesar da dispersão e do exílio, o movimento de resistência palestina (que mais tarde passou a ser conhecido como OLP) formulou uma ideia e uma visão para o Oriente Médio que rompiam radicalmente com todas as ideias do passado. Tratava-se da ideia de um Estado democrático secular na Palestina para árabes e judeus. Embora tenha se tornado quase um hábito zombar dessa ideia, não há como minimizar sua importância. Ela aceitava o que gerações de árabes e palestinos jamais foram capazes de aceitar – a presença de uma comunidade de judeus na Palestina que conseguiu seu Estado pela conquista –, mas ia além da mera aceitação dos judeus. A ideia postulava o que, em minha opinião, continua a ser o único destino possível e aceitável para um Oriente Médio de tantas comunidades: um Estado baseado em direitos humanos seculares e não em uma exclusividade religiosa ou minoritária ou em uma unidade geopolítica idealizada, como no caso dos nacionalistas sírios. Do conflito confessional e civil resultaria uma nova base organizacional da vida social em uma região cuja política fora determinada pelo colonialismo ou pela religião. O Estado de gueto, o Estado de segurança nacional, o governo de minoria deveriam ser transcendidos por um sistema político democrático secular, em que as comunidades se acomodariam entre si pelo bem maior do todo.

Havia muitos problemas nessa visão. No fundo, poucos estavam preparados para ela, e ninguém possuía os meios necessários para concretizá-la. Mas o simples fato de ter sido formulada fez grande parte do trabalho. Pela primeira vez, a ideia de uma Palestina árabe passou por uma aculturação histórica. Pela primeira vez na história moderna da região – e dou imenso valor a isso – houve uma tentativa de lidar com o material

251

humano e político para o qual haviam servido no passado as filosofias absolutistas importadas (como o sionismo e o arabismo). Praticamente nenhum comentarista político do Ocidente compreendeu o significado dessa mudança.

Nem aqueles que faziam parte do *establishment* sionista. Consequentemente, a ideia passa há muito tempo sem ao menos uma nota de rodapé na atual discussão política sobre a paz no Oriente Médio. Os palestinos são considerados terroristas ignorantes; seu pacto supostamente demonstrou uma determinação inabalável de exterminar os judeus e o sionismo; tornou-se hábito comparar a ideia de Estado democrático secular a genocídio.[29] Enquanto isso, Israel ainda se refere aos palestinos como não judeus ou – um desenvolvimento importante – "os árabes da Terra de Israel". À medida que Israel prosseguia a colonização do restante da Palestina e que centenas de milhares de palestinos eram dominadas por autoridades militares, a *intelligentsia* liberal do Ocidente tinha pouco a dizer sobre a exploração de crianças palestinas, sobre o fato de que os palestinos que trabalhavam em Israel eram trancafiados à noite em seu local de trabalho, sobre o uso regular de tortura nos interrogatórios ou sobre o fato de que as leis especiais se aplicavam aos árabes, mas não aos judeus em Israel e nos territórios ocupados.[30] Ao contrário, era de bom-tom falar sobre a ocupação benigna de Israel ou criticar os benefícios econômicos da ocupação israelense para os palestinos. E, enquanto campos de refugiados no Líbano eram rotineiramente bombardeados, metralhados ou incendiados por aviões israelenses, aprendia-se a aceitar esses rigores da guerra como um "expurgo de concentrações de terroristas".

---

29 O proponente mais "especializado" dessa visão é o general Yehoshafat Harkabi, cujos livros são leitura obrigatória no Exército israelense e habitualmente distribuídos por embaixadas e consulados israelenses no Ocidente. Ver seu *Palestinians and Israel*.

30 Ver, por exemplo, Israel League for Human and Civil Rights, *The Market of Arab Children in Israel*.

Quando relembramos a história dos últimos dez anos, é difícil saber o que se esperava exatamente dos palestinos. Seus amigos e aliados desejavam a restituição dos direitos dos palestinos, mas certamente o que viria, além do que a Resolução 242 parecia implicar, seria apenas um apoio limitado. A OLP enfrentou então o problema de ter de liderar um eleitorado de exilados cuja maioria não era nem da Cisjordânia nem da Faixa de Gaza (a maioria dos milhares de palestinos que vivem no Líbano, por exemplo, é de Haifa, Jafa e Galileia), mas ao mesmo tempo a Cisjordânia e a Faixa de Gaza pareciam ser o local mais provável para a nacionalidade palestina. Entretanto, quanto mais os palestinos pressionavam por objetivos nacionais, mais eram pressionados em sentido contrário, e mais conflito atraíam. A Jordânia e o Líbano foram os dois casos mais onerosos desse conflito. Cada dia que passava trazia novas evidências de que a autodeterminação palestina exigiria uma coordenação improvável entre a independência palestina e o apoio árabe, com frequência violentamente em oposição um ao outro.

Ao mesmo tempo que controlava a Palestina, Israel era atraída – ora por uma questão de política, ora porque extremistas simplesmente tomavam a iniciativa – para a antiga ideia de transformar o território ocupado em território colonizado. O domínio da Cisjordânia e da Faixa de Gaza produziu instituições coloniais com as quais, ao longo dos anos, os governos pareciam cada vez mais comprometidos. Não há dúvida também de que, pela primeira vez em sua história, Israel teve de lidar com cidadãos judeus que reconheciam os palestinos como um problema que deveria ser tratado. Em Israel, na Europa e nos Estados Unidos, judeus preocupados (por diferentes razões) despertaram para a realidade dos palestinos. Sem dúvida, a resistência e a agressividade dos palestinos (à beira do terror) tiveram seu papel, mas também contribuiu para isso ver os palestinos como corpos aguilhoados pelos soldados israelenses ou encurralados pela força de segurança judaica. Em minha opinião, nada foi tão importante quanto a persistência dos palestinos; eles não partiram, nem mesmo depois que foram dispersados, expulsos, conquistados. Eles ainda se consideravam palestinos, ainda acreditavam que tinham o direito de voltar à Palestina, ainda se sentiam incomodados com a ideia de um suserano israelense (ou mesmo árabe), fossem quais fossem as muitas recompensas oferecidas a eles. Como o sionismo ignorara historicamente os palestinos, para os israelenses a política palestina no fim das décadas de 1960 e 1970 parecia refletir o *número* assustador de palestinos. Aceitar a ideia dos palestinos era uma coisa, outra muito diferente era oferecer sugestões práticas sobre o que fazer com eles – o que significava encontrar um lugar onde eles pudessem ser instalados sem invadir Israel.

É preciso admitir que, se os israelenses e seus defensores foram eloquentes e persuasivos quanto à necessidade de os judeus terem um Estado, eles não foram nada compreensivos quanto ao motivo pelo qual os palestinos resistiam tanto a ir embora e não incomodar mais ninguém. O fato é que, já que os palestinos permaneceram, sua simples presença reclamava direitos a Israel. Admitir a existência de palestinos com uma reivindicação nacional a uma parte que fosse da Palestina significava contestar as reivindicações sionistas e, como disseram certa vez os partidários mais fanáticos do Gush Emunim, permitir que judeus não tivessem direito de se estabelecer em Nablus ou Hebron *poderia* significar que os palestinos passariam a exigir se estabelecer em Jafa ou Haifa. Até os sionistas "dóceis", que se sentiam incomodados com os assentamentos israelenses na Cisjordânia e acreditavam que era preciso oferecer uma reparação aos palestinos, tinham receio de afirmar que os palestinos poderiam criar um Estado na Cisjordânia e na Faixa de Gaza. Judeia e Samaria não eram o deserto do Sinai. Se fossem reconhecidas como palestinas, Israel se tornaria um fato mais evidente de conquista e suplantação? Nada, exceto a consciência dos indivíduos e uma política de extrema esquerda em Israel ou na vida política sionista poderiam abrir espaço para os palestinos; nenhum espaço territorial, político ou social poderia ser aberto para eles. Até a Cisjordânia e a Faixa de Gaza – candidatas razoavelmente óbvias para o restante do mundo – pareciam um risco à "segurança". Apesar da insinuação frequente de que um Estado palestino na Cisjordânia e na Faixa de Gaza seria uma base guerrilheira para atacar Israel, o fato real que se ocultava era que o sionismo sempre rejeitou a existência de um direito nacional concorrente na Palestina. Um Estado palestino era um sério risco *político*, assim como o nacionalismo palestino ou simplesmente os palestinos.

A referência ao terrorismo era com frequência uma maneira de se afastar do dilema. Nem as campanhas israelenses e ocidentais que tentavam identificar os palestinos com o terrorismo conseguiam encobrir o fato de que: (a) o terrorismo palestino causava um número mínimo de vítimas; e (b) a política militar israelense era atacar civis árabes em massa, como o general Gur declarou em maio de 1978. Mas em 1974 a liderança palestina chegou a uma conclusão importante. Pela primeira vez, era evidente que o árabe-palestino não conseguiria se restabelecer, mas, após a guerra de 1973, a combinação de pressão militar com pressão política da parte dos árabes poderia causar danos à hegemonia israelense. Além disso, a conferência de Rabat confirmou o que já era evidente: a OLP era o único representante possível para todos os palestinos. Assim, quando Yasser Arafat foi às Nações Unidas em novembro de 1974, qualquer ideia de solução puramente militar para a questão palestina já fora descartada. Pela primeira vez em sua história, os palestinos entraram de maneira mais ou menos consciente na arena política internacional, onde os sionistas os precederam havia quase um século.

Em várias ocasiões, a OLP declarou sua relutância em aceitar um Estado palestino na Cisjordânia e na Faixa de Gaza. Duas reuniões do Conselho Nacional, em 1974 e 1977, empenharam toda a comunidade nacional nessa ideia e, com ela, no reconhecimento implícito de Israel como vizinho. Mas essas mudanças ocorreram com muita dificuldade. Arafat pedia à maioria de seu eleitorado que começasse a pensar não em termos de casas, propriedades e direitos irrevogavelmente perdidos para Israel, mas em termos de novos ganhos políticos, como soberania, nacionalidade, governo e direitos até então negados aos palestinos. Seus oponentes diziam que ele se rendera ao "imperialismo sionista"; a Frente de Rejeição exigia uma luta revolucionária incessante em toda a parte, como para provar que tudo que Arafat propunha reduzia as ambições palestinas, ao passo que o "rejeicionismo" as expandia. Os sionistas ignoraram as ofertas políticas de Arafat e da OLP. A linha oficial permaneceu inflexível: os palestinos não existiam, a OLP era um bando de nazistas e Arafat era um assassino de crianças. Os mensageiros da paz israelenses tentaram aceitar a OLP em certo nível, mas afastaram-se dela em outros. Solicitou-se um reconhecimento prévio de Israel por meio do abandono da luta armada, Arafat foi instado a fazer concessões e assim por diante. Não houve nenhuma consideração por aquilo que a OLP havia efetivamente mudado, nem por aquilo que pudesse vir a fazer, caso houvesse algum movimento de resposta da outra parte. Enquanto isso, Israel continuava sua política de "intensificar" os assentamentos na Cisjordânia e na Faixa de Gaza, enquanto esforços desorganizados eram feitos para criar uma liderança palestina "alternativa" em ambas as regiões.

De 1974 a 1977, os Estados Unidos desempenharam um papel espantosamente irresponsável e destrutivo. Henry Kissinger e os dois presidentes a quem ele serviu forneceram mais armas a Israel em um período mais curto de tempo como nunca em sua história. A política norte-americana era ignorar os palestinos, tentar restringir o sentimento nacionalista árabe na região, forçar o movimento político a processos bilaterais graduais. Ainda uma questão interna dos Estados Unidos, a questão palestina pareceu se transformar na questão de como levar a Palestina a desparecer na política egípcia, síria ou saudita. Há indícios de que Kissinger chegou ao ponto de usar a CIA para agravar a guerra no Líbano até que a OLP fosse destruída.[31] O Irã era o baluarte da política norte-americana no Oriente, e a capacidade de defesa de Israel no Ocidente foi ampliada para complementar a do xá. Os Estados Unidos planejaram desse modo um longo período de isolamento da União Soviética e criaram estabilidade para eles mesmos, asfixiando os movimentos nacionalistas e radicais que ainda ameaçavam os regimes impopulares.[32]

Os sinais que os palestinos enviaram à comunidade mundial e aos Estados Unidos foram deliberadamente deixados de lado. Armada com a Resolução 3236, de 22 de novembro de 1974, que lhe garantia direito internacional de exigir a autodeterminação e ser o único representante legítimo dos palestinos, a OLP se sentiu mais confiante para tentar ser um interlocutor dos Estados Unidos. No Líbano, por exemplo, a OLP fez o possível para proteger os cidadãos norte-americanos em 1975 e 1976. Em 22 de janeiro de 1976, ela apoiou abertamente uma resolução do Conselho de Segurança que reafirmava a disposição de que "o povo palestino deveria ser habilitado a exercer seu direito inalienável à autodeterminação, incluindo o direito de estabelecer um Estado independente na Palestina, de acordo com a Carta das Nações Unidas". A resolução ainda declarava explicitamente que todos os Estados na região tinham direito a viver em paz, à integridade territorial e à independência – uma declaração inequívoca sobre o direito de Israel de existir. Com um discurso particularmente estúpido e bombástico, o embaixador norte--americano Daniel P. Moynihan vetou a resolução.

---

31 Ver Morris, *Uncertain Greatness*, p.261.

32 A análise mais convincente da política norte-americana nesse período pode ser encontrada em Ahmad, "What Washington Wants", p.227-64. Ver também meu estudo sobre o período precedente, "The United States and the Conflict of Powers in the Middle East", p.30-50.

Depois que o presidente Carter assumiu o poder e fez declarações importantes sobre os "palestinos" em março de 1977, em Clinton, Massachusetts, a resposta da OLP foi extremamente positiva. Nessa época, o Conselho Nacional Palestino estava reunido no Cairo e, em seu principal discurso ao grupo, Arafat afirmou com cautela a reciprocidade palestina às declarações de Carter. Todo o tom da reunião aproximou os palestinos de um diálogo com os Estados Unidos, que, é preciso lembrar, eram um tradicional opositor às aspirações palestinas. Mais tarde, naquele mesmo ano, a situação pareceu ainda mais propícia. Kissinger inseriria no anexo Estados Unidos-Israel do acordo Sinai II uma cláusula que afirmava que os Estados Unidos não reconheceriam nem dialogariam com a OLP, a não ser que ela aceitasse a Resolução 242, um documento político que jamais seria aceitável para os palestinos. Aceitá-lo significava negar a dimensão *nacional* da questão palestina, já que ele fazia menção somente aos "refugiados". Entretanto, no fim do verão de 1977, por intermediários sauditas, egípcios e sírios, os Estados Unidos e a OLP chegaram a um acordo sobre a Resolução 242. A OLP a aceitaria, mas com "uma reserva" – uma cláusula que especificava que a resolução não afetaria os direitos nacionais palestinos, que eram inalienáveis. Em contrapartida, os Estados Unidos reconheceriam a OLP, dialogariam com ela e apresentariam uma posição definitiva sobre a autodeterminação palestina. No último minuto, no fim de agosto, a OLP foi informada que os Estados Unidos não iriam além de um "diálogo". A recompensa por engolir a Resolução 242 não seria a autodeterminação, mas somente o benefício não incondicional de conversar com os Estados Unidos.

É óbvio que a OLP não poderia aceitar a resolução nessas bases, porque isso significaria ceder cada ganho político, reduzir mais uma vez a questão nacional palestina a um problema de refugiados e voltar à estaca zero. Um mês antes da viagem de Sadat a Jerusalém, contatos indiretos entre a OLP e os Estados Unidos tentaram encontrar meios de possibilitar a participação

A questão da Palestina

dos palestinos em uma conferência em Genebra, mas os esforços foram interrompidos bruscamente em 19 de novembro.

Mesmo assim, Arafat insistiu com acenos. Em várias ocasiões, afirmou a disposição dos palestinos em aceitar um Estado, reconhecer Israel *de facto* e tratar diretamente com os Estados Unidos, contanto que, disse-me ele certa vez, "coisas impossíveis não sejam exigidas de mim". Em maio de 1978, Arafat contou a Anthony Lewis, do *The New York Times*, que aceitaria um Estado e viveria em paz ao lado de Israel; disse a mesma coisa ao congressista Paul Findley em janeiro de 1979. Entretanto, coisas impossíveis foram mantidas na ordem do dia. Reconhecer Israel de antemão; retificar a convenção da OLP; depor as armas; dispersar a OLP; aceitar a oferta de Sadat e ir ao Cairo sem precondições. A cada momento crítico, o pessoal de Arafat era exposto a ataques constantes – no Líbano, em todo o mundo árabe, na Cisjordânia, na Faixa de Gaza, nos Estados Unidos. No verão de 1978, e novamente no início de 1979, uma série de assassinatos foi cometida contra seus assessores pessoais; ele enfrentou 30 mil soldados israelenses no sul do Líbano; o apoio político dos árabes passou de retórico a não retórico. Todavia, o presidente Carter insistia na "questão palestina em todos os seus aspectos", como se "seus aspectos" – ou melhor, seu principal teor – estivessem em algum ponto do espaço sideral, à espera de aterrissar.

Nada na base de Camp David era suficiente para encorajar os palestinos, ou o rei Hussein da Jordânia. Com os assentamentos israelenses entupindo o território em questão, com Sadat afastado de qualquer papel de relevância fora do Egito (o tratado o isolou do mundo árabe, uma consequência que Israel e os Estados Unidos certamente devem ter previsto), a estratégia principal consistia em manter a rejeição – o que, é claro, não era propriamente uma política. A situação ganhou laivos de ironia tragicômica. Por um lado, havia as bazófias de Sadat sobre a recuperação dos direitos dos palestinos, sem se dar conta talvez de que, sem a União Soviética, sem o apoio dos árabes, assim como dos Estados Unidos, além do limitado tratado com Israel, sua influência seria, quando muito, verbal. Por outro lado, os Estados Unidos pareciam hesitantes quanto ao modo como definir seu papel no futuro, às tentações a favor ou contra o intervencionismo, à esperança de que a Arábia Saudita e a Jordânia finalmente entrariam em acordo, e ao compromisso – agora institucionalizado – com a "questão palestina em todos os seus aspectos". Além do mais, existe uma disposição palestina visivelmente manifesta de seguir no rumo da paz (afinal, que povo pode se comprometer tanto com a sua própria miséria e não pensar em aliviá-la?), com cada vez menos terreno – em sentido literal e figurado – em que se fixar. Em conflito entre si, Estados Unidos, Egito e a OLP lutam para o proveito de Israel.

Nos Estados Unidos, o organizado eleitorado judeu recebeu o tratado com relutância e criticou-o com cautela.[33] As bases para aceitá-lo são que ele neutralize o Egito e dê trégua a Israel, e é criticado porque pode abrir as portas para a autodeterminação palestina, uma hipótese sustentada agora pelos sionistas norte--americanos. Mas essa comunidade possui uma visão da política israelense bem menos crítica do que as outras, com exceção da extrema direita em Israel, que também tende a considerar qualquer coisa ligada aos palestinos – até sua própria existência – um desastre absoluto. Além de ser irracional, essa visão é intelectualmente vingativa, por exemplo, quando apresentada por revistas como *The New Republic* e *Commentary* (e, para nossa surpresa, a primeira de modo muito mais obstinado do que a segunda). O que os palestinos são aconselhados a fazer? A apenas responder: "Sim, vocês nos expulsaram com suas armas, agora nós aceitamos vocês, não somos mais palestinos, somente um bando de refugiados árabes cujas reivindicações são invalidadas por judeus oriundos de terras árabes, vocês são maravilhosos, por isso nós nos retiramos para sempre"? Ou a visão da *The New Republic* e do *Commentary* diz ir-

---

33 Ver Draper, "How Not to Make Peace in the Middle East".

refutavelmente aos palestinos: "Tomamos nota das suas queixas, mas infelizmente elas não são aceitáveis; vocês foram expulsos (não se pode fazer omelete sem quebrar os ovos), mas, de qualquer maneira, vocês foram embora; vocês são um povo retrógrado e terrorista e ainda querem demais; se nós lhes dermos a mão, vocês vão querer o braço; não podemos admitir que vocês existem, porque corremos o risco de perder nossa credibilidade no cenário mundial e, pior, dentro da nossa comunidade; contentem-se com o que damos a vocês, o que realmente nunca será muita coisa"?

Foi nesse ponto que a questão parou, no que se refere à posição oficial dos Estados Unidos. Há algum tempo, ainda era possível lembrar ao presidente Carter que ele assumiu o poder com – entre outras coisas – o famoso Brookings Report de 1975[34] no topo da agenda. Afinal de contas, tanto o conselheiro de Segurança Nacional Brzezinski quanto seu assistente William Quandt fizeram parte do conselho que redigiu o relatório. Mas ele se tornou uma relíquia de tempos passados. A cortina erguida pelo tratado entre Israel e Egito encobre a Síria, o Iraque, a OLP e até Arábia Saudita e a Jordânia. Todas as indicações de que o sionismo conquistou afinal o que desejou durante 60 anos – legitimidade em relação a um regime árabe e o subsequente isolamento desse regime – parecem perdidas para os Estados Unidos, que supõem que inundar a região com armas e promessas sobre "o processo de paz" fará o milagre de transformar Camp David de água morna em vinho espumante.[35]

Quanto à região em si, quais são os fatos relevantes? Em primeiro lugar, existe a possibilidade de que, pela primeira vez desde 1967, uma resposta nacionalista árabe genuinamente popular seja dada aos Estados Unidos e seus aliados no tratado, o que pressagia uma onda extraordinária de revoltas na região. Como sugeri, a questão palestina tornou-se muito mais do que

---

34 The Brooking Institution, "Towards Peace in the Middle East".
35 A melhor análise do problema é de Kapeliouk, "Le pari".

uma questão irredentista: transformou-se no nexo simbólico de quase toda questão popular (no sentido literal da palavra) árabe, islâmica e terceiro-mundista na região. Uma das principais questões agora é se Arafat e a OLP estão dispostos a reprimir indefinidamente a questão. A resposta iraniana aos palestinos após fevereiro é um dos indicadores a que me refiro; outros não são menos poderosos. O parlamento kuwaitiano foi fechado no fim de 1976, porque a questão palestina se cristalizou no país como algo que unia a oposição ao regime. A OLP não explorou essa situação, mas é óbvio que poderia ter feito isso. A imprensa é amordaçada em boa parte da região, mas a Palestina tornou-se a alegoria que faz a crítica acossar a autoridade do Estado, e essa alegoria galvaniza a oposição de maneira bastante acentuada. A reunião de março de 1979 da Conferência de Bagdá se uniu em oposição a Sadat, Israel e os Estados Unidos, mas foi a OLP que trouxe o intragável elemento árabe para o primeiro plano. Cada vez mais correntes ocultas surgem à luz do dia: sectarismo regional, questões de nacionalidade, inúmeras formas de reavivamento do islamismo (lamentavelmente simplórias, de modo geral) e, como sempre, questões candentes de distribuição desigual de riquezas, às vezes ligadas à opressão sexual e étnica.

O perigo de tudo isso não é a mudança revolucionária em si, mas a incoerência prolongada e, para a OLP, uma realidade nacional concreta, um longo adiamento até a realização de suas reivindicações nacionais sobre a questão da Palestina. Não se encontrará resposta imediata nem de médio prazo para essa questão em um pacto de avestruz entre Israel e Egito, que isola por completo os palestinos. Ambos os países, cada qual de acordo com sua dinâmica interna peculiar, vão enrijecer seu aparato militar, ideológico e político *contra* a região – e, com isso, se tornar menos uma parte dela e mais uma fortaleza solitária, isolada e vulnerável de formas inimagináveis no momento.

Os imperativos são claros, e permito-me esboçá-los sucintamente.

A questão da Palestina é, como tentei mostrar neste livro, uma questão com uma história detalhada, encontrada na vida de cada um dos 4 milhões de palestinos. Não é uma questão que se possa fazer desaparecer por meios legais, militares, culturais ou psicológicos. No entanto – e esse é o ponto positivo que quero ressaltar –, a questão da Palestina é uma questão histórica concreta, que pode ser compreendida em termos humanos; não é um bicho de sete cabeças, a postos para ameaçar todo o mundo. Mas é justamente assim que ela tem sido apresentada. Primeiro o sionismo se recusou a reconhecer a existência de habitantes nativos na Palestina e, quando o fez, foi apenas de habitantes nativos sem nenhum direito político ou nacional; como esses nativos reivindicavam direitos, o Ocidente foi sistematicamente ensinado a identificar esse tipo de luta ao terrorismo, ao genocídio e ao antissemitismo. Isso não é apenas um absurdo, mas também uma autorização para estender um século de violência contra os palestinos por mais outro longo período e recusar-se mais ou menos para sempre a chegar a um acordo com a história e com a verdade. Pior ainda, essa atitude garante a repetição da violência, do sofrimento, do desperdício, dos inúteis "acordos de segurança".

Hoje, a impossibilidade quase total de falar racionalmente da questão palestina nos Estados Unidos não está a serviço desse país nem dos judeus. Em todos os níveis, parece-me irrefutável que a atitude de negação, rejeição e medo – que é o que a perseverança sionista e norte-americana contra os palestinos significa – só produzirá mais temor e menos paz. Não é uma ironia espantosa nesse estado de coisas que os Estados Unidos não permitam que os membros da OLP falem ou viajem livremente neste país,[36] enquanto se diz ao mesmo tempo que a questão palestina está no centro de todo o conflito no Oriente Médio?

---

36 Sobre esse assunto e o problema do silenciamento dos palestinos no país, ver o editorial principal do *Washington Post*, 12 abr. 1979.

No fim das contas, é preciso que haja uma conscientização de que os palestinos não desaparecerão; além disso, os Estados Unidos devem reconhecer oficialmente que o temor em relação aos palestinos e seus representantes unanimemente reconhecidos não pode ser atenuado apenas fingindo que eles não são nada muito sério.

Eu compadeço-me com a preocupação da maioria dos judeus – e compreendo tanto quanto posso – de que a segurança de Israel seja uma proteção legítima contra futuros atentados genocidas contra seu povo. Mas devo observar que não existe meio satisfatório de viver uma vida em que a principal preocupação seja impedir a repetição do passado. Para o sionismo, os palestinos se tornaram o equivalente de uma experiência passada, reencarnada no presente na forma de uma ameaça. O resultado é que o futuro dos palestinos como povo foi hipotecado por esse temor, e isso é um desastre para eles e para os judeus. Tentei apresentar os palestinos como *representáveis* – em termos de experiência coletiva, de sentido coletivo das coisas, de aspirações coletivas e, acima de tudo, como uma realidade concreta e presente (porque histórica). Tudo que eu disse neste livro deve ser compreendido como um reconhecimento da história palestina e judaica – em conflito feroz há um longo tempo, mas fundamentalmente reconciliáveis, se ambos os povos fizerem uma tentativa de ver um ao outro de uma perspectiva histórica comum. É preferível um conflito plenamente reconhecido a temores ocultos e não verbalizados ou fantasias severamente teologizadas sobre o outro.

Eu não entraria em tantos detalhes sobre a experiência palestina com o sionismo, se não acreditasse que o movimento nacional palestino se cristalizou em torno de um conjunto específico de aspirações nacionais. Meu objetivo, portanto, não foi ressuscitar o passado, mas vê-lo com clareza para transcendê-lo. As aspirações nacionais palestinas derivam de maneira íntima e urgente de nossa experiência concreta como povo, e acredito que são aspirações realizáveis, dadas a nossa história, a realidade de Israel, a realidade do restante do mundo árabe e as configurações políticas internacionais.

Não é exagero afirmar que, pela primeira vez em nossa luta contra o sionismo, o Ocidente parece disposto a ouvir nosso lado da história. Por isso, temos de contá-la; devemos subir ao palco internacional criado por nossa luta contra o sionismo e de lá devemos divulgar nossa mensagem dramaticamente. Em especial no Ocidente, nosso objetivo deve ser, em primeiro lugar, engajar o *establishment* sionista liberal (judeus e não judeus) que por muito tempo deu as costas para as vítimas do sionismo. Todos os dias ocorrem ocupações na Cisjordânia e na Faixa de Gaza, assim como ataques contra civis no Líbano, sem nem sequer um gesto de desaprovação dos intelectuais judeus, que sempre estiveram na vanguarda das causas dos direitos humanos. Essa comunidade de escritores, intelectuais, acadêmicos e profissionais tem traído sua missão humana. Por que na primavera de 1978, por exemplo, quando as forças israelenses expulsaram 250 mil civis de suas casas no sul do Líbano usando bombas de fragmentação, não houve uma única manifestação pública de reprovação? As atrocidades acontecem todos os dias e, no entanto, ninguém diz nada. Esse silêncio pode ser explicado pelo argumento de que uma Israel cercada por terroristas não pode fazer nada errado ou, pelo menos, nada que provoque críticas da parte dos judeus responsáveis? Em segundo lugar, devemos entrar no debate político e cultural sobre a paz no Oriente Médio com toda a força; não podemos mais ser aquietados com o *status* de observador ou com repetições vazias de que o problema palestino é (ou não) o centro da intrincada questão do Oriente Médio.

Fizemos belos progressos nessas duas tarefas. É questão de orgulho nacional que, apesar da dispersão e do exílio, o palestino conheça melhor do que qualquer outro árabe as formas da democracia política. Hoje, há mais palestinos do que nunca falando em detalhes *positivos* sobre o que o futuro deve trazer para judeus e árabes, sem distinção. Nenhuma comunidade árabe entende mais intimamente os processos da história política do que a palestina, e nenhuma comunidade tem mais probabilidade do que a nossa de continuar a conduzir a participação democrática na vida nacional. É por isso que uma das facetas da missão palestina é mostrar a pobreza da dominação institucional e ideológica, e que até o mais oprimido e dominado pode prever um generoso estado político das coisas. Em anos recentes, das profundezas de seu exílio e de sua miséria, os líderes palestinos se referiam a uma época em que a Palestina seria o lugar onde duas sociedades coexistiriam, lado a lado, em paz e harmonia.[37] Com o tempo, isso talvez seja inevitável. No presente, é claro, parece algo muito distante. Entretanto, se mais palestinos, mais judeus, mais norte-americanos, em suma, se mais pessoas adotarem a questão palestina como uma questão de bem comum de palestinos e judeus israelenses, então esse dia logo chegará.

Em meu entender, a missão palestina é uma missão de paz. Tenho certeza de que isso vale para a vasta maioria de nosso povo. Não somos apenas uma população de exilados em busca de reparação e autodeterminação nacional; nós nos recriamos como povo a partir da destruição de nossa existência nacional, e nossa organização nacional, a Organização para a Libertação da Palestina, simboliza tanto o isolamento de nossa visão quanto o maravilhoso poder de nossa fé nela. Sem dúvida, quando a OLP é comparada com o Exército ou a Aeronáutica de Israel, e quando os civis dos campos de refugiados apoiam a OLP, ao mesmo tempo que se expõem voluntariamente aos bombardeiros israelenses, torna-se claro que a causa palestina significa uma escolha pela paz e pela vontade humana, e não uma força dura e absoluta. Nossa presença no palco político, como poetas, escritores, intelectuais e militantes, revigorou o mundo árabe e

---

37 Uma ideia muito parecida é apresentada por Salah Khalaf (Abu Iyad) em *Palestinien sans patrie*.

A questão da Palestina

o Terceiro Mundo como nenhuma de suas ideologias políticas fez. Afinal de contas, a missão palestina se resume a indivíduos – seja um líder como Yasser Arafat, um poeta como Samih al Qassem ou qualquer um dos milhares de dedicados homens e mulheres no Líbano, na Faixa de Gaza, em Nazaré ou em Detroit – que perante o mundo e o sionismo podem perguntar: "Vocês vão me eliminar para abrir caminho para outro, mas que direito vocês têm de fazer isso? Por que é correto que um judeu nascido em Chicago imigre para Israel, enquanto um palestino nascido em Jafa tem de ser um refugiado?". A real força do palestino está justamente nessa insistência no ser humano *como um detalhe* – o detalhe que provavelmente deverá ser varrido para que um projeto grandioso se concretize. O palestino está situado em um pequeno pedaço de terra obstinadamente chamado de Palestina, ou em uma ideia de paz que não se baseia nem em um projeto para transformar pessoas em ninguém nem em uma fantasia geopolítica sobre o equilíbrio do poder, mas em uma visão de futuro que acomoda ambos os povos com reivindicações legítimas sobre a Palestina, e não somente os judeus.

Devo ser franco quanto à alternativa. O Oriente Médio está mais fortemente armado e politicamente mobilizado do que qualquer outra região do mundo. No momento, Israel coopera com a África do Sul em seu programa nuclear e não assinou o tratado de não proliferação de armas nucleares. Há no mínimo meia dúzia de Estados cujos regimes são seriamente ameaçados por forças internas e externas. Os Estados Unidos estão comprometidos com a região de tal modo que seus cidadãos – ou melhor, seu governo – mal conseguem compreender. Estão em jogo o petróleo, os mercados, os "interesses" geopolíticos, as opções nucleares. A União Soviética está ligada aos Estados Unidos no Oriente Médio, duplicando os problemas. Essa montanha de imponderáveis costuma ser associada a uma análise política armada sobretudo de clichês ideológicos de uma simplicidade cega e alarmante. Israel, por exemplo, ainda não se decidiu a abolir a divisão oficial da população em "judeus" e "não judeus". É raro que os conceitos de justiça, realismo e compaixão desempenhem um papel – muito menos um papel sério – nos esforços para refletir sobre o Oriente Médio, os quais têm sido comandados por generalidades obsoletas como o nacionalismo grosseiro e por interesses de grandes potências, raramente por ideias sobre os direitos humanos individuais. Por fim, o mais humilde e mais básico dos instrumentos é que trará a paz, e certamente não será um avião de combate ou a coronha de uma arma. Esse instrumento é a luta racional autoconsciente, conduzida para o interesse da comunidade humana. Trata-se, para o Oriente Médio, os Estados Unidos e o mundo, de *realmente se indagar* sobre a questão da Palestina, não medir esforços para buscar as respostas, falar, escrever, agir em conjunto com os outros para ter certeza de que as respostas justas e corretas sejam as adotadas. Evasivas, força, temor e ignorância não servirão.

IV. Futuro incerto

Duas coisas são certas: os judeus de Israel permanecerão; os palestinos também. Dizer com convicção mais do que isso é um risco tolo. Tenho poucas dúvidas de que os Estados Unidos pressionarão Israel e Egito a negociar a autonomia palestina, ou que no curto prazo a Jordânia não se juntará a eles, Begin adotará posições cada vez mais rígidas e nenhum palestino com certa influência participará desse desagradável processo. Mas devemos considerar as variáveis.

O Egito é um grande ponto de interrogação. A oposição a Sadat crescerá? O regime poderá sobreviver muito mais tempo ao seu isolamento do mundo árabe? A Arábia Saudita e a Jordânia estão em uma posição particularmente delicada no momento, e isso também deve mudar. Um desses dois países ou ambos conseguirão resistir à pressão norte-americana; suas casas reais

A questão da Palestina

sobreviverão a seus problemas internos; o efeito da revolução iraniana será sentido de maneira mais intensa? O próprio Irã passará por novas turbulências nos próximos meses, com enormes consequências para a região, para a economia mundial e para a geopolítica. Síria e Iraque podem ou não desempenhar o papel na política árabe que a prenunciada união parece prometer. Cada país tem um senso tão particular de suas prioridades regionais (o papel da Síria no Líbano, em comparação com a atitude do Iraque em relação ao Irã) a ponto de tornar impossível prever o resultado da aliança de Bagdá.

O comportamento dos sauditas no futuro é da maior importância. Não creio que a família real (internamente dividida como está) vá precipitar rupturas drásticas com outros Estados ou grupos árabes; a questão é quanta pressão econômica os sauditas farão a favor de uma ou outra linha política na região. Em relação a regimes voláteis como o líbio, é ainda mais difícil ser preciso. Decerto não podemos descartar a possibilidade de que a Líbia sofra um sério ataque, talvez de Sadat, talvez de outras regiões, mas ela não entregará facilmente seu rico petróleo ao Egito, que, dentro do atual esquema dos Estados Unidos, é melhor que se mantenha economicamente inseguro. Há também uma possibilidade inquietante de que o *status quo* indefinido da Jordânia possa tentar Israel a fazer uma investida, especialmente se, com isso, os hachemitas se convencerem a abrir caminho para uma espécie de sistema de governo palestino na Transjordânia.

Os políticos israelenses – não menos que a política norte--americana – parecem mais determinados e estabelecidos do que realmente podem estar. Personalidades como Moshe Dayan têm acenado para a Síria e a OLP, mas o coro de protesto (nos Estados Unidos e em Israel) é ensurdecedor. Essas iniciativas podem continuar indefinidamente, sem mudanças significativas na posição oficial de Israel. Após o ataque israelense ao sul do Líbano na primavera de 1978, houve uma séria reflexão sobre uma "solução final" para os palestinos; para os partidários dos palestinos, Camp David é o plano político que dá crédito a essa visão pessimista. A principal questão agora é até que ponto as visões de Israel e dos Estados Unidos sobre a autodeterminação palestina coincidem. Um problema adicional é o papel do Egito, tanto ao lado quanto, em certa medida, contra Israel.

Questões econômicas de grande importância e a revolução social – a região é abundante em ambas – certamente influenciarão o futuro da paz no Oriente Médio. Por exemplo, os Estados Unidos se declararam dispostos a invadir um país produtor de petróleo se o suprimento de energia parecer ameaçado; e, desde a queda do xá, Israel e Egito têm se anunciado como *gendarmes* solícitos. A questão crucial – que pode ser uma questão irracional – é qual poder tolerará qual nível de provocação econômica ou política. Um movimento de protesto se tornará insurrecional; um regime se voltará contra um vizinho; a anarquia efervescente no Líbano (por exemplo, apoio contínuo de Israel aos renegados militantes cristãos do sul do país) ou a contínua revolução no Irã induzirão um dos serviços de inteligência a uma trama ou outra; Israel se estenderá para o leste ou para o norte; os Estados Unidos intensificarão o apoio militar direto a vários regimes? As perguntas são muitas e não há como respondê-las no momento. Minha tese é simplesmente que não há nenhum projeto ou cenário suficientemente complexo (por mais sofisticado e preciso que seja) que leve em conta cada *impulso* possível e extremamente significativo acerca da questão da Palestina.

Em sua atitude defensiva e em sua ansiedade para proteger interesses imperiais, a política norte-americana planeja para a Palestina algo parecido com uma planta baixa. Não há dúvida de que "governo autônomo" e "autonomia", bem aquém da autodeterminação e da independência, serão os elementos principais. Presume-se que, em razão de seus interesses e poder, os Estados Unidos têm o direito de decidir o que é melhor para um povo como o palestino. Todo esse esforço de intervencionismo liberal na história recente dos Estados Unidos fracassou, e não há razão para supor que a tutela palestina projetada também não fracassará. Mas eu não sou tão determinista a ponto de acreditar que o fracasso simplesmente ocorrerá, ou que a autodeterminação palestina está garantida. Prefiro confiar no anseio dos palestinos por sua autodeterminação, que foi o que tentei descrever nestas páginas, e na minha confiança de que um grande grupo de pessoas nos Estados Unidos se conscientizará de que as políticas que levaram ao desastre no Vietnã não devem ser usadas contra o povo palestino.

Não tenho dúvida de que haverá uma reação expressiva dos palestinos ao que está acontecendo agora em consequência do acordo de Camp David. A OLP ganha apoio a cada minuto e, no curto prazo, atrairá mais apoio e a oposição israelense. Mas, visto que a situação atual se encontra em um impasse, e que as ideias correntes que deixam a OLP de fora se revelaram falidas, é tentador afirmar com convicção que uma iniciativa política palestina surgirá e carregará toda a região adiante. Essa eventualidade seria, de muitas maneiras, um resultado positivo do tratado entre egípcios e israelenses. Todavia, não devemos esquecer que a Palestina também está coberta de sangue e violência, e devemos prever muitas turbulências, muitas perdas humanas no curto prazo. Infelizmente, a questão da Palestina se renovará de modo bem conhecido, assim como o povo palestino, árabes e judeus, cujo passado e futuro os une inexoravelmente. O encontro entre eles ainda está por acontecer em alguma escala significativa. Mas ele acontecerá, eu sei, e será para o benefício de ambos.

Epílogo

Como que para demonstrar seu poder de estabelecer ligações quando e como julga conveniente, os Estados Unidos reuniram Israel, os palestinos, a Jordânia, a Síria e o Egito em uma conferência de paz para o Oriente Médio em Madri, em 30 de outubro de 1991. Com a vitória militar dos Estados Unidos na Guerra do Golfo manchada pela sobrevivência de Saddam Hussein e por seu cruel triunfo sobre curdos e inimigos internos, o governo Bush buscou de maneira bastante transparente coroar seu papel de última superpotência exibindo o impressionante drama da paz. Até a moribunda União Soviética de Mikhail Gorbachev entrou como "copatrocinadora", e, já que a ONU foi completamente excluída (apesar de os Estados Unidos usarem todos os dias o Conselho de Segurança em suas contínuas intervenções no Iraque), o palco estava montado para aquilo que foi descrito como um avanço histórico.

Entre o fim da Guerra do Golfo (março de 1991) – em cujo exercício de projeção de poder os Estados Unidos não permitiram nenhuma associação entre a ocupação ilegal do

Kuwait pelo Iraque e a ocupação de 24 anos igualmente ilegal de terras árabes por Israel – e os últimos dias de outubro de 1991, o secretário de Estado, James Baker, fez várias viagens ao Oriente Médio, buscando o alinhamento de todos os principais participantes. Praticamente todas as demandas de Israel foram atendidas: nenhuma participação da OLP seria autorizada; nenhum residente de Jerusalém Leste seria membro da delegação palestina; nenhum dos "exilados" palestinos (que são mais de 50% da população palestina total) poderia estar presente; a delegação palestina deveria ser parte do grupo da Jordânia; nenhuma discussão sobre questões de "*status* final" deveria ocorrer nas conversas bilaterais; nenhum papel seria atribuído às Nações Unidas; e os Estados Unidos convocariam, mas não coordenariam nem liderariam as discussões de qualquer outra forma. O cumprimento dessas demandas foi obtido por Baker como condições requeridas aos negociadores palestinos, Faisal Husseini e Hanan Ashrawi, que, apesar de afirmar que agiam em nome da OLP, supunha-se que não fizessem isso. Desse modo, os procedimentos pueris e falhos da conferência, com inúmeras concessões unilaterais dos palestinos, visavam refletir o preço pago pela fraqueza palestina; esse foi o resultado do apoio dos Estados Unidos a Israel, e do que era descrito em geral como a OLP "ter tomado o partido do Iraque". Em todas as várias vezes em que Baker foi a Israel, os israelenses estabeleceram descaradamente um ou dois novos assentamentos, que agora são cerca de duzentos.

Não é preciso dizer que as condições e as práticas israelenses nos territórios ocupados eram exatamente as mesmas antes da Guerra do Golfo, e pioraram muito depois. Mas o canhestramente denominado "processo de paz" foi pontuado de contradições. Como punição por ter negociado a participação palestina com Baker, Ashrawi e Husseini foram afastados da delegação palestina oficial (chefiada pelo dr. Haidar Abdel Shafi) e, em Madri, relegados à delegação "consultiva", que fora fisicamente banida do tal Palácio da Paz. No processo de se projetar como imparciais, os Estados Unidos simplesmente desviaram os olhos ou objetaram diplomaticamente, enquanto Israel intensificava o abuso contra os direitos palestinos em geral. Não fizeram nenhuma menção em Madri aos 17 mil presos políticos que eram mantidos nas prisões israelenses, nem às 2 mil casas demolidas, nem às 120 mil árvores arrancadas, nem às universidades e escolas fechadas, nem aos toques de recolher, nem aos impostos, aos cartões de passagem e às leis punitivas, nem às centenas de livros censurados, nem às mais de mil mortes de palestinos causadas pela violência militar israelense desde o início da *intifada*, no fim de 1987. Apesar de o Conselho de Segurança da ONU ter aprovado mais de sessenta resoluções (a mais recente em janeiro de 1992) condenando essas práticas *ilegais*, o máximo que o presidente Bush e o secretário Baker conseguiram dizer foi que os assentamentos eram "um obstáculo à paz". Longe de suspendê-los, Israel os aumentava sem remorso. E a expropriação de palestinos prosseguia inabalada.

Muito, senão todo o foco da mídia em Madri foi sobre o que era chamado de "a nova imagem palestina". É verdade que os discursos e as coletivas de imprensa eram uma oportunidade para fazer ouvir a mensagem de paz e reconciliação dos palestinos; mas ela não era de todo nova, e havia sido anunciada, posta em prática e reiterada incontáveis vezes com pouca atenção da mídia, que mantinha a visão indolente de que a principal questão que preocupava Israel era o terrorismo e a rejeição dos palestinos. Um avanço na política norte-americana foi anunciado em Madri, embora aí também a perpetuação do passado fosse bastante evidente. Essencialmente, havia um compromisso inalterado dos Estados Unidos com Israel, que incluía cerca de 5 bilhões de dólares por ano em subsídios, e uma firme má vontade em reduzir a ajuda, fizesse Israel o que fizesse. Assim, o levantamento anual da Anistia Internacional observou que, ao lado da Turquia e do Egito, Israel estava no topo dos três maiores recebedores de ajuda externa, apesar de infringir a lei norte-americana e violar os direitos humanos em escala maciça, sem nenhuma admoestação ou redução de ajuda. A lei foi simplesmente suspensa e a ajuda continuou. Além disso – o outro lado dessa política –, em Madri os Estados Unidos continuaram relutantes em pronunciar a palavra "autodeterminação" no caso do povo palestino e em reconhecer a universalmente reconhecida autoridade nacional palestina, a OLP.

Entretanto, também é verdade que a equipe Bush-Baker diferia da Reagan-Shultz, na medida em que o vice-presidente de Reagan *não* dependeu do voto do judeu norte-americano para se eleger em 1988 e não fazia segredo de sua insatisfação com a política israelense sob o governo Shamir. Bush e Baker *fizeram* o que foi impensável durante uma década: postergar a avaliação das solicitações de ajuda adicional de Israel (10 bilhões de dólares em garantias de empréstimo para abrigar imigrantes judeus soviéticos, muito provavelmente nos territórios ocupados) e fazer Israel participar de uma conferência de paz. Mas as coisas não foram muito além. Nas conversações bilaterais realizadas em Washington no início de dezembro de 1991, Israel postergou petulantemente sua aparição durante uma semana, deixando as delegações árabes à espera. Quando finalmente apareceram, recusaram-se a se encontrar com os palestinos como uma delegação separada, desrespeitando tanto o espírito quanto o teor do convite norte-americano, que previa discussões separadas entre Israel e os jordanianos, assim como entre Israel e os palestinos.

O problema central é a recusa oficial dos israelenses de reconhecer ou lidar com o fato do nacionalismo palestino. Também nesse ponto, a perpetuação deprimente de uma atitude histórica de cegueira e rejeição é demasiado clara. Assim como as primeiras gerações de colonizadores sionistas vieram para a Palestina como se fossem para um país desabitado, ou infimamente povoado, à espera de ser colonizado por eles, seus sucessores não conseguiram ver no povo palestino mais do que um bando de "estrangeiros", de quem deveriam se livrar ou considerar irrelevantes. É claro que há muitos judeus israelenses e não israelenses que não pensam assim e que, ao menos nas últimas duas décadas, tentam se opor à política de Israel, mas nunca foram mais do que uma minoria franca, e com frequência corajosa, em Israel e na Diáspora. Esses grupos e indivíduos não fizeram nada de importante para deter o general Ariel Sharon, enquanto seus colonizadores substitutos atiravam contra as cidades da Cisjordânia e da Faixa de Gaza, expulsavam as pessoas de suas casas em Jerusalém Leste (Silwan) e obrigavam o governo a deportar palestinos sempre que havia resistência à intimidação israelense.

Mas acredito que mais relevante é o fato de que, durante três gerações ao menos, os liberais ocidentais continuaram a apoiar Israel em tudo, em grande parte, penso eu, pela culpa que sentiam pelo antissemitismo e também porque a imagem de Israel no Ocidente escapou de certa maneira da contaminação das próprias políticas e práticas israelenses em relação aos palestinos. Enquanto escrevo estas linhas, doze líderes palestinos dos territórios ocupados devem ser deportados em retaliação contra a morte de um colonizador israelense; ninguém em particular foi acusado do assassinato, portanto as deportações são uma punição coletiva, o que é expressamente proibido pelas convenções de Genebra. Devemos lembrar que essas convenções foram solenemente aceitas pela comunidade internacional (inclusive por Israel) no rescaldo das políticas nazistas de perseguição desumana. Algumas semanas atrás, o Ministério de Defesa de Israel renovou por três meses o fechamento da Universidade de Bir Zeit, a principal instituição de ensino superior na Cisjordânia, continuamente proibida de abrir suas portas desde o início de 1988. Tem havido pouco protesto entre os intelectuais ou acadêmicos ocidentais, nenhuma campanha de apoio aos estudantes e aos docentes privados há quatro anos de seu direito de estudar e lecionar pelo governo de um Estado que desde 1967 recebeu 77 bilhões de dólares dos Estados Unidos. Ao contrário da África do Sul, Israel não sofreu boicote, embora o que faça na Cisjordânia e na Faixa de Gaza se equipare às práticas do governo sul-africano durante os piores momentos do *apartheid*.

Enquanto isso, a situação do povo palestino vai de mal a pior. Israel se recusa a se comprometer com aquilo com que os árabes concordaram: a troca de território para assegurar a paz. Os principais Estados árabes são ou indiferentes ou hostis; em todo o caso, porém, em grande parte são impotentes perante os Estados Unidos, que, com sua guerra devastadora contra o Iraque, convenceu a todos de que o único recurso dos regimes impopulares e isolados é a submissão total aos desejos (e caprichos) de Washington. Outras fontes de apoio da causa palestina no mundo islâmico, na África ou no Leste Europeu diminuíram; do mesmo modo, o apoio entusiasmado da conhecida resolução "sionismo é racismo" das Nações Unidas evaporou sem nem sequer debater se o sionismo discriminava os palestinos (não judeus) ou não. Entretanto, o que parece claro é que, com o tempo, a destemida resistência dos palestinos efetivamente *aumentará*, e eles não desaparecerão nem abandonarão seu direito legítimo a um Estado independente em confederação com a Jordânia. Embora a luta pela Palestina esteja localizada na terra em si, sua impressionante repercussão internacional – em especial nos corações e mentes dos cidadãos ocidentais e, em particular, dos norte-americanos – é crucial. A Palestina é a última grande causa do século XX cujas raízes remontam ao período do imperialismo clássico. Estou certo de que seus partidários, árabes e judeus, vencerão a oposição, porque é certo que a coexistência, o compartilhamento e a comunidade devem vencer o exclusivismo, a intransigência e o rejeicionismo.

Hoje, o povo palestino é uma nação em exílio e não um conjunto aleatório de indivíduos. Quem quer que conheça um mínimo sobre esse povo sabe também dos profundos vínculos existenciais que o unem e que o conectam histórica, cultural e politicamente à terra da Palestina. Por muito tempo, as políticas oficiais de Israel e dos Estados Unidos, bastante divergentes das atitudes do restante do mundo, presumiram que os palestinos se dissipariam no mundo árabe, a Jordânia se tornaria a Palestina, os palestinos aceitariam a subserviência permanente em uma "autonomia limitada" à la Bantustão (ou, segundo o Likud, autonomia para o povo, não para a terra) e até se disporiam a realizar um ato de "politicídio" coletivo e a se declarar nulos. Isso significa o fracasso completo, em termos morais e psicológicos, de compreender a realidade. Apenas a autodeterminação palestina servirá, e somente ela apaziguará o já explosivo Oriente Médio. Mas alguns judeus israelenses e não israelenses compreenderam que, se israelenses e palestinos podem ter um futuro decente, esse futuro deve ser em comum, não baseado na anulação de um pelo outro. Em 1988, nós, como povo palestino, demos um passo gigantesco rumo à reconciliação e à paz. Agora aguardamos um gesto correspondente do povo israelense e de seu governo.

E. W. S.
Nova York
10 de janeiro de 1992

Notas bibliográficas

Existe um número irremediavelmente prolífero de obras sobre o Oriente Médio em geral e os palestinos, o sionismo e o conflito entre eles em particular. Não posso pretender me referir a mais do que uma pequena parcela aqui. Entretanto, acredito que seja útil destacar aquelas obras que talvez não sejam familiares ao leitor anglo-americano, provavelmente muito mais exposto ao conhecimento político padrão ou aos textos pró-sionistas.

Um bom ponto de partida – o leitor deve ter em mente que quase todos os livros mencionados aqui não são encontrados facilmente, exceto em grandes bibliotecas – é a bibliografia bastante ampla e detalhada de *Palestine and the Arab-Israeli Conflict*. O Instituto de Estudos Palestinos de Beirute publica muitas obras em inglês, francês e árabe, inclusive o *Journal of Palestine Studies*, uma revista trimestral que pode ser solicitada pelo P.O. Box 19449, Washington, D.C., 20036. Duas coleções indispensáveis para qualquer estudo preliminar sobre a questão palestina são *Transformation of Palestine*, de Ibrahim Abu-Lughod, e *From*

Haven to Conquest, de Walid Khalid. A obra clássica sobre a luta árabe-palestina é *The Arab Awakening*, de George Antonius. Sua leitura pode ser complementada com a coletânea de Doreen Ingram, *Palestine Papers, 1917-1922*. Também são importantes *Anglo-Arab Relations; A Modern History of Syria, Including Lebanon and Palestine* e *British Interests in Palestine*, todos de autoria de A. L. Tibawi. A pesquisa histórica de Tibawi é a melhor já realizada por um palestino e compara-se, por suas descobertas e sua honestidade, aos melhores trabalhos históricos do mundo. Pode-se encontrar um testemunho histórico em Sami Hadawi, *Bitter Harvest, Palestine 1914-67*, que pode ser completado com o excepcional autorretrato de um palestino no exílio, de autoria de Fawaz Turki, *The Disinherited*. Em *The Evasive Peace*, John Davis relata as dificuldades de um ex-diretor da Agência das Nações Unidas de Assistência aos Refugiados da Palestina no Oriente Próximo (em inglês, UNRWA). *Zionism*, de Gary V. Smith, e *Prelude to Israel*, de Alan R. Taylor, servem como pano de fundo para a obra de Davis. Um estudo recente de boa qualidade é *A Sentence of Exile*, de David Waines, que pode ser lido em conjunto com a história política norte-americana de J. C. Hurewitz, *The Struggle for Palestine*, que, apesar da evidente parcialidade, é confiável de modo geral.

Dois livros sobre o ressurgimento da resistência palestina a partir da década de 1960, ambos escritos por jornalistas, são *La résistance palestinienne*, de Gérard Chalian, e *The Gun and the Olive Branch*, de David Hirst. Adnan Abu-Ghazaleh apresenta um cenário interessante sobre a recente resistência palestina, embora seja apenas um esboço, em *Arab Cultural Nationalism in Palestine During the British Mandate*. Recomendo também o principal estudo da Rand Corporation Research Study sobre o movimento guerrilheiro palestino, *The Politics of Palestinian Nationalism*, de William Quandt, Fuad Jabber e Ann Mosely Lesch. Atualmente, Quandt é membro do Conselho Nacional de Segurança e homem de confiança de Brzezinski no Oriente Médio, por isso

A questão da Palestina

recomendo também a leitura de seu *Decade of Decisions*. Pode-se encontrar material jornalístico adicional (e conservador) sobre o período estudado por Quandt em Edward R. F. Sheehan, *The Arabs, Israelis and Kissinger*; dizem que Kissinger vazou a maioria das informações privilegiadas de Sheehan, já que ele é o herói de seu livro. Richard Stevens faz um estudo crítico de informações mais antigas sobre a política externa norte-americana em *American Zionism and U.S. Foreign Policy 1942-1947*; um estudo detalhado sobre a influência do voto judeu nas eleições de 1948 pode ser encontrado em John Snetsinger, *Truman, The Jewish Vote and the Creation of Israel*.

Uma história agradável sobre a Palestina é *Histoire de la Palestine*, de Lorand Gaspar. Para um olhar interno sobre a poesia dos palestinos durante sua luta, recomendo a coletânea de Naseer Aruri e Edmund Ghareeb, *Enemy of the Sun*. Sabri Jiryis, em *The Arabs in Israel*, baseia-se quase exclusivamente em fontes israelenses para contar em detalhes a história da opressão jurídica dos árabes que são cidadãos israelenses. Uma grande obra pode ser encontrada em *To Be an Arab in Israel*, de Fouzi al--Asmar, que faz um relato absolutamente pessoal dessa mesma história. Um trabalho mais recente e mais sofisticado do ponto de vista sociológico é *The Palestinian in Israel*, de Elia T. Zurayk.

Além de Isaac Deutscher, *The Non-Jewish Jew*, o principal depoimento socialista europeu sobre o Oriente Médio é do orientalista francês Maxime Rodinson, *Israel and the Arabs* e *Israel: A Colonial-Settler State?*. Um excelente relato moderado sobre o que vem acontecendo em Israel é *Israel: la fin des mythes*, de Amon Kapeliouk. Os artigos de Kapeliouk no *Le Monde* e no *Le Monde Diplomatique* são sempre importantes e impressionantes; ao lado de David Hirst (*Guardian*, de Manchester), Eric Rouleau (*Le Monde*) e John K. Cooley (*Christian Science Monitor*), seu trabalho jornalístico é de um nível muito mais elevado do que o de qualquer matéria publicada regularmente em jornais como o *The New York Times*.

As análises radicais mais uniformes e brilhantes sobre o Oriente Médio são de Noam Chomsky, *Peace in the Middle East?*. Também existem críticas de israelenses ao sionismo. Uma delas é *The Other Israel*, editado por Arie Bober. Há uma série de livros poderosos, publicados pela Ithaca Press, de Londres: *Documents from Israel, 1967-1973*, editado por Uri Davis e Norton Mezvinsky; *Israel and the Palestinians*, editado por Uri Davis, Andrew Mack e Nira Yuval-Davis; *With my Own Eyes*, de Felicia Langer (relato de uma advogada radical sobre a defesa de árabes contra o Estado; é uma leitura deprimente e assustadora); *Dissent and Ideology in Israel*, editado por Martin Blatt, Uri Davis e Paul Kleinbaum.

Mas não há dúvida de que a obra mais impressionante proveniente de Israel foi escrita por um homem, Israel Shahak, professor de Química na Universidade Hebraica, estudioso excepcional e presidente da Liga Israelense de Direitos Humanos. Ele traduz artigos, faz estudos minuciosos próprios e organiza campanhas pelos direitos humanos em Israel e nos territórios ocupados. Seus livros (*The Shahak Papers*) podem ser obtidos através da Palestine Human Rights Campaign, 1322 18th Street NW, Washington, D.C. 20036; uma única série (baseada em acontecimentos de cerca de três semanas) vale mais do que qualquer combinação de jornais ocidentais durante uma década. Os relatórios regulares de Shahak podem ser completados por *Treatment of Palestinian in Israeli-Occupied West Bank and Gaza*, único relatório disponível sobre as práticas de ocupação israelenses.

Além da Palestine Human Rights Campaign, que frequentemente organiza encontros e distribui livros, várias organizações nos Estados Unidos e no exterior publicam obras de referência. A Association of Arab-American University Graduates (AAUG) publica livros, artigos e afins; esse material pode ser obtido pela AAUG, P.O. Box 7391, North End Station, Detroit, Mich., 48202. O Middle East Research and Information Project (Merip) é o único grupo sério de pesquisa sobre o Oriente Médio nos Esta

A questão da Palestina

dos Unidos, dirigido quase inteiramente por norte-americanos; o Merip publica um boletim mensal e artigos (Merip, P.O. Box 3122, Columbia Heights Station, Washington, D.C., 20010). Mais material periódico útil pode ser encontrado na *Review of Middle Eastern Studies, Gazelle, Israeleft, Khamsin, Monthly Review, In These Times, Seven Days* e nas colunas de Alexander Cockburn e James Ridgeway, na *Village Voice*. Na Inglaterra e na França, a Zed Press e a Maspero publicam livros importantes. Foi de grande valia para mim ler jornais militares, como o *Wall Street Journal*, atas do Congresso, registros do Departamento de Estado e materiais semelhantes do *establishment*, pela perspectiva que apresentam. O sistema de governo do Oriente Médio, por exemplo, é representado pelo *Middle East Journal*, uma publicação trimestral. Como antídoto, em especial para as guerras de 1967 e 1973, recomendo *The Arab-Israeli Confrontation of June 1967*, editado por Ibrahim Abu-Lughod; *Middle East Crucible*, editado por Naseer Aruri, e *Israel and the Arab World*, de Aharon Shen.

Devo fazer duas observações: no Ocidente, os leitores ainda não têm acesso fácil ao material escrito em árabe, como periódicos, estudos e relatórios do Centro de Pesquisa da OLP em Beirute, o que é crucial, evidentemente; em comparação com o material pró-sionista, tudo que mencionei, com poucas exceções, é bem mais difícil de encontrar – uma situação tramada, como eu disse, pelas principais redes, editoras, agências de notícias e distribuidores.

Vários outros livros bastante recentes devem ser citados. O livro de Michael C. Hudson, *Arab Politics*, deve ser lido para contrabalançar *Israel: The Embattled Ally*, de Nadav Safran. *Palestine: A Modern History*, de A. W. Kayyali, é uma história competente dos árabes que deve ser complementada pelo notável *Palestinians: From Peasants to Revolutionaries*, de Rosemary Sayigh. *West Bank East Bank*, de Saul Mishal, e *Israel: Pluralism and Conflict*, de Sammy Smooha, são dois estudos israelenses muito úteis. Por fim, há também o livro densamente instrutivo de Alfred M. Lilienthal,

The Zionist Connection, e o intrigante *Abu Iyal, Palestinien sans patrie: Entretiens avec Eric Rouleau*, de Abu Iyad, um alto oficial da OLP.

O estudo mais abrangente e maciçamente documentado é *The Fateful Triangle*, de Noam Chomsky, que se baseia na invasão do Líbano em 1982, mas aborda questões históricas e morais mais amplas. *Israel in Lebanon* é um relatório da comissão internacional chefiada por Sean McBride e Richard Falk. Três estudos recentes produzidos no contexto norte-americano são *Israel and the American National Interest*, de Cheryl Rubenberg; *Palestine and Israel: A Challenge to Justice*, de John Quigley; e *Blaming the Victims: Spurious Scholarship and the Palestinian Question*, editado por Edward W. Said e Christopher Hitchens. Um importante estudo sobre a opinião pública ocidental é realizado por Elia Zureik e Fouad Moughrabi, em *Public Opinion and the Palestine Question*. Recomendo também as revelações de Paul Findley em *They Dare to Speak Out*.

Houve recentemente uma explosão de erudição revisionista por parte dos israelenses. Os melhores trabalhos são: Simha Flapan, *The Birth of Israel*; Tom Segev, *1949: The First Israelis*; Benny Morris, *The Birth of the Palestine Refugee Problem, 1947-1949*; Avi Shlaim, *Collusion Across the Jordan*; Benjamin Beit Hallahmi, *The Israeli Connection*; e Gershon Shafir, *Land, Labor, and the Origins of Israeli-Palestinian Conflict 1882-1914*. *My War Diary*, de Dov Yermiya, é um relato pessoal perturbador de um coronel israelense dissidente sobre a invasão do Líbano. Recomendo também Jane Hunter, *Israeli Foreign Policy*.

Pela primeira vez, estudos sobre a história, a sociedade, a política e a cultura da Palestina foram publicados em inglês em uma escala impressionante. Todas as obras citadas aqui simpatizam com o ponto de vista palestino e são, ao mesmo tempo, trabalhos excelentes. Muitas são de autores palestinos: Philip Mattar, *The Mufti of Jerusalem*; Muhammad Y. Muslih, *The Origins of Palestinian Nationalism*; Michael Palumbo, *The Palestinian Catastrophe*; David Gilmour, *Dispossessed*; B. K. Nijim e B. Muammar,

Toward the De-Arabization of Palestine/Israel 1945-1977; Rashid Khalidi, *Under Siege*.

Surgiu uma série de ensaios fotográficos que humaniza e dá substância à imagem dos palestinos: Walid Khalidi, *Before Their Diaspora*; Jonathan Dimbleby e Donald McCullin, *The Palestinians* (mostra a vida dos palestinos no Líbano); Sarah Graham-Brown, *Palestinians and Their Society 1880-1946*; Edward W. Said e Jean Mohr, *After the Last Sky*.

Também foram lançados vários estudos sobre a arte popular palestina. Sem dúvida, o mais detalhado é o magnificamente ilustrado e comentado *Palestinian Costumes*, de Shelagh Wei. Uma obra equivalente é a de Ibrahim Muhawi e Sharif Kanaana, *Speak Bird, Speak Again*. Recomendo também *Arab Folktales*, de Inea Bushnaq.

A vida palestina dentro e fora da Palestina tem se beneficiado do trabalho de Laurie A. Brand, *Palestinians in the Arab World*; Said K. Aburish, *Children of Bethany*; Fadwa Tuqan, *A Mountainous Journey*; Raja Shehadeh, *The Third Way*; Julie Peteet, *Gender in Crisis*.

A ocupação israelense e a *intifada* estão bem representadas em Zachary Lockman e Joel Beinin, *Intifada: The Palestinian Uprising Against Israeli Occupation*; Jamal R. Nassar e Roger Heacock, *Intifada: Palestine at the Crossroads*; Geoffrey Aronson, *Creating Facts*; Joost R. Hilterman, *Behind the Intifada*; Naseer H. Aruri, *Occupation: Israel Over Palestine*; Gloria Emerson, *Gaza, A Year in the Intifada*. Três extraordinários testemunhos de médicos que trabalharam nos campos de refugiados palestinos são Pauline Cutting, *Children of the Siege*; Swee Chai Aug, *From Beirut to Jerusalem*; Chris Giannou, *Besieged: A Doctor's Story of Life and Death in Beirut*.

Por fim, os seguintes trabalhos oferecem uma perspectiva inesperada não só dos aspectos judeus e israelenses da questão palestina, como também do futuro das relações entre palestinos e israelenses: Edwin Black, *The Transfer Agreement*; Edward Tivnan, *The Lobby*; Mark A. Heller e Sari Nusseibeh, *No Trumpets No Drums*; Marc. H. Ellis, *Beyond Innocence and Redemption*; Rosemary Radford Reuther e Marc H. Ellis, *Beyond Occupation*.

Referências bibliográficas

ABU-GHAZELEH, A. *Arab Cultural Nationalism in Palestine*. Beirut: Institute for Palestine Studies, 1973.

ABU-LUGHOD, I. (Ed.). *The Arab-Israeli Confrontation of June 1967:* An Arab Perspective. Evanston: Northwestern University Press, 1970.

_____. The Demographic Transformation of Palestine. In: _____. (Ed.). *The Transformation of Palestine*. Evanston, Ill.: Northwestern University Press, 1971.

_____. *Merip Reports*, n.58, jun. 1977.

ABURISH, S. K. *Children of Bethany:* The story of a Palestinian Family. Bloomington: Indiana University Press, 1988.

AHMAD, E. The United States and the Conflict of Powers in the Middle East. *Journal of Palestine Studies*, v.2, n.3, p.30-50, 1973.

_____. What Washington Wants. In: Aruri, N. H. (Ed.). *Middle East Crucible:* Studies on the Arab-Israeli War of October 1973. Wilmette, Ill.: Medina Press, 1975.

AJAMI, F. The End of Pan-Arabism. *Foreign Affairs*, v.57, n.2, p.353-73, 1978-1979.

AL-ASMAR, F. *To Be an Arab in Israel*. London: Frances Pinter, 1975.

ANGLO-AMERICAN COMMITTEE OF INQUIRY. *A Survey of Palestine 1946:* Prepared in December 1945 and January 1946 for the Information of the Anglo-American Committee of Inquiry. Jerusalem, 1946.

ANTONIUS, G. *The Arab Awakening:* The Story of the Arab National Movement. New York: G. P. Putnam's Sons, 1946.

ARONSON, G. *Creating Facts:* Israel, Palestinians and the West Bank. Washington: Institute for Palestine Studies, 1987.

ARURI, N. H.; GHAREEB, E. (Ed.). *Enemy of the Sun:* Poetry of Palestinian Resistance. Washington: Drum & Spear Press, 1970.

_____. (Ed.). *Middle East Crucible:* Studies on the Arab-Israeli War of October 1973. Wilmette, Ill.: Medina Press, 1975.

_____. (Ed.). *Occupation:* Israel Over Palestine. 2.ed. Belmont: AAUG, 1989.

AUG, S. C. *From Beirut to Jerusalem.* London: Grafton Books, 1989.

AVNERY, U. *Israel Without Zionism:* A Plea for Peace in the Middle East. New York: Macmillan, 1968.

BAILEY, C. *The Jerusalem Post,* 22 fev. 1979.

BALL, G. The Mideast Challenge. *The New York Times,* 1 abr. 1979.

BAR-ZOHAR, M. *Ben-Gurion:* A Biography. London: Weidenfeld & Nicolson, 1978.

BELLOW, S. *To Jerusalem and Back.* New York: The Viking Press, 1976. [Ed. bras.: *Jerusalém, ida e volta.* Rio de Janeiro: Nova Fronteira, 1977.]

BEVIS, R. Make the Desert Bloom: An Historical Picture of Pre-Zionist Palestine. *The Middle East Newsletter,* v.2, fev./mar. 1971.

BLACK, E. *The Transfer Agreement:* The Untold Story of the Secret Pact Between the Third Reich and Jewish Palestine. New York: Macmillan, 1984.

BLATT, M.; DAVIS, U.; KLEINBAUM, P. (Eds.). *Dissent and Ideology in Israel:* Resistance to the Draft, 1948-1973. London: Ithaca Press, 1975.

BLUM, Y. Z. Testimony. In: UNITED STATES. Congress. Senate. *The Colonization of the West Bank Territories by Israel.* Hearings Before the Subcommittee on Immigration and Nationalization of the Committee of the Judiciary, U.S. Senate, 17-18 out. 1977, p.24-46.

BOBER, A. (Ed.). *The Other Israel:* The Radical Case Against Zionism. New York: Doubleday, 1972.

BOOKSHIN, M. *The Spanish Anarchists:* The Heroic Years, 1868-1936. New York: Harper & Row, 1978.

BRACKEN, H. Essence, Accident and Race. *Hermathena,* v.116, p.81-96, 1973.

BRAND, L. A. *Palestinians in the Arab World:* Institution Building and the Search for State. New York: Columbia University Press, 1988.

BUSHNAQ, I. *Arab Folktales.* New York: Pantheon, 1987.

CHALIAN, G. *La résistance palestinienne.* Paris: Le Seuil, 1970.

_____. *Restoration in the Third World:* Myths and Prospects. New York: The Viking Press, 1977.

CHILDERS, E. The Wordless Wish: From Citizens to Refugees. In: ABU-LUGHOD, I. (Ed.). *The Transformation of Palestine*. Evanston, Ill.: Northwestern University Press, 1971.

CHOMSKY, N. *Peace in the Middle East?* Reflections on Justice and Nationhood. New York: Pantheon Books, 1974.

_____. What Every American Should Believe. *Gazelle Review*, v.2, p.24-32, 1977.

_____. *"Human Rights" and American Foreign Policy*. Washington: Spokesman Books, 1978.

_____. An Exception to the Rules. *Inquiry*, p.23-27, 17 abr. 1978.

_____. 10 Years After Tet: The Big Story That Got Away. *More*, v.8, n.6, p.16-23, jun. 1978.

_____. Statement Delivered to the Fourth Committee on the United Nations General Assembly, nov. 1978.

_____. *The Fateful Triangle:* The United States, Israel and the Palestinians. Boston: South End, 1983.

CONRAD, J. Heart of Darknes. In: _____. *Youth and Two Other Stories*. Garden City, N. Y.: Doubleday/Page, 1925. [Ed. bras.: *Coração das trevas*. São Paulo: Companhia das Letras, 2008.]

COOLEY, J. Settlement Drive Lies Behind Latest Israeli "No". *Christian Science Monitor*, 25 jul. 1978

CURTIN, P. D. (Ed.). *Imperialism:* The Documentary History of Western Civilization. New York: Walker & Company, 1971.

CURZON, G. N. *Subjects of the Day:* Being a Selection of Speeches and Writings. London: George Allen & Unwin, 1915.

CUTTING, P. *Children of the Siege*. London: Heinemann, 1988.

DANIEL, N. *Islam and the West:* The Making of an Image. Edinburg: University Press, 1960.

DAVIS, J. *The Evasive Peace*. London: John Murray, 1968.

DAVIS, U.; MEZVINSKY, N. (Ed.). *Documents from Israel, 1967-1973:* Readings for a Critique of Zionism. London: Ithaca Press, 1975.

_____; MACK, A.; YUVAL-DAVIS, N. (Eds.). *Israel and the Palestinians*. London: Ithaca Press, 1975.

_____; LEHN, W. And the Fund Still Lives. *Journal of Palestine Studies*, v.7, n.4, p.3-33, 1978.

DEUTSCHER, I. *The Non-Jewish Jew*. New York: Oxford University Press, 1968.

DIMBLEBY, J.; MCCULLIN, D. *The Palestinians*. London: Quartet, 1979.

DORMAN, W. A.; OMEED, E. Reporting Iran the Shah's Way. *Columbia Journalism Review*, v.17, n.5, p.27-33, jan./fev. 1979.

DRAPER, T. How Not to Make Peace in the Middle East. *Commentary*, mar. 1979.

EDITORIAL, *Washington Post*, 12 abr. 1979.

ELGAZI, Y. *Zo Hadareth*, 30 jul. 1975.

ELIOT, G. *Daniel Deronda*. London: Penguin Books, 1967.

ELLIS, M. H. *Beyond Innocence and Redemption:* Confronting the Holocaust and Israeli Power. New York: Harper & Row, 1990.

ELON, A. *The Israelis:* Founders and Sons. New York: Bantam Books, 1972.

EMERSON, G. *Gaza, a Year in the Intifada:* A Personal Account. New York: Atlantic Monthly, 1991.

FALK, R. The Moral Argument as Apologia. *The Nation*, p.341-3, 25 mar. 1978.

FINDLEY, P. *They Dare to Speak Out:* People and Institutions Confront Israel's Lobby. Westport: Lawrence Hill, 1988.

FISHER, S. N. (Ed.). *Social Forces in the Middle East*. Ithaca, N. Y.: Cornell University Press, 1955.

FLAPAN, S. *The Birth of Israel:* Myths and Realities. New York: Pantheon, 1987.

FOUCAULT, M. Questions à Michel Foucault sur la géographie. *Hérodote*, v.1, n.1, p.85, 1. trim. 1976.

GASPAR, L. *Histoire de la Palestine*. Paris: Maspero, 1978.

GIANNOU, C. *Besieged:* A Doctor's Story of Life and Death in Beirut. Toronto: Key Porter Books, 1990.

GILMOUR, D. *Dispossessed:* The Ordeal of the Palestinians 1917-1989. London: Sidgwick and Jackson, 1980.

GRAHAM-BROWN, S. The Structural Impact of Israeli Colonization. *Merip Reports No. 74*, v.9, n.1, p.9-20, jan. 1979.

_____. *Palestinians and Their Society 1880-1946:* A Photographic Essay. London: Quartet, 1980.

GRAMSCI, A. *The Prison Notebooks:* Selections. Ed. e trad. Quintin Hoare e Geoffrey Nowell Smith. New York: International Publishers Co., 1971.

_____. *Quaderni del carcere*. Turim: Einaudi, 1975.

GREENWAY, H. D. S. Vietnam-style Raids Gut South Lebanon: Israel Leaves a Path of Destruction. *Washington Post*, 25 mar. 1978.

HADAWI, S. *Bitter Harvest, Palestine 1914-67*. New York: New World Press, 1967.

HALLAHMI, B. B. *The Israeli Connection:* Who Israel Arms and Why. New York: Pantheon, 1987.

HANNAH, A. *The Origins of Totalitarianism*. New York: Hartcourt Brace Jovanovich, 1973.

HARKABI, Y. *The Position of Israel in the Israeli-Arab Conflict*. Tel Aviv: Dvir, 1967.

_____. *Arab Attitudes to Israel*. Jerusalem: Keter Press, 1972.

HARKABI, Y. *Palestinians and Israel*. Jerusalem: Keter Press, 1974.

HELLER, M. A.; NUSSEIBEH, S. *No Trumpets No Drums*: A Two-State Settlement of the Israeli-Palestinian Conflict. New York: Hill and Wang, 1991.

HERTZBERG, A. (Ed.). *The Zionist Idea:* A Historical Analysis and Reader. New York: Atheneum Publishers, 1976.

HERZL, T. *Complete Diaries*. Trad. Harry Zohn. New York: Herzl Press and T. Yoseloff, 1960. v.1.

HILTERMAN, J. R. *Behind the Intifada:* Labor and Womens's Movement in the Occupied Territories. Princeton: Princeton University Press, 1991.

HIRST, D. *The Gun and the Olive Branch:* The Roots of Violence in the Middle East. New York: Harcourt Brace Jovanovich, 1977.

HOFFMAN, N. *Anaheim Bulletin*, 11 jul. 1977.

HOURANI, A. *Minorities in the Arab World*. London: Oxford University Press, 1947.

HUDSON, M. C. *Arab Politics:* The Search for Legitimacy. New Haven: Yale University Press, 1977.

HUNTER, J. *Israeli Foreign Policy:* South Africa and Central America. Boston: South End Press, 1987.

HUREWITZ, J. C. *The Struggle for Palestine*. New York: Schocken Books, 1976.

INGRAM, D. (Ed.). *Palestine Papers, 1917-1922:* Seeds of Conflict. London: John Murray, 1972.

INTERNATIONAL COMMISSION TO ENQUIRE INTO REPORTED VIOLATIONS OF INTERNATIONAL LAW BY ISRAEL DURING ITS INVASION OF THE LEBANON. *Israel in Lebanon*. London: Ithaca Press, 1983.

ISRAEL LEAGUE FOR HUMAN AND CIVIL RIGHTS. *The Market of Arab Children in Israel:* A Collection by the Israel League for Human and Civil Rights. Tel Aviv, 1978.

IYAD, A. Entrevista. In: _____; ROULEAU, E. (Eds.). *Palestinien sans patrie:* entretiens avec Éric Rouleau. Paris: Fayolle, 1978.

JIRYIS, S. *The Arabs in Israel*. Trad. Inea Engler. New York: Monthly Review Press, 1976.

KALKAS, B. Diverted Institutions: A Reinterpretation of the Process of Industrialization in Nineteenth Century Egypt. *Arab Studies Quarterly*, v.1, n.1, p.28-48, 1979.

KANAFANI, G. *Rijal fil Shams*. Beirut: Dar-al-Taliah, 1963.

KAPELIOUK, A. *Israel:* la fin des mythes. Paris: Albin Michel, 1975.

_____. De l'affrontement à la convergence. *Le Monde Diplomatique*, p.18, dez. 1977.

_____. L'autonomie selon Israel. *Le Monde Diplomatique*, jan. 1979.

_____. Le pari. *Le Monde Diplomatique*, abr. 1979.

KAYYALI, A. W. *Palestine:* A Modern History. London: Croom Helm, 1978.

KERR, M. *The Arab Cold War 1958-1967:* A Study of Ideology in Politics. 2.ed. London: Oxford University Press, 1967.

KHALAF, S. Entrevista. In: _____; ROULEAU, E. (Eds.). *Palestinien sans patrie:* entretiens avec Éric Rouleau. Paris: Fayolle, 1978.

KHALIDI, R. *Under Siege:* PLO Decisionmaking During the 1982 War. New York: Columbia University Press, 1986.

KHALIDI, W. The Fall of Haifa. *Middle East Forum*, v.35, n.10, p.22-32, dez. 1959.

_____. Plan Dalet: The Zionist Blueprint for the Conquest of Palestine. *Middle East Forum*, v.37, n.9, p.22-8, nov. 1961.

_____. *From Haven to Conquest:* Readings in Zionism and the Palestine Problem until 1948. Beirut: Institute for Palestine Studies, 1971.

_____. Thinking the Unthinkable: A Sovereign Palestinian State. *Foreign Affair*, v.56, n.4, p.695-713, jul. 1978.

_____. *Before their Diaspora:* A Photographic History of the Palestinians 1876-1948. Washington: Institute of Palestine Studies, 1984.

_____; KHADDURI, J. (Eds.). *Palestine and the Arab-Israeli Conflict:* An Annotated Bibliography. Beirut: Institute for Palestine Studies, 1974.

KIMCHE, J.; KIMCHE, D. *A Clash of Destinies:* The Arab-Jewish War and the Founding of the State of Israel. New York: Praeger Publishers, 1960.

LACOSTE, Y. *La géographie, ça sert d'abord à faire la guerre.* Paris: Maspero, 1976.

LAMARTINE, A. *Voyage en Orient.* Paris: Hachette, 1887.

LANGER, F. *With my Own Eyes.* London: Ithaca Press, 1975.

LE STRANGE, G. *Palestine under the Moslems:* A Description of Syria and the Holy Land from A.D. 650 to 1500. Translated from the Works of the Medieval Arab Geographers. Beirut: Khayati, 1965.

LEHN, W. The Jewish National Fund. *Journal of Palestine Studies*, v.3, n.4, p.74-96, 1974.

LEWIS, B. *The Middle East and the West.* Bloomington, Ind.: Indiana University Press, 1964.

_____. The return of Islam. *Commentary*, jan. 1976.

LILIENTHAL, A. M. *The Zionist Connection:* What Price Peace?. New York: Dodd, Mead & Company, 1978.

LOCKMAN, Z.; BEININ, J. (Eds.). *Intifada:* The Palestinian Uprising Against Israeli Occupation. Boston: South End, 1989.

MALEK, A. A. (Ed.). *Anthologie de la littérature arabe:* les essais. Paris: Le Seuil, 1965.

_____. *Egypt, Military Society.* Trad. Charles Markham. New York: Random House, 1968.

MALEK, A. A. (Ed.). *La pensée politique arabe contemporaine*. Paris: Le Seuil, 1970.

MANDEL, N. J. *The Arabs and Zionism before World War I*. Berkeley: University of California Press, 1976.

MATTAR, P. *The Mufti of Jerusalem:* Al-Hajj Amin al-Husayni and the Palestinian National Movement. New York: Columbia University Press, 1988.

MAYHEW, C.; ADAMS, M. *Publish It Not:* The Middle East Cover-Up. London: Longman Group, 1975.

MCDONALD, J. *My Mission to Israel*. New York: Simon & Schuster, 1951.

MERAG (Middle East Research and Action Group). *The Candid Kibbutz Book*. London: Merag, 1978.

MIDDLE EAST INTERNATIONAL. *The Voice of Zionism*. London: Middle East International, [s.d.].

MISHAL, S. *East Bank West Bank:* The Palestinians in Jordan, 1949-1967. New Haven: Yale University Press, 1978.

MORRIS, B. *Uncertain Greatness:* Henry Kissinger and American Foreign Policy. New York: Harper & Row, 1977.

_____. *The Birth of the Palestine Refugee Problem, 1947-1949*. Cambridge: Cambridge University Press, 1987.

MOYNIHAN, D. P. *A Dangerous Place*. Boston: Little, Brown & Company, 1978.

MUHAWI, I.; KANAANA, S. *Speak Bird, Speak Again:* Palestinian Arab Folktales. Berkeley: University of California Press, 1989.

MURPHY, A. *The Ideology of French Imperialism, 1871-1881*. Washington: The Catholic University of America Press, 1948.

MUSLIH, M. Y. *The Origins of Palestinian Nationalism*. New York: Columbia University Press, 1988.

NASSAR, J. R.; HEACOCK, R. *Intifada:* Palestine at the Crossroads. New York: Praeger, 1990.

NAZZAL, N. The Zionist Occupation of Western Galilee, 1948. *Journal of Palestine Studies*, v.3, n.3, p.70, 1974.

NIJIM, B. K.; MUAMMAR, B. *Toward the De-Arabization of Palestine/Israel 1945-1977*. Dubuque, IA.: Kendall/Hunt, 1984.

OZ, A. *Time*, 15 maio 1978.

PALUMBO, M. *The Palestinian Catastrophe:* The 1948 Expulsion of a People from their Homeland. London: Faber & Faber, 1987.

PETEET, J. *Gender in Crisis:* Women and the Palestinian Resistance. New York: Columbia University Press, 1991.

PORATH, Y. *The Emergence of the Palestinian-Arab National Movement*. London: Frank Cass & Co., 1974.

QUANDT, W. *Decade of Decisions:* American Policy toward the Arab-Israeli Conflict. Berkeley: University of California Press, 1977.

QUANDT, W.; JABBER, F.; LESCH, A. M. *The Politics of Palestinian Nationalism*. Berkeley: University of California Press, 1977.

QUIGLEY, J. *Palestine and Israel:* A Challenge to Justice. Durham: Duke University Press, 1990.

QUIRING, P. Israeli Settlements and Palestinian Rights. *Middle East International*, n.87, p.10-2, set. 1978; n.88, p.12-5, out. 1978.

RELATÓRIO KOENIG. *SW ASIA*, v.3, n.41, 15 out. 1976.

REUTHER, R. R.; ELLIS, M. H. (Eds.). *Beyond Occupation:* American, Jewish, Christian and Palestinian Voices for Peace. Boston: Beacon Press, 1990.

RODINSON, M. *Israel and the Arabs*. New York: Pantheon, 1968.

_____. *Israel:* A Colonial-Settler State? Trad. David Thorstad. New York: Monad Press of the Anchor Foundation, 1973.

ROSEN, M. *The Last Crusade:* British Archeology in Palestine, 1865-1920. Tese (Mestrado) – Hunter College. New York, 1976.

RUBENBERG, C. *Israel and the American National Interest*. Urbana: University of Illinois Press, 1986.

SAFRAN, N. *Israel:* The Embattled Ally. Cambridge, Mass.: Harvard University Press, 1978.

SAID, E. W. *Orientalism*. New York: Pantheon Books, 1978. [Ed. bras.: *Orientalismo*. São Paulo: Companhia das Letras, 2007.]

_____. Whose Islam? *The New York Times*, 29 jan. 1979.

_____; HITCHENS, C. (Eds.). *Blaming the Victims:* Spurious Scholarship and the Palestinian Question. London/New York: Verso, 1988.

_____; MOHR, J. *After the Last Sky:* Palestinian Lives. New York: Pantheon, 1986.

SAUNDERS, H. *Merip Reports No. 70*, v.8, n.7, p.13-5, set. 1978.

SAYEG, F. The Camp David Agreement and the Palestine Problem. *Journal of Palestine Studies*, v.8, n.2, p.40, 1979.

SAYIGH, R. *Palestinians:* From Peasants to Revolutionaries. London: Zed Press, 1979.

SEGEV, T. *1949:* The First Israelis. New York: The Free Press, 1986.

SHAFIR, G. *Land, Labor, and the Origins of Israeli-Palestinian Conflict 1882-1914*. Cambridge: Cambridge University Press, 1989.

SHAHAK, I. (Ed.). *The Non-Jew in the Jewish State:* A Collection of Documents. Impresso por Shahak. Jerusalem, 1975.

SHARABY, H. *Muqadimat li dirasit al mujtama' al 'araby*. Beirut: Dar-al--Mutahida, 1975.

SHEEHAN, E. R. F. *The Arabs, Israelis and Kissinger:* A Secret History of American Diplomacy in the Middle East. New York: Reader's Digest Press, 1976.

SHEHADEH, R. *The Third Way:* A Journal of Life in the West Bank. London: Quartet, 1982.

SHEN, A. *Israel and the Arab World*. New York: Funk & Wagnallis, 1970.

SHLAIM, A. *Collusion across the Jordan:* King Abdullah, the Zionist Movement and the Partition of Palestine. New York: Columbia University Press, 1988.

SMITH, G. V. *Zionism:* The Dream and the Reality, a Jewish Critique. London: David & Charles, 1974.

SMOOHA, S. *Israel:* Pluralism and Conflict. London: Routledge & Kegan Paul, 1978.

SNETSINGER, J. *Truman, The Jewish Vote and the Creation of Israel*. Stanford: Hoover Institution Press, 1974.

SPENDER, S. Among the Israelis. *The New York Review of Books*, 6 mar. 1975.

STEINBERG, J. The New World (Dis)order. *Seven Days*, v.3, n.3, p.14-6, 30 mar. 1979.

STEVENS, R. *American Zionism and U.S. Foreign Policy 1942-1947*. Beirut: Institute for Palestine Studies, 1962.

STEWART, D. *Theodor Herzl*. Garden City, N. Y.: Doubleday, 1974.

STOKES, E. *The English Utilitarians and India*. Oxford: Clarendon Press, 1959.

STONE, I. F. Confessions of a Jewish Dissident. In: _____. *Underground to Palestine, and Reflections Thirty Years Later*. New York: Pantheon Books, 1978.

_____. The Case for Camp David. *New York Review of Books*, 28 out. 1978.

SYKES, C. *Crossroads to Israel, 1917-1948*. Bloomington, Ind.: Indiana University Press, 1973.

TAYLOR, A. R. *Prelude to Israel:* An Analysis of Jewish Diplomacy. New York: Philosophical Library, 1959.

TEMPLE, C. L. *The Native Races and their Rulers*. London: Frank Cass & Co., 1968.

THE ANGLO-PALESTINE YEARBOOK *1947-8*. London: Anglo--Palestine Publications, 1948.

THE BROOKING INSTITUTION. *Towards Peace in the Middle East:* Report of a Study Group. Washington: The Brooking Institution, 1975.

TIBAWI, A. L. *British Interests in Palestine*. London: Oxford University Press, 1961.

_____. *A Modern History of Syria, Including Lebanon and Palestine*. London: Macmillan, 1969.

_____. *Anglo-Arab Relations*. London: Luzac, 1978.

TIVNAN, E. *The Lobby:* Jewish Political Power and American Foreign Policy. New York: Simon & Schuster, 1987.

THE NATIONAL LAWYERS GUILD. *Treatment of Palestinian in Israeli-Occupied West Bank and Gaza:* Report of The National Lawyers Guild 1977 Middle East Delegation. New York: National Lawyers Guild, 1978.

TUQAN, F. *A Mountainous Journey:* An Autobiography. London: The Women's Press, 1990.

TURKI, F. *The Disinherited:* Journal of a Palestinian Exile. New York: Monthly Review Press, 1972.

UNITED NATIONS. *The Right of Return of the Palestinian People.* New York: United Nations Publication, 1978.

WAINES, D. The Failure of the Nationalist Resistance. In: ABU-LUGHOD, I. (Ed.). *The Transformation of Palestine.* Evanston, Ill.: Northwestern University Press, 1971.

_____. *A Sentence of Exile:* The Palestine/Israel Conflict, 1897-1977. Wilmette, Ill.: Medina Press, 1977.

WALZER, M. *Just and Unjust Wars:* A Moral Argument with Historical Illustrations. New York: Basic Books, 1977.

WEI, S. *Palestinian Costumes.* London: British Museum, 1989.

WEITZ, J. *My Diary and Letters to the Children.* Tel Aviv: Massada, 1965.

WEIZMANN, C. *Trial and Error:* The Autobiography of Chaim Weizmann. New York: Harper & Row, 1959.

WILSON, E. *Black, Red, Blond and Olive.* New York: Oxford University Press, 1956.

_____. *A Piece of My Mind:* Reflections at Sixty. New York: Doubleday, 1958.

YERMIYA, D. *My War Diary:* Lebanon, June 5-July 1, 1982. Boston: South End Press, 1983.

ZAYYAD, T. Fate of the Arabs in Israel. *Journal of Palestine Studies,* v.6, n.1, p.98-9, 1976.

ZURAYK, E. T. *The Palestinian in Israel:* A Study in Internal Colonialism. London: Routledge & Kegan Paul, 1979.

ZUREIK, E.; MOUGHRABI, F. *Public Opinion and the Palestine Question.* London: Croom Helm, 1987.

Índice remissivo

A

Abu-Lughod, Ibrahim, 17, 161, 162, 281, 285
Acordos de Salt, 209
Acordos Interinos, 194
Acre, 14, 116
Aderet, Avraham, 131
Adler, Renata, 46
Administração Israelense de Terras, 124
África do Sul, 38, 89, 123, 131, 137, 209, 233, 267
Agência das Nações Unidas de Assistência aos Refugiados da Palestina no Oriente Próximo (UNRWA), 150, 282
Ahmad, Eqbal, 224, 257
Akraba, 138
Allenby, Edmund, 31
Alto Comitê Árabe, 14
Anistia Internacional, 49, 122, 157, 275

Antissemitismo, 7, 67, 68, 79, 81
na Europa, xxxi, 27, 28, 57, 61, 67, 77, 78, 137, 244, 277
na Palestina, 66, 70, 78, 108, 137, 198, 263
ver também Israel, Sionismo
Arab Bureau (britânico), 33
Árabes
afirmação nacional dos, 155
"antigos" e "novos", 44
cristãos, 163, 166-8
como problema demográfico, 125, 145-7
estatísticas educacionais, 126-8, 148-50
estatísticas populacional, 10-2,
mulçumanos, 163
sunitas, 167, 170, 183
xiitas, xx, 167
preconceito racial e estereótipos contra os, x, xxv, lii, 7, 10, 21-3, 27-39, 72, 77-8, 82-3, 85-6, 101-6, 167-8, 212

ver também Islã, Palestina, Palestinos

Arábia Saudita, xx, xxviii, 60, 66, 142, 183, 185, 190, 204, 215, 226-8, 231, 260-1, 268

Arafat, Yasser, 8, 182-4, 186, 189, 204, 222, 231, 255-6, 258-9, 262, 267

Arendt, Hannah, *Origens do totalitarismo*, lii, 84

Argélia, xxviii, xliv,164, 209, 249

Argentina, 79, 80, 131

Ashrawi, Hanan Mikhail, *Contemporary Palestine Literature Under Occupation*, 176, 274

Asmar, Fouzi al-, *To Be an Arab in Israel*, 122, 283

Assad, Hafez el-, 169, 229

Associação de Colonização Judaica, 79

Áustria, xxx, 89, 231

Avidan, Abraham, 103

Avneri, Uri, 124

Avoda Ivrit (Trabalho Judeu), 25, 27

B

Baathismo; Baathistas, 187, 151, 180, 186, 227, 229, 249

Balfour, Arthur James, 19, 20-1, 23-4, 30, 32-3

Ball, George, "The Mideast Challenge", 245-6

Beduínos, 157

Begin, Menachem, xxiv, xxvi, 6, 17, 21, 90, 130, 159, 217-20, 222, 225, 232-3, 235-6, 242, 268
como terrorista, 51, 64, 117
homenageado pelos Estados Unidos, 51, 64

Beidas, Khalil, 14

Bellow, Saul (*Jerusalém, ida e volta*), 6, 46-7, 123, 131

Ben-Gurion, David, 235

Ben Yehuda, Eliezer, 99

Berger, Elmer, 131

Bíblia. *Ver* Velho Testamento

Bispo de Salisbury, 89

Blum, Yehuda Zvi, 233

Bookshin, Murray, *The Spanish Anachists: The Heroic Years, 1868-1936*, 212-3

Bopp, Fraz, 84

Borochov, Ber, 21

Bracken, Harry, "Essence, Accident and Race", 85

Brookings Report (1975), 261

Brzezinski, Zbigniew, 221, 261, 282

Buber, Martin, 131-2

Buffon, Geoges, 83

C

Cafarnaum, 91

Camp David, Acordos de, xxiii, xxvi, xxviii, xxxix, xliii, liv, lvi, 6, 29, 184, 194, 207, 218-20, 223, 231, 234, 236-7, 240, 242-3, 259, 261, 270-1

Canal de Suez, xlix

Carlebach, A., 101-2

Carter, Jimmy, xxvi, xxviii, xxxix, lvi, 6, 7, 52, 207, 218, 221-2, 225, 227, 229, 237, 258-9, 261

Caso Dreyfus, 79

CBS, 226

Chade, 231

Chaliand, Gerard, *Revolution in the Third World*, 144, 212

Chateaubriand, François René de, 10, 79

Chiang Kai-shek, 232

Chile, 48, 131, 233

Chomsky, Noam, xlix, 6, 46-8, 131, 196, 217, 235, 284, 286

Churchill, Winston, White Paper, 94

CIA, 257

Cisjordânia, xxxiii, xxxvi, 111-2
como fornecedora de água aos israelenses, 240
Ocupação israelense da, xliii, xlv, xlix, 17, 22, 44, 52, 109

Clemenceau, Georges, 84

Clermont-Ganneau, Charles, "The Arabs in Palestine", 91

Colinas de Golã, 138, 219, 224

Comboio do medo, O, 7

Commentary, 260
Companhia Anglo-Palestina, 111
Companhia de Desenvolvimento das Terras Palestinas, 112
Conder, C. R., "The Present Condition of Palestine", 91
Conferência de cúpula de Bagdá, 209, 231, 262
Conferência de Paz de Paris, 23
Conferência de Rabat, 192, 255
Conferências de Paz de Genebra, 194, 259, 277, 230-1, 259
Conrad, Joseph, *Coração das trevas*, 86-7
Conselho Mundial do Po'ale Zion, 167
Conselho Nacional Palestino, 190, 192, 194, 203-4, 225, 258
Conselho Supremo de Guerra, 23
Convenções de Genebra, xxvii, 196, 233, 277
Cook, Stanley, 91
Crédito Colonial Judaico Ltda., 111
Cristãos maronitas, 35, 148, 163, 167
Cruz Vermelha, 49
Cruzadas, cruzados, 11, 91, 102
Cuba, 164, 209
Curzon, George Nathaniel, 86
Cuvier, Georges, 83

D
Daniel, Norman, *Islam and the West: The Making of an Image*, 168
Darwazeh, Hakam, 14
Darwish, Mahmound, *"Bitaqit Hawia"*, xli, 177-8, 180
Dayan, Moshe, 16, 104, 220, 242, 269
de Gaulle, Charles, 51
de Gobineau, Joseph, 84
Decano de Westminster, 90
Declaração anglo-francesa de 1918, 19
Declaração Balfour, 15, 19, 23, 99, 183
como base das demandas sionistas, 18
Declaração Universal dos Direitos Humanos, 54
Diáspora xliii, xlv, 77, 112, 128, 147, 200, 277
Disraeli, Benjamin, 74, 10

Domingo Negro, 7
Drake, Tyrwhitt, 90
Draper, Theodore, "How Not to Make Peace in the Middle East", 260
Drusos, 14, 148, 163
Dulles, John Foster, 214

E
Efrati, Yona, 103
Egito xx, xxii, xxvi, xxviii, 29, 66, 130, 131, 179, 227-8, 234, 249-50, 273, 275
como bastião contra a União Soviética, 130
políticas nacionais do, 66, 169, 194, 207, 216-8, 224, 226, 228-32, 250, 259, 269
política palestina, xxiii, 133, 142, 156, 190, 198, 204, 209, 215, 216, 223, 225, 229-30, 234, 242, 260-62, 268, 270
ver também Camp David
Elgazi, Yoseph, 120
Eliot, George, 171, 68, 74-6
Daniel Deronda, 68-71, 73-6
Middlemarch, 68
Elon, Amos 21
The Israelis, 21-3, 26, 93
"Esboço do programa de reassentamento judeu na Palestina...", 190
Estados Unidos, 55-6, 224-7
Departamento de Estado, 277
fracassos na política externa, 217-8, 224, 289
papel da comunidade judaica na política externa, 114-6, 291-2, 267-8
venda de armas no Oriente Médio, 66, 251, 217, 231
viés sionista, 57-9, 65-7, 197-9, 228, 246
ver também Camp David
Europa
políticas coloniais e imperialistas, 3-4, 9, 12, 15, 18, 22, 24, 26, 29, 32-3, 37, 63-4, 73-4
Eytan, Rafael, 233

F

Faixa de Gaza, xxxvi, 44, 133, 138-9, 142, 145, 156, 158, 182, 192, 196-7, 199, 200, 215, 240, 242, 253-5, 259, 267
  ocupação israelense da, xii, xiii, xxxiii, xliii, xlix, 17, 22, 44, 122, 153-4, 157-8, 177, 219, 234, 256, 265, 277-8
Família Sursuk, 96
Fatah, Al-, ix, xii, xiii, 180, 182-6, 189
  ver também OLP
Findley, Paul, xxvii, 259, 286
Fisher, Sydney N. (Ed.), Social Forces in the Middle East, 134
Flaubert, Gustave, 79
Fonda, Jane, 46
França xxx, xxxix, 285
  políticas coloniais e imperialistas, 11, 75-6, 84, 231
Frente de Libertação Nacional (Vietnã), 45
Frente de Rejeição, 256
Frente Popular (Israel), 148
Frente Popular de Libertação da Palestina (FPLP), 182
Frente Popular Democrática pela Libertação da Palestina (FPDLP), 182
Fundo de Exploração Palestina, 13, 89, 90
Fundo Nacional Judeu (FNJ), 56, 111-3
Fundo Nacional Palestino, 189
Fundo para a Fundação Palestina, 112
Futtuwa, 14

G

Galileia, 90, 116, 124-5, 134, 145, 200, 233, 253
  "judaização" da, 119
Geografia, como ferramenta imperialista, 86-89
Gevat, 16
Globe de Boston, 49, 50
Gramsci, Antonio, Cadernos do cárcere, 43, 67, 82, 131
Gray, Francine du Plessix, 46
Greenway, H. D. S., 66

Guerra Civil do Iêmen, 226
Guerra de 1973, xxvi, liii, 46, 103, 192-3, 227-9, 255, 285
Guerra de junho de 1967, 44, 162, 180
Guerra Fria, xxvi, liii
Gur, Mordechai ("Motta"), xlix, 255
Gush Emunim, xlv, 236, 254

H

Ha'am, Ahad, 109
Ha-aretz, 130, 147, 240-1
Ha'poel Ha'tzair, 21
Habibi, Emile, Waqa'il Ghareeba Fi Ikhtifa' Said Abi Nahs Al-Mutasha'il, Al, xli, 175
Hachemitas, 269
Haddad, Farid, lviii, lix
Hagná, 52
Haifa, 14, 116, 175, 200, 253-4
Halaca, 103
Halhoul, 220
Hamishmar, Al-, l, 124
Haneifs, 16
Harkabi, Yehoshafat, 252
  Arab Attitudes to Israel, 103
  The Position of Israel in the Israeli--Arab Conflict, 171
Hebron, 14, 201, 238, 254
Herz, J. H., 15
Herzl, Theodor, 27, 33, 77, 79-81, 96, 115
  Diaries, 15, 79
Hess, Moses, Rome and Jerusalem, 75-6
Hirsch, Maurice de, 79
Histadrut, 123
Hoagland, Jim, 58
Hobson, John, 23
Holocaust, 66
Hourani, Albert, Minorities in the Arab World, 166-8
Hume, David, 85
Hussein (rei da Jordânia), 259
Hussein, Rashid, xli, lviii, lix

I

Ibn Gabirol, 147
Império Otomano, 13, 22, 60, 135, 164, 166

Império Romano, 11
Império Turco. *Ver* Império Otomano.
Incidente de Maalot, xxxii, 129, 196
Índia, 38, 52, 75-6, 209
Indochina, 52
Indonésia, 247
Inglaterra
  políticas coloniais e imperialistas, 13-5, 20-1, 27, 36, 69, 71, 73, 85, 164
  políticas no Oriente Médio, xxxix, 23, 26-7, 90, 116, 202
Instituto de Estudos Políticos de Washington, 224
Irã, xiii, xxi, xxii, liii, lvi, 196, 207, 217, 223-4, 231-2, 236, 257, 269-70
Iraque, xix, xxii, xxviii, xl, 115, 133, 139, 174, 184, 186, 232, 246, 249, 261, 269, 273-4, 278
Irbid, l
Irgun, 64, 117,
Islã, renascimento do, liii, 8, 210, 262
Ismaília, xlix, 235
Israel
  como bastião contra a União Soviética, 33, 130, 232
  como Estado judaico, 23-4, 27
  como imperialista e sócio imperialista, 43-3, 65-6, 100-2, 130-1, 158-9, 161, 172, 248-50, 267
  força militar de, 129-30, 165-6, 263-4
  futuro de, 129-30
  Guerra de Independência de, 1
  políticas de compra de terras, 27, 97-8, 111-3, 116-20
  políticas discriminatórias de, 60-1, 63-4, 100, 120-3, 124-32, 197-8, 268
  política externa de, 19
  política palestina de, xxi, 29, 41-2, 58-9, 124-32, 116-8, 220, 240-3, 252-3
  ver também Camp David; Sionismo; líderes e assentamentos

J
Jabotinsky, Vladmimir Zeev, 21, 235
Jafa, 12, 14, 105-8, 111, 116, 119, 145-6, 200, 253-4, 267
Japão, 209
Jarring, Gunnar, 227
Jericó, 12, 14, 238
Jerusalém, xi, xliii, xlix, 6, 14, 47, 115-6, 140, 156, 185, 192, 197, 201, 220, 224, 228, 230, 237-8, 258, 274, 277
Jibta, 16
Jiryis, Sabri, *The Arabs in Israel*, 42, 78, 122-4, 146-8, 283
João Damasceno, 168
Jones, William, 84
Jordânia, 113, 133, 139, 153, 156, 159, 180-2, 187, 192, 197-8, 204, 215-7, 223, 226, 231, 238, 250, 253, 260-1, 268-9, 273-4, 278-9
  campos de refugiados na, xix, xxi, xxii, xliv, xlix, 8, 40, 44, 133, 139, 152-3, 185
  governo minoritário na, 1, 60
  "Judeia e Samaria", 44, 65, 233, 254
  ver também Cisjordânia
Judeus orientais (sefardita), 25, 78-9, 129, 167
  ver também Israel; Sionismo, Sionistas

K
Kanafani, Ghassan, *Rijal Fil Shams*, xli, xlii, 172-5
Kandell, Jonathan, 220-1
Karameh, 180-1, 187
Kefar, Yehoshua, 16
Khalilis, 201
Khomeini, Ruhollah, xx, 217, 236
Kimche, John; Kimche, David, *A Clash of Destinies: the Arab-Jewish War and the Founding of the State of Israel*, 116
Kindi, Al-, 168
Kissinger, Henry A., xxvi, xxxv, 194-5, 230, 245, 256-8, 283

Kitchener, Horatio Herbert, 90
Knesset, 124, 145, 175, 197, 219-20
Knox, Robert, *The Races of Man*, 86
Koenig, Israel, relatório secreto, 124-8
Kuwait, xix, xx, xxviii, xli, 60, 145, 173, 175, 190, 204, 274
   governo minoritário no, 60
Ky, Nguyen Cao, 232

L

Laharanne, Ernest, *The New Eastern Question*, 76
Lamartine, Alphonse de, 10
   Résumé politique, 11
   Voyage en Orient, 11-2, 79
Legio, 12
Lehn, Walter, "The Jewish National Fund", 111-2
Lei de Aquisição de Terras (1953), 121
Lei de Confisco de Propriedade em Tempos de Emergência (1949), 121
Lei de Prescrição (1958), 121
Lei de propriedade ausente (1950), 121
Lei do Retorno, 56, 100, 129
Leroy-Beaulieu, Paul, 88
Lévi, Sylvain, 23
Lewis, Anthony, 8, 218, 259
   "And Now the Palestinians", 243
Líbano 133-4, 139, 142, 145, 148, 152-3, 163, 181-2, 192, 198, 208, 215, 228, 259
   grupo cristão apoiada pelo Ocidente, 167, 270
   Guerra Civil no, xxii, xl, liii, 36, 213, 163, 167, 192, 203, 229, 257
   presença de Israel no, xiii, xvii, xxvi, xliii, 66, 129, 165, 167-8, 197, 265, 269-70, 286
   governo minoritário no, 60
   campos de refugiados no, xxix, xxxiii, xl, xlix, 152, 196, 252-3, 287
   Sul do, xiii, xlix, l, 65, 129, 165, 196, 247, 259, 265, 269

invasão síria do, xxii, xxii, 139, 142, 229, 269
Liga Israelense de Direitos Humanos, 48,157, 197, 284
Lin, Ammon, 123
Linnaeus, Carolus, 83
Locke, John, 85
Lugard, Frederick, 107
Lydda, 116

M

Ma'ariv, 237
MacAlister, R. A. S., 92
Mahalul, 16
Mahfouz, Nagib, *Hub taht al mattar*, 179-80
Maimônides, Moses, 147
Mandato britânico, 11, 189, 202
   ver também Inglaterra
Mandel, Neville, 92
Manuscristos do Mar Morto, 39
Maomé, 147, 168,
Mapai (Partido Trabalhista), 145
Marx, Karl, 35-38
   o viés racista de, 74
Marxismo, 250, 213
Massacre de Avivim, l
Massacre de Deir Yassin, 51, 117
Massacre de Kafr Kassim, 121
McGovern, George S., 46
Meir, Golda, 5-6
Mill, John Stuart 32,
   o viés racista de, 74
Moisés, 147
Movimento Nacional Libanês, 213
Moynihan, Daniel Patrick, xxvii, 48, 131, 257
Muçulmanos sunitas, xx, 14, 60, 167-8, 170, 183
Muçulmanos xiitas, xx, 167

N

Nablus 13-4, 145, 148, 180, 238, 254
Nações Unidas, 134, 141-2, 193, 196, 231, 274
   Assembleia Geral, 54
   Carta das, 257

Conselho de Segurança, xxvii, 257, 273, 275
Comissão de Direitos Humanos, 55
condenação do sionismo, 48, 278
Resolução 194 da Assembleia Geral, 56
Resolução 242 da Assembleia Geral, xxiii, xxiv, xxxv, xxxviii, xxxix, 185-7, 224, 233, 245, 253, 258
Resolução 2535B da Assembleia Geral, 8
Resolução 2627C da Assembleia Geral, 8
Resolução 3236 da Assembleia Geral, 257
resoluções da Assembleia Geral, 118, 129, 224
Nahalal, 16
Najada, 14
Nassar, Najib, 14
Nasser, Gamal Abdel, nasserismo, xx-xxi, xlii, 151, 155, 180, 182-3, 186-7, 191, 227-8, 249-50
Nazaré, Alta Nazaré, 14, 115, 119-20, 125, 145, 148, 180, 267
Nazistas, nazismo, xxxi, lvi, 39, 51, 61, 126, 256
NBC, 66
Nerval, Gérard de, 10
New Republic, 260
New York Times, The, xxix, 34, 36, 44, 122, 220, 224, 226, 243, 259, 283
Sunday Magazine, 46
Nicarágua, 233
Niebuhr, Reinhold, 34-9, 43-5
"A New View of Palestine", 36
Nouvel Observateur, Le, 138

O
Organização Mundial Sionista, 111
segundo congresso, 111
Organização para a Libertação da Palestina (OLP), VIII, XVIII, 29, 54, 149, 153, 162, 228-234, 242-7, 251- 71

ascensão da, 180-93
Camp David, 221-3
legitimidade da, 29, 53, 65-6, 159-62, 193, 256-7
prestígio da, 176-7

P
Pacto Internacional de Direitos Civis e Políticos, O, 54
Palestina, palestinos
aburguesamento dos, 190
atritos em países anfitriões, 7, 133-4, 136-7, 184, 186,
como símbolo religioso, 9-11, 17, 24-6, 73, 140
como símbolo de luta contra injustiça, 71-3, 142-4, 160, 163, 182
como vítimas do sionismo, xxviii-xxix, 52 passim, 63-132 passim
direitos da, xxviii-xxix, 53-63, 133-206
diversidade política da, 149-51, 185-7, 190-3, 210-3
estatísticas populacionais da, 20-1,
estatísticas sobre educação na, 126-7, 146-8
falta de plebiscito na, 53-4
genocídio na, xxviii-xxix, 84-132
história e cultura da, xix, 9-16, 52, 134, 166, 202-4, 249-52
literatura, 12, 149, 154-6, 172-81, 267-8
poder da, xxviii
preconceito racial e estereótipos, 9, 19-21, 90-5, 103-6, 135-6
problemas de identidade, 133-206 passim
refugiados, 51, 64-7, 132-4, 140-6, 149-53, 184, 188, 258, 267
terrorismo por, xx-xxi, 6, 196-7, 255-8
tipos de, 53, 139-40
tradição nacionalista da, 13, 124-6, 133-5, 162-80
ver também Árabes; Camp David
Pahlevi, Mohammed Reza Shah, 9, 232

Partido Comunista (Israel), 148, 162
Pax Americana, 224
    ver também Camp David; política
    externa dos Estados Unidos
Peres, Shimon, 227
Petahim, 131
Petrie, Flinders, 91
Petróleto,
    como força política, xxviii 9, 65,
    130, 190, 214, 216-7, 226-7, 234,
    244, 267, 269-70
Pevsner, Samuel, 104
Plano Dalet, 116
Plano de Partição de 1947, 184
Plano Rogers, 186, 192
Po'ale Zion, 167
Poincaré, Raymond, 84
Porath, Yehoshua, 92
Porto Fuad, xlix
Porto Said, xlix
Primeira Guerra Mundial, 14-5, 92,
    117, 135

Q
Qassem, Samih al, 267
"Questão oriental", 3, 4
Quandt, William, 282-3

R
Rabin, Itzhak, 124, 159
Ramallah, 14
Ramlah, 13, 116
Rana, 119
Rashid, Harun al-, 147
Regulamentos para defesa em caso
    de emergência, 41
Renan, Joseph Ernest, 74, 84
República Democrática Alemã, 183
República Popular da China, 142,
    209
Revisionistas, 21
Revolução Palestina, 155
Rodésia, 89
Rodinson, Maxime, *Israel: A Colonial-
    -Settler State?*, 93
Rosen, Miriam, "Last Crusade:
    British Archeology in Palestine,
    The", 90-2

Rothschild, Lionel Nathan (família),
    15, 18
Ruppin, Arthur, 106, 108, 119

S
Sadat, Anuar, lv, 6, 130, 169, 185,
    192, 208, 211, 215, 217, 218-20,
    225, 227-35, 237, 250, 258-9,
    262, 268
Said, Edward W., *Orientalismo*, 4, 8,
    30, 74, 79, 244
Saiqa, 182
Sakakineh, Khalil, 14
Saladino, 147
Sandys, George, 13
Sarid, 16
Saunders, Harold H., 214-6
Schiff, Zeev, 240-1
Schlegel, Friedrich Von, 84
Segunda Guerra Mundial, liii, 20, 45,
    114-5, 126, 163, 167, 207
Selassie, Haile, 217
Shahak, Israel, 17, 131
Sharaby, Hisham, *Muqadimat li dirasit
    al' mujtama' araby*, 121
Sharett, Moshe, 117
Sharon, Ariel ("Arik"), xi, xxiv, xlv,
    236-7, 277
Shertok, Moshe. *Ver* Sharett, Moshe
Simpson, John Hope, 112
Sinai, Acordos do Sinai, 194, 229,
    245, 258
Sionismo, sionistas
    como colonialismo, 8-9, 13-43,
    72-4, 76-79, 221-2
    como racismo, 129
    eficácia do, 107-8, 129
    e o colonialismo e imperialismo
    europeu, 8-9, 11, 13-43, 63-94, 173
    e o liberalismo ocidental, 26-43,
    129-131, 196-8
    legitimação dos gentios do, 68
    identificação com o liberalismo no
    Ocidente, 27-39, 128-30, 195-8
    impacto sobre os palestinos, 7-9,
    14-6, 82-4, 94-132
    oposição equiparada com o antis-
    semitismo, 66-7, 262

A questão da Palestina

poder da ideia do, 67-77, 82
políticas de compra de terras, 27, 97-8, 111-3, 116-20, 218-22
políticas de discriminação, 63, 68, 79-80
preconceito da mídia, xxx--xxxvi, 5, 43-9, 52, 65, 82-3, 197-9, 235, 246-8, 255, 262, 265-6
terrorismo pelos, xxix-xxxii, 47-51, 65, 129, 136-7, 197-9, 250, 261-3
ver também Antissemitismo; Comissão sionista (britânica)
Síria, xiii, xx, xxii-xxiii, xl, xliv, 12-3, 19, 44, 46, 60, 111, 115, 133-4, 139, 142, 148, 169, 182, 185, 190, 194, 198, 204
invasão do Líbano pela, 163, 165
governo minoritário na, 60
Snow, C. P., 127
Somália, 231
Spectator, The, 36-7
Spender, Stephen, 46-7
Spengler, Oswald, 84
Spock, Benjamin, 45
Stewart, Desmond, *Theodor Herzl,* 80
Stone, I. F., 47, 67, 131, 218
Subcomitê da Câmara para a Europa e o Oriente Médio, 214
Sunday Times (Londres), 17
relatório "Insight", 49-50

T

Tel-Aviv, xxxii, 105-6, 108, 119, 220
Tell Shaman, 16
Temple, C. L., *Native Races and Their Rules,* 107
Terceiro Mundo, xxviii, xxxi, xxxvii, xliii, xlviii, liii, 60, 141, 182, 190, 209, 212, 232, 249, 267
Territórios ocupados, xix, xliv, 17, 46-7, 49, 53-4, 83, 122-3, 138
ver também Faixa de Gaza, Cisjordânia
Terrorismo. *Ver* Israel, Palestina, Sionistas
Transjordânia, 52, 115, 222, 269
ver também Jordânia
Twain, Mark, 10

U

Unesco, xxx, 48, 197
União das Repúblicas Socialistas Soviéticas. *Ver* União Soviética
União Soviética, xvii, xxvi, xxxiv, 33, 48, 57, 130, 142, 183, 194, 215, 218, 228, 230-2, 247, 250, 257, 259, 267, 273
Universidade de Tel-Aviv, 237
Usrat al-Ard, 149, 155, 161

V

Vattel, Emer de, 86
Velho Testamento, como fonte de reivindicações israelenses, 65
Vietnã, xxxvi, 45, 66, 164, 186, 209, 217, 224, 271
Von Hoffman, Nicholas, 49-50

W

Washington Post, 58, 263
Weitz, Joseph, *My Diary and Letters to the Children,* 114-8
Weizmann, Chaim, 15, 26, 31-3, 90, 92, 102, 119, 128
Trial and Error (autobiografia), 23, 96-9, 104-11
Westlake, John, 86
Wills, Gary, 46
Wilson, Edmund, 38-40, 46
Black, Red, Blond and Olive, 39-42

X

Xá do Irã. *Ver* Pahlevi Mohammed

Y

Yediot Aharonot, 234
Yom al-Ard, 193

Z

Zaire, 231
Zangwill, Israel, 11
Zayyad, Tawfiq, *"Baqun",* 150
Zo Hadareh, 120
Zwrayk, Elia T., *The Palestinians in Israel: A Study in Internal Colonialism,* 122

SOBRE O LIVRO

Formato: 14 x 21 cm
Mancha: 27,5 x 49 paicas
Tipologia: Iowan Old Style 10/14
Papel: Off-white 80 g/m² (miolo)
Cartão Supremo 250 g/m² (capa)
1ª edição: 2012

EQUIPE DE REALIZAÇÃO

Capa
Estúdio Bogari

Edição de Texto
Mariana Echalar (Copidesque)
Frederico Ventura e Vivian Miwa Matsushita (Revisão)

Editoração Eletrônica
Eduardo Seiji Seki (Diagramação)

Assistência Editorial
Alberto Bononi

Rua Xavier Curado, 388 • Ipiranga - SP • 04210 100
Tel.: (11) 2063 7000
rettec@rettec.com.br • www.rettec.com.br